Jutta Mattausch

Ayurveda

Die sieben Energietypen

Von Schmetterlingstypen, Vulkanfrauen und Wassermännern
Die Quelle der Lebensfreude entdecken

WINDPFERD

Die Informationen in diesem Buch sind nach bestem Wissen und Gewissen dargestellt. Die Autoren und der Verlag übernehmen jedoch keine Haftung für irgendwelche Schäden aus dem richtigen oder unrichtigen Gebrauch der in diesem Buch vorgestellten Methoden. Diese sind zur Information und zur Weiterbildung gedacht.

1. Auflage 2002

© 2002 by Windpferd Verlagsgesellschaft mbH, Aitrang

Alle Rechte vorbehalten

Umschlaggestaltung: Marx Grafik & ArtWork

unter Verwendung der Zeichnungen von Peter Ehrhardt

Lektorat: Sylvia Luetjohann

Herstellung: Schneelöwe, Aitrang

ISBN 3-89385-396-0

Printed in Germany

Inhaltsverzeichnis

Danksagung

Mein aufrichtiger Dank für die Mitarbeit an diesem Buch geht an die beiden Ayurveda-Therapeuten Andreas Schwarz für seine Inspirationen zu den Marma-Übungen sowie Heike Seegebarth für Vorschläge zum Thema Ernährung.

Einführung

Vor Jahrtausenden offenbarten die Götter den alten indischen Sehern *(Rishis)* das wertvollste Gut für den Menschen: *Ayurveda,* „das Wissen vom ewigen, gesunden und glücklichen Leben". Bis zum heutigen Tag hat dieses Wissen nichts von seiner Aktualität verloren. Der Mensch als Teil des Universums ist immerwährend in die kosmischen Gesetze eingebunden, und damals wie heute liegt das höchste Ziel eines jeden Lebens in Glück und Gesundheit. Daher ist das uralte Wissen der Weisen unabhängig von Epochen, Kulturen und religiösen Vorstellungen. Gerade in unserer heutigen Zeit stellt die ayurvedische Lehre eine besondere Kostbarkeit dar. Unser schnellebiger Alltag ist komplex und anspruchsvoll; wir werden extrem beansprucht und herausgefordert, um alle Erwartungen erfüllen zu können. Allerdings geht dabei häufig die Stimme unserer wirklichen Bedürfnisse verloren, und dann befinden wir uns unbemerkt in einem Zustand des Unwohlseins. Durch Krankheiten, Ängste, Depressionen drücken Körper, Geist und Seele ihre Sehnsucht nach Harmonie aus.

Ayurveda betrachtet den Menschen als in die kosmische Ordnung eingebundene Ganzheit von Körper, Geist und Seele. Solange diese drei Aspekte unserer Existenz im Gleichklang sind, genießen wir Gesundheit, Vitalität und Glück. Gerät diese Einheit jedoch aus dem Gleichgewicht, werden wir krank.

Als Geschenk an die Menschen entwickelten die alten Weisen daher ein Medizinsystem, das diese harmonische Dreiheit aufrechterhält oder wiederherstellt. Ayurveda hat über rund 5.000 Jahre einen unvorstellbar großen Schatz an Weisheit und praktischen Erkenntnissen gesammelt und ist damit eines der ältesten Heilsysteme der Erde. Mit seinen vielfältigen Ansätzen, die alle das Ziel haben, Harmonie zu finden und damit geistiges und körperliches Wohlbefinden zu erlangen, umfaßt es heute praktisch alle Aspekte unseres Alltags.

Die Grundlage des Ayurveda wurde deshalb von Völkern der ganzen Welt als Basis für ihre eigenen Medizinsysteme übernommen. Im medizinischen Bereich kurieren ayurvedische Ärzte den Patienten mit Medikamenten, Ölen, Tinkturen und Pulvern, die vorwiegend aus Kräutern und Mineralien bestehen. Chirurgische Instrumente, die vor Jahrtausenden in Indien entwickelt wurden, gelten bis heute als Vorlage für Operationsinstrumente. Spezielles Ansehen aber hat Ayurveda als „Wissen zur Selbstheilung" gefunden.

Ayurveda beruht auf der Vorstellung, daß alle Substanzen des Universums aus den fünf Elementen Äther, Luft, Feuer, Wasser und Erde entstanden sind. Diese Elemente verbinden sich zu drei feinstofflichen Energien oder *Doshas: Vata* beschreibt alle Bewegungen, *Pitta* die Umwandlungen und *Kapha* die Materie. Ebenso wie alle Erscheinungen des Universums aus den drei Doshas hervorgehen, existieren sie auch im Menschen. Auf diese Lehre der Doshas gründet sich die ayurvedische Konstitutionslehre. Je nach ihrer speziellen Zusammensetzung nennt Ayurveda die drei großen Konstitutionstypen Vata, Pitta und Kapha; sie entsprechen vereinfacht dem „Wind-Typ", dem „Feuer-Typ" und dem „Erd-Typ".

Die Weisen erkannten, daß jeder Mensch mit einer individuellen Persönlichkeit zur Welt kommt und ganz einzigartig ist: Ein Mensch, der vorwiegend von Wind getragen wird, ist lebhaft, sprudelt über vor Ideen, ist aber auch rastlos und nervös. Ein Feuer-Typ arbeitet mit starkem Willen und Effizienz, ist aber zugleich reizbar und „explodiert" leicht. Dagegen geht ein Erd-Typ ruhig, friedvoll und in heiterer Stimmung seinen Weg, neigt aber zu übermäßiger Langsamkeit. In Vata, Pitta und Kapha begegnen wir der ganzen Fülle menschlichen Verhaltens. Zugleich können wir verstehen, welche Wege wir gehen müssen, um diese Energien im Gleichgewicht zu erhalten und dadurch ausgeglichen und gesund zu bleiben.

Daher ist diese Lehre von den Wesensnaturen und den ihnen entsprechenden Energietypen das Herzstück des Ayurveda: Wenn wir unsere Wesensnatur, *Prakriti,* erkennen, beginnt ein faszinierender Weg der Selbstentdeckung. Jeder Mensch birgt seine ganz persönliche Kombination der kosmischen Elemente in sich. In dieser einzigartigen Konstellation liegen seine Wurzeln. Wir alle tragen unsere eigene Geschichte, unsere Wünsche und Sehnsüchte tief verborgen im Herzen. Treten wir mit unserer Herzensebene in Verbindung, können wir unsere ursprüngliche Natur berühren und verstehen, wer wir wirklich sind. Dieses Potential hat uns das Schicksal mitgegeben, wir tragen es stets in uns als unseren ureigenen Reichtum, unsere einzigartige Schönheit und Quelle unserer Lebensfreude. Sobald wir bereit sind, unser Leben danach einzurichten, werden wir gesunden und geistige Erfüllung finden. Mit den Wesensnaturen der verschiedenen Energietypen befaßt sich auch dieses Buch. Es möchte Sie auf Ihrem ganz individuellen Weg zu Ihren Wurzeln begleiten und Sie dazu anleiten, Ihre Wesensnatur erkennen und lieben zu lernen und Wege zu finden, diese in ihrer ganzen Fülle zu genießen.

Im Westen hat Ayurveda besonders durch seine wunderbaren Ölmassagen, in der Schönheitspflege und in der Ernährung Popularität gefunden. Die alten Texte enthalten außerdem eine Fülle an Empfehlungen für Bewegung, die Kunst von Arbeit und Entspannung, zu Pflanzenheilkunde, Reinigungsmethoden und Verjüngungstherapie. Zugleich erkannten die alten Seher, daß die ursprüngliche Ursache für alles Glück oder Leiden unserem Geist entspringt. Meditation, Yoga und Atempraktiken haben daher einen hohen Stellenwert. Somit ist Ayurveda wahre Lebenskunst für alle Aspekte unserer Existenz in Harmonie mit den Gesetzen der Natur.

Nun sind Gesundheit und Glück aber keine stabilen Zustände, sondern brauchen unsere ständige Aufmerksamkeit, um die sich stetig wandelnden Energien im Gleichgewicht zu erhalten. Damit wird Ayurveda zu einer sehr persönlichen Angelegenheit, denn in der Sicht dieses ganzheitlichen Systems steht niemals eine einzelne Krankheit im Vordergrund, sondern immer der Mensch, dessen Ganzheit aus dem Lot geraten ist. Somit dürfen wir selbst Verantwortung tragen für ein erfülltes Leben.

Die vorgestellten sieben Wesensnaturen oder Energietypen sind in gewisser Weise Symbolfiguren, denn genau betrachtet gibt es ebenso viele Konstitutionen wie Menschen auf der Erde. Im Ayurveda werden jedoch die folgenden sieben Haupttypen beschrieben: Vata, Pitta und Kapha und ihre kombinierten Konstitutionen von Vata-Pitta, Vata-Kapha und Pitta-Kapha sowie den *Tridosha*-Typ, der die drei Grundenergien im ausgewogenen Verhältnis enthält.

9

Dieses Buch hat das Anliegen, den Leser im Erkennen seiner individuellen Wesensnatur anzuleiten und zu unterstützen. Zugleich will es Mut machen, dem Ruf zu den eigenen Wurzeln zu folgen. Durch die Lektüre kann sich der Leser seiner innewohnenden Qualitäten bewußt werden und zugleich typische anfällige oder kritische Punkte erkennen. Als Hilfestellung werden viele praktische Empfehlungen gegeben.

Sie können also in der Weise vorgehen, daß Sie die beiden Fragebögen *Prakriti-Vikriti* in Teil 2 ausfüllen (siehe Seite 38 ff.) und nach Auswertung Ihren eigenen Energietyp in Teil 4 des Buches näher kennenlernen und studieren. Sie können sich ebenso aber auch – wie im Rollenbuch eines Theaterstücks – mit allen sieben Hauptdarstellern auf der Bühne des Lebens bekanntmachen.

Teil 5, das Finale mit dem Titel „Die innere Weisheit der Doshas" (siehe Seite 287 ff.), bietet zwar eine Art zusammenfassende Schlußbetrachtung, die Welt sozusagen durch die Brille der einzelnen Doshas „mit den Augen der Weisen" zu sehen. Sie müssen sich jedoch vorher nicht erst durch das ganze Buch arbeiten und alle Wesenstypen genau studieren, um diesen Ansatz in die eigene Sichtweise und Lebenshaltung zu integrieren. Sie können sich auch gleich mit diesem neuen Blick auf sich selbst und andere vertraut machen, der die Freiheit schenkt, alte tiefsitzende Konzepte und gewohnheitsmäßige Beurteilungen loszulassen. Letztlich werden Sie dabei vielleicht auch die Qualitäten anderer Wesensnaturen und deren Schwierigkeiten besser verstehen und dadurch zu mehr zwischenmenschlichem Verständnis und Toleranz finden.

Mögen wir alle ein Leben in Liebe und Achtung für unsere eigene Einzigartigkeit wie die der anderen Menschen genießen.

I.
Der Mensch
als Teil der Natur

Als Teil der Natur setzt sich der Mensch aus denselben Elementen zusammen wie der Kosmos, aus dem er entstanden ist und in den er sich nach seinem Tode wieder auflöst. Da die Kräfte des Universums auch in uns wirken, folgen wir seinen Prinzipien. In keinem Augenblick leben wir getrennt von den Vorgängen in der Natur, sondern sind durch zahllose unsichtbare Fäden mit den universellen Ereignissen verwoben.

Auf diese Weise wirken in unserem menschlichen Mikrokosmos dieselben Gesetze wie im kosmischen Makrokosmos: Wie Feuer Landschaften zerstört und den Boden für Neues bereitet, sorgt unser inneres Feuer für Verdauung und Tatkraft. Wie der Wind Wolken und Klänge in alle Richtungen trägt, ermöglicht unser innerer Wind sämtliche Bewegungen des Körpers. Wie Erde alle Elemente in eine feste Form bringt, ist unsere innere Erde verantwortlich für Körperkraft und seelische Stabilität.

Auch die Sonne überträgt den Rhythmus ihrer Wanderung am Himmel auf unseren Rhythmus. Solange wir im Gleichklang mit der Natur leben, erwachen wir, wenn die Sonne morgens aufgeht. Wenn sie mittags im Zenit steht, spüren wir ihre Kraft am stärksten. Jetzt ist auch das innere Feuer so stark, daß wir Hunger bekommen. Nach Sonnenuntergang, wenn die Kräfte der Erde und des Wassers uns entspannen und Schlaf bringen, finden wir Ruhe.

Um den Menschen in seiner Vielfalt und seinen grundlegenden Bedürfnissen zu verstehen, befaßten sich die alten indischen Seher intensiv mit den Gesetzen von Kosmos und Natur.

Der gesamte Kosmos ist aus den fünf Elementen Erde, Wasser, Feuer, Luft und Äther aufgebaut. Je nach dem Verhältnis ihrer Mischung erscheinen die Objekte deshalb eher als fest, flüssig oder luftig, doch immer und überall sind alle fünf Elemente vorhanden. Selbst ein Stück Holz, das sehr hart erscheint, beinhaltet das Element Äther. Die moderne Physik definiert die Härte eines Objekts ebenfalls nach der Geschwindigkeit seiner Teilchen und hat damit das alte Wissen der Weisen bestätigt.

Die fünf Elemente sind jedoch nicht nur materielle Kräfte, sondern zugleich auch geistige Prinzipien. Alle Dinge, ob organischer oder anorganischer Natur, entstehen durch Verwandlung des einen in das andere. Jede „Verkörperung" beginnt mit dem Urelement Äther. Äther bewegt sich überall im Raum und wird durch seine

Bewegung zu Luft. Luft reibt sich, bis Hitze entsteht und somit Feuer entfacht wird. Feuer wiederum verdichtet sich zu Wasser, aus dem sich Erde entwickelt, das stabilste Element.

Die Vorstellung, daß jede Materie aus dem Urelement Äther hervorgeht, beinhaltet einen interessanten spirituellen Aspekt: Äther ist untrennbar mit dem höchsten Kosmischen Bewußtsein, dem Ursprung alles Seins, verbunden. Daher wirkt Kosmisches Bewußtsein überall im Universum, bis in die letzte Körperzelle eines Lebewesens hinein. Dieses subtile Bewußtsein ist zugleich die uns innewohnende Intelligenz, der wir vertrauen dürfen, da sie um die Gesetze des Universums weiß. Durch ein Leben mit den Rhythmen der Natur können wir ihren Klang erkennen, der uns in Harmonie bringt.

Wie in der äußeren Natur, kommen die fünf Elemente auch im Menschen in unterschiedlichem Verhältnis vor. Je nach ihrer Zusammensetzung prägt sich die individuelle Persönlichkeit aus. Deshalb hängen körperliche und geistige Wesenszüge eines Menschen weitgehend davon ab, ob eher Festigkeit, Wäßriges, Feuriges, Luftigkeit oder Ätherisches in seiner Veranlagung vorkommen.

Erde, das festeste Element, verleiht dem Körper Kraft, Ausdauer und Stabilität. Erde steht für Standfestigkeit und dem Eindruck von „Erdung“.

Fließend, weich und dicht, drückt das Element Wasser Geschmeidigkeit aus. Es verleiht dem Menschen fließende Bewegung und zeigt sich geistig in einem Gefühl von Zufriedenheit, Weichheit und Mitgefühl.

Feuer repräsentiert zugleich Licht und Hitze. Als Kraft der Aktivität und Veränderung ist Feuer verantwortlich für unseren Stoffwechsel, schenkt Intelligenz und Erkenntnis.

Leicht und klar bewegt sich Luft im Raum. Luft ist schnell und wechselt ständig ihre Richtung. Körperliche Beweglichkeit, den Fluß der Gedanken, Freude und Glück verdanken wir diesem Element.

Äther schließlich verbindet alle Elemente miteinander. Allgegenwärtig, subtil und formlos, gibt er sich zu erkennen, wenn reines Bewußtsein zu schwingen beginnt. So erweitert Äther unsere subtile Klarheit und ermöglicht eine geistige Haltung von Liebe und Mitgefühl.

13

Über seine fünf Sinnesorgane nimmt der Mensch Verbindung zu seiner Umgebung auf. Somit sind die Sinne die fünf Tore zur Außenwelt, über die sämtliche Informationen und Eindrücke aufgenommen und umgewandelt werden. Auf körperlicher Ebene entsteht so Materie, auf geistiger Ebene entwickelt sich Erfahrung: *Wie außen so innen.*

Entsprechend ist jedem der fünf kosmischen Elemente ein bestimmtes Sinnesorgan zugeordnet:

Erde wird über den Geruchssinn aufgenommen, ihr spezielles Organ ist die Nase.

Wasser steht in Verbindung mit dem Geschmackssinn. Ohne Wasser kann die Zunge nicht schmecken.

Feuer drückt sich in Licht und Sehen aus. Sinnesorgane des Feuers sind die Augen.

Luft ist an sich formlos, doch wird Luft durch Berührung über die Haut wahrgenommen.

Äther manifestiert sich in Klang, der über das Gehör, die Ohren, aufgenommen wird.

Doshas –
die drei Grundenergien

Die fünf Elemente fügen sich zu drei energetischen Prinzipien zusammen. Diese drei Prinzipien sind wiederum überall in der Natur vorhanden – in Steinen, Pflanzen, Tieren, in Menschen und allen Erscheinungen, die das Universum hervorbringt. Analog der Drei-Säfte-Lehre der alten Griechen von Wind, Galle und Schleim werden im Ayurveda die drei Körperenergien „Doshas" genannt und heißen Vata, Pitta und Kapha. Diese drei Prinzipien, auch als Bioenergien beschrieben, ermöglichen Aufbau, Stabilität sowie Zerstörung aller Dinge und halten so den ewigen Kreislauf von Werden und Vergehen in Gang. Vata, Pitta und Kapha sind verantwortlich für sämtliche Vorgänge in Körper und Geist. Sie ermöglichen, daß wir laufen, sprechen, hören können und sind zuständig für Verdauung, Stoffwechsel, Ausscheidung, für unser Verhalten, Temperament und unsere Gefühle. Jede einzelne Zelle muß alle drei Prinzipien enthalten, denn ohne das Zusammenspiel der Doshas kann Leben nicht existieren.

Vata verbindet sich aus den Elementen Luft und Äther. Es steuert die Bewegungsabläufe. Pitta definiert sich aus der Kraft des Feuers und ist verantwortlich für den Stoffwechsel. Kapha entsteht aus den Elementen Erde und Wasser und bestimmt die Struktur eines Wesens.

Ein Mensch ist gesund, solange sich die drei Doshas im Gleichgewicht befinden und ihre jeweiligen Funktionen erfüllen. Dann fühlen wir uns vital und kräftig, und in unserem Geist können sich Frieden, Mitgefühl und umfassende Liebe entwickeln. Durch den Einfluß negativer Eindrücke wird dieses Gleichgewicht jedoch schnell gestört. Die Gründe dafür liegen in falscher Ernährung, Streß, Lärm sowie vielen anderen krankmachenden Faktoren. Solche Einflüsse stören das Gleichgewicht der Energien und lassen sie in einen Zustand der Verwirrung und Unordnung geraten. Dann können die Doshas ihre Aufgaben nicht mehr erfüllen, wodurch körperliche Beschwerden und Krankheiten sowie ungesunde Gefühle entstehen.

Unsere Gesundheit hängt also vom Gleichgewicht unserer inneren Elemente und Grundenergien ab. Wir müssen daher mit diesen jonglieren, um sie bestmöglich in Balance zu halten. Die drei Doshas sind wie eine dreiarmige Waage miteinander verbunden. Senkt sich durch einen bestimmten Eindruck die eine Waagschale, werden die beiden anderen angehoben. Um wieder einen Ausgleich auf der Waage zu erreichen, wird das übermäßige Dosha durch bestimmte Maßnahmen „erleichtert", wodurch die beiden anderen automatisch zunehmen.

Wir befinden uns in ständigem Austausch mit der Umwelt. So verändern sich unsere Bioenergien laufend mit den Rhythmus der Stunde, des Tages und des Jahres. Entsprechend steht der Fluß unserer Kräfte in direktem Zusammenhang mit den umgebenden Energien, der Nahrung, die wir essen, der Luft, die wir atmen, der Atmosphäre, die andere Menschen ausstrahlen. Die Nahrung, die über die Verdauung in einen organischen Teil unseres Körpers umgewandelt wird, stellt die unmittelbarste Verbindung zwischen Mensch und Mutter Erde dar.

Ayurveda kennt viele Wege, um regulierend auf das ausgewogene Verhältnis der Bioenergien einzuwirken. Die wichtigsten Methoden setzen bei der Ernährung, dem richtigen Maß an Bewegung sowie bei Massagen an. Sie werden durch subtile Methoden wie Yoga, Meditation und Atemtechniken ergänzt.

Die Eigenschaften der Doshas

Unsere drei Bioenergien setzen sich aus Eigenschaften zusammen, zu denen auch wir in Verbindung stehen. Ayurveda beschreibt zwanzig solcher grundlegender Eigenschaften, jeweils zehn Gegensatzpaare, durch die sich alle Erscheinungen ausdrücken. Wenn unser Körper damit in Kontakt kommt, nimmt er die entsprechenden Eigenschaften auf.

schwer – leicht
kalt – heiß
feucht/ölig – trocken

weich – hart
langsam – schnell
glatt – rauh (unregelmäßig)
grobstofflich – feinstofflich (subtil)
fest – flüssig
klebrig – klar
stabil – beweglich

Aufgrund der Zusammensetzung ihrer Eigenschaften sind die Energien von Vata, Pitta und Kapha sehr unterschiedlich:

Vata ist gekennzeichnet durch die Eigenschaften: trocken, kalt, rauh, leicht, beweglich, schnell, subtil. Sein Geschmack ist zusammenziehend, die Energie auszehrend. Ein Lebewesen, das mit Vata in Berührung kommt, verliert automatisch an Substanz.

Pitta ist gekennzeichnet durch die Eigenschaften: heiß, scharf, etwas leicht, etwas ölig, etwas flüssig. Es ist durchdringend, von beißendem Geruch und saurem Geschmack. Pitta liegt mit seinen Eigenschaften quasi zwischen Vata und Kapha.

Kapha ist gekennzeichnet durch die Eigenschaften: ölig, kalt, schwer, feucht, langsam, weich, glatt, stabil, schleimig. Es ist von süßem Geschmack und nahrhafter Qualität. Ein Lebewesen, das mit Kapha in Berührung kommt, baut automatisch Substanz auf.

Damit können wir auch die unterschiedlichen Reaktionen unseres Körpers besser verstehen. Wenn wir etwa sehr scharf und heiß gegessen haben, steigt Pitta im Körper an und verursacht ein brennendes Gefühl in Mund und Magen; womöglich bekommen wir Durchfall. Auch ein aggressiver Autofahrer erhöht unser Pitta-Dosha vielleicht so sehr, daß wir einen Wutausbruch haben. Wenn wir dagegen etwas Kaltes und Schweres essen, erhöht sich das Kapha-Dosha. Unser Bauch fühlt sich nun schwer an, wir können das Essen nicht gut verdauen. Ebenso schwer und träge fühlen wir uns an einem regnerischen Wintertag. Alles dies sind Ausdrucksformen eines erhöhten Kapha-Dosha. Die Energie von Vata steigt wiederum an einem windigen Herbsttag. Nach einem langen Spaziergang fühlen wir uns ausgetrocknet und vielleicht zappelig, auch die Glieder können jetzt schmerzen. Ebenso unruhig und schlecht „geerdet" fühlen wir uns mit großen Hungergefühlen – hier drückt sich ein erhöhtes Vata-Dosha aus.

17

Die drei Konstitutionstypen

Jeder Mensch kommt mit einem bestimmten Verhältnis der Bioenergien zur Welt. Je nachdem, welche dieser Energien überwiegt, wird ihm eine bestimmte Konstitution, seine *Prakriti* zugeordnet. Wenn man von einer Vata-Konstitution spricht, kommen in dieser Person besonders viele Merkmale der Energie von Vata zum Ausdruck; sie verkörpert in hohem Maße das Prinzip der Bewegung und Leichtigkeit. Entsprechend spricht man von einer Pitta-Konstitution, wenn der Betreffende weitgehend vom Feuer geprägt ist. Eine Kapha-Konstitution weist dagegen viel Struktur und Gelassenheit in ihrem Wesen auf.

Die ausführliche Darstellung dieser verschiedenen Wesensnaturen und Energietypen, der das spezielle Thema dieses Buches gewidmet ist, folgt detailliert in Teil 4 (ab Seite 109). Die hier beschriebenen Kurzformen sollen nur einen ersten Eindruck geben:

Eigenschaften der Vata-Konstitution:

kalt: verursacht kalte Hände und Füße, mag kalte Witterung nicht

leicht: verleiht leichten Körperbau, leichten Schlaf mit Unterbrechungen, ein unbeschwertes Gemüt

trocken: trockene Haut mit Tendenz zu Ekzemen, trockenes schuppiges Haar, trockener Darm mit Neigung zu Verstopfung

beweglich: ständig in Unruhe, instabiler Kreislauf, lockere Gelenke, verrichtet mehrere Dinge gleichzeitig, liebt Reisen, kann sich gut auf neue Situationen einstellen, instabile Nerven, schwankende Stimmungen

rauh: rissige, rauhe, brüchige Haare, Nägel, Zähne, sprödes Haar

subtil: zarter Körperbau, empfindliches Nervenkostüm

Eigenschaften der Pitta-Konstitution:

heiß: verleiht gutes Verdauungsfeuer, aktiven Stoffwechsel, relativ hohe Körpertemperatur, Entzündungsneigung, Abneigung gegen Hitze, hitziges Temperament

scharf: scharf ausgeprägte Gesichtszüge, scharfer Geist, scharfe Beobachtung und scharfe Zunge

sauer: Übersäuerung des Körpers mit hohem ph-Wert, saurer Schweiß, ist emotional schnell „sauer"

flüssig: wäßriger Stuhl, viel Urin und Schweiß, großer Durst

ausdehnend: Hitze verbreitet sich großflächig über den Körper – energievolles Auftreten, hat eine starke Ausstrahlung

durchdringend: brennende Empfindungen im ganzen Körper, Wutgefühle

Eigenschaften der Kapha-Konstitution:

schwer: schwerer Körperbau, kräftige Muskulatur, Neigung zu Übergewicht, Schwermut, schwere getragene Stimme

feucht: viel Schleim in Lunge, Nebenhöhlen und Hals, viel Wasser im Körper

langsam: langsame Bewegungen, bedächtige Sprechweise, langsame Auffassungsgabe, träge Verdauung

weich: weiche Haut und Haare, weiche Stimme, mitfühlendes, nachgiebiges Wesen, sanfter freundlicher Blick

glatt: glatte Haut und Haare, geschmeidiger Körper und geschmeidige Organe, anpassungsfähig

ölig: ölige Haut, Haare fetten schnell, öliger Stuhl

kalt: Neigung zu Erkältungen, kühle Haut, kühles Naturell

19

Die drei kosmischen Kräfte

Vata

Vata ist die Energie der Bewegung und des Antriebs. Vata heißt wörtlich „Wind", geht jedoch weit über unsere herkömmliche Vorstellung von Wind oder Luft hinaus. Die Essenz von Vata ist nämlich reine Lebenskraft, *Prana*. Daher ist Vata die stärkste aller Energien, aus ihr schöpfen wir Lebensgeist und Bewußtsein. Als „Königin der Doshas" führt sie die anderen beiden Energien Pitta und Kapha an, die sozusagen unbeweglich sind und ohne Vata überhaupt nicht handeln können.

Zugleich aber ist Vata das labilste von allen Doshas. Gleich einem Windhauch, ist es ständig in Bewegung und verliert schnell sein Gleichgewicht. Den meisten Krankheiten liegt deshalb eine Störung von Vata zugrunde. Da Vata immer mitreagiert, wenn eines der anderen Doshas sich verändert, muß auf seine Regulierung besonders geachtet werden.

Vata steht für alles, was sich bewegt. Wie diese Kraft in der Natur Staub und Wolken in Bewegung setzt, ist sie im Körper die Steuerzentrale für alle körperlichen und geistigen Bewegungen. Vata sorgt dafür, daß sämtliche Aspekte des Körpers in ständiger Verbindung stehen und schafft so die Voraussetzung auch für komplizierte Bewegungen. Vata koordiniert Abläufe von höchstem Stellenwert: Es ist verantwortlich für Herzschlag, Puls und Atmung, es koordiniert die peristaltischen Bewegungen des Darms und steuert die Zellteilung. Vata scheidet Abfallprodukte wie Stuhl, Schweiß, Menstruationsblut aus und wirkt auslösend auf die Wehen und den Samenerguß. Wir verdanken es der Energie von Vata, daß wir ohne nachzudenken laufen und sitzen, einen reflektorischen Lidschlag haben, sprechen und schlucken können.

Wie alle Bioenergien bewegt sich auch Vata überall im Körper. Sein Hauptsitz liegt im Unterbauch im Bereich des Dickdarms; andere wichtige Körperregionen sind alle hohlen Organe, die Knochen und die Gelenke.

Das wichtigste Organ für Vata ist das Nervensystem. Blitzschnell werden durch Vata sämtliche eingehenden Informationen von den Sinnesorganen an das Gehirn geleitet. Hier wird über ihren weiteren Verlauf entschieden. Diese „Entscheidungen" gelangen nun als Impulse (wieder über das Rückenmark) in unglaublicher Präzision und Geschwindigkeit zu den entsprechenden Muskeln und Organen. In diesem komplexen Zusammenspiel bringt Vata alle Abläufe in eine natürliche Ordnung, ermöglicht Harmonie der Sinne und Klarheit des Geistes.

Wenn Vata optimal funktioniert, können alle Sinnesorgane perfekt arbeiten. Damit verfügt der Mensch über eine schnelle Auffassungsgabe und geistige Vitalität, er ist begeisterungsfähig, aufgeschlossen und kreativ. Somit verleiht Vata den rechten Antrieb, um Ziele zu erreichen. Auf körperlicher Ebene ist der Kreislauf stabil, die Atmung ausgeglichen. Ist die natürliche Bewegungsrichtung der Vata-Energie gestört, treten Irritationen in der Motorik auf. Entsprechend äußern sich Krankheiten in Form von Lähmungen, Gewichtsverlust, unregelmäßiger Verdauung mit Blähungen und Verstopfung, Problemen im unteren Dünndarm und im Dickdarm. Außerdem leidet der Betreffende unter Kälteempfindlichkeit, Austrocknung, vorzeitiger Alterung, Problemen in Gelenken, Knochen, Ohren und auf der Haut. Ein irritierter Vata-Zustand schlägt sich besonders auf das Nervengewebe nieder. Beschwerden im nervlichen Bereich liegt daher stets eine Vata-Störung zugrunde. Die häufigsten Anzeichen dafür sind Ängstlichkeit, Depression, übermäßige Sensibilität und Schlaflosigkeit. Die Sinne sind nicht mehr klar, was zu einem Mangel an Konzentration und klarer Urteilskraft führt.

Pitta

Pitta ist die Energie der Umwandlung. Verbunden mit Sonne und Licht, steht sie für das Feuerprinzip im Körper und bedeutet entsprechend auch die „Kraft des Kochens". Die Hitze des Feuers läßt Substanzen schmelzen und verwandelt ihre Form und Farbe. Daher ist Feuer die Kraft, die Veränderungen in Körper und Geist bewirkt. Alle „hitzigen" Vorgänge stehen mit Pitta in Verbindung.

Im Körper existiert die Pitta-Energie in Form von Säuren und Enzymen vorwiegend im Dünndarm und in der Leber. Sie ist verantwortlich für sämtliche Vorgänge der Verdauung – von der Zerlegung der Nahrung im Magen über die Verbrennung und ihre Umwandlung in körpereigene Bestandteile bis hin zur Ausscheidung der Abfallprodukte. Mit ihrer Verbindung zum Enzymsystem hat sie auch einen direkten Einfluß auf den Stoffwechsel und das Hormonsystem. Auf geistiger Ebene verkörpert Feuer Bewußtsein und Leuchten, denn Licht ist der Ursprung des Geistes. Über Pitta, das eng mit den Augen verbunden ist, werden vor allem optische Wahrnehmungen bewußt aufgenommen und emotional verdaut, so daß sie zu einem Teil unserer Persönlichkeit werden. Damit bringt Pitta Licht nicht nur in die Sehkraft, sondern auch in unsere Sinneswelt und verhilft zu Intelligenz und der Fähigkeit, Erlebtes zu verstehen. Pitta verleiht uns die Kraft der Beurteilung und Unterscheidung als Basis dafür, uns eine Meinung zu bilden. Der Hitze von Pitta verdanken wir auch Temperament und den Mut des Kriegers, der sich bei Angriffen verteidigt.

Pitta befindet sich in den heißen Flüssigkeiten des Körpers. Sein Hauptsitz ist zwischen Herz und Nabel im Bereich des Dünndarms. Es ist aber auch im Blut, in der Milz, in der Leber und Gallenblase zu finden, wo die Galle für die Verdauung der Fette produziert wird.

Pitta im gesunden Zustand gewährleistet guten Appetit, eine optimale Verdauung und damit Vitalität und Gesundheit. Der Betreffende hat eine frische Hautfarbe, gesundes Blut und eine lebendige Ausstrahlung. Auf geistiger Ebene ist er mutig und fröhlich, begreift schnell und hat eine scharfe Intelligenz Eine gestörte Pitta-Energie manifestiert sich organisch vor allem in Leber und Gallenblase, Dünndarm und Magen, im Blut und auf der Hautoberfläche. Emotional verursacht sie Zorn und Reizbarkeit sowie eine Neigung zu Egoismus, Eifersucht und übermäßigem Ehrgeiz.

Kapha

Alles Leben wird aus dem Meer geboren; es wächst darin, und das Meer ernährt es. Als unserer innerer Ozean symbolisiert Kapha das stabilisierende und erhaltende Prinzip. Das für Kapha verwendete Synonym *Sleshma,* „Schleim", beschreibt seine Eigenschaften schwer und feucht.

Erde und Wasser sind jene stabilen Elemente, die dem Körper erst den Aufbau von Substanz und Struktur ermöglichen. Zugleich verleihen ihre schleimigen Sekrete ihm Weichheit und schützen die Organe vor Abnutzung. Kapha zirkuliert im Blut und versorgt alle Körperteile mit Nährstoffen. So stärkt Kapha den Körper und schützt ihn zugleich vor Angriffen und Verschleiß. Es glättet die Gewebe, umhüllt die Gelenke, macht sie geschmeidig und verzögert ihre Abnutzung. Der Schleim von Kapha schützt die Magenwände auch vor der Aggressivität von sauren Sekreten.

Für Wachstum und Aufbau zuständig, wirkt Kapha als Gegenkraft zu den beiden anderen Energien. Es reguliert durch seine Geschmeidigkeit Vata, das Gewebe verschleißt und zerstört. Mit seinen Eigenschaften der Kühle und Substanz harmonisiert es die erhitzende Kraft von Pitta.

Der Hauptsitz von Kapha befindet sich im oberen Körperbereich. Vom Magen aus wird der Schleim besonders zu den Lungen, zu Hals und Kopf weitergeleitet. Über den ganzen Körper verteilt, sitzt Kapha in den Gelenken sowie im Fettgewebe. Ein Überschuß führt daher zu Fettleibigkeit.

Kapha in Harmonie verleiht dem Körper Geschmeidigkeit und Kraft. Seine Substanz stärkt die Abwehrkräfte gegen Erreger und Angriffe von außen und schützt vor vorzeitigem körperlichen Verfall. Es stabilisiert die Gelenke, fördert die Wundheilung sowie auch die Fruchtbarkeit. Geistig verleiht es Ruhe, Geduld, Kraft und Stabilität und dadurch letztlich Lebensfreude. Diese innere Harmonie ermöglicht die Entwicklung von Liebe, Vergebung, Hingabe und Glauben. Kapha stärkt das Gedächtnis, so daß wir behalten, was wir durch Vata und Pitta an Verständnis und Einsicht gewonnen haben.

Eine Störung von Kapha zeigt sich in Übergewicht, Müdigkeit, Appetitlosigkeit, Verlust von Abwehrkräften, Potenz und Fortpflanzungsvermögen. Krankheiten im Bereich der Lungen und Bronchien, in Magen, Nieren und Harnblase, Rachen und Kopf, der Nase und Zunge sind häufig. Mit einer irritierten Kapha-Energie funktionieren die Sinne nicht gut, daher wird der Betreffende geistig unbeweglich, antriebslos und lethargisch. In seinem Geist können sich negative Gefühle wie Anhaftung, Gier und Neid entwickeln.

23

Die Grundlagen von Gesundheit

Nach dem Verständnis des Ayurveda ist der Zustand von Gesundheit wesentlich umfassender zu sehen als eine subjektive Wahrnehmung des Wohlgefühls bzw. das Fehlen von offensichtlichen Beschwerden. In den alten Schriften wird Gesundheit folgendermaßen definiert:

„Wahrhaft gesund ist der:
– dessen Doshas im Gleichgewicht sind
– dessen Verdauung und Stoffwechsel ausgewogen sind
– dessen Gewebe *(Dhatus)* richtig aufgebaut sind und von dem die Abfallstoffe *(Malas)* ausgeschieden werden
– dessen fünf Sinne richtig arbeiten und
– der dabei in Glück und Erfüllung lebt."

Gesundheit bildet die Grundlage für alle Aspekte unseres Lebens. Alle Aktivitäten, unsere Arbeit, die zwischenmenschlichen Kontakte, der Ausdruck unserer Kreativität, alles hängt vom Zustand unserer Gesundheit ab. Auch eine spirituelle Entwicklung, das höchste Ziel unseres Daseins, beruht auf dem rechten Funktionieren der fünf Sinne. Daher ermutigt Ayurveda uns zu ständigem Gewahrsein und einer bewußten Verantwortung für unser Verhalten im Alltag als Voraussetzung dafür, um unsere Gesundheit bestmöglich zu erhalten.

In Sanskrit bedeutet Gesundheit „die Lebensweise, die der eigenen Natur gehorcht". Darin liegt der tiefere Grund, weshalb wir unsere angeborene Wesensnatur mit ihren Bedürfnissen so gut wie möglich kennen sollten. Es hängt letztlich von unserer geistigen Einstellung ab, welche Lebensweise wir wählen. Der Geist als Grundlage für alle Aktivitäten entscheidet damit über unsere Lebensqualität und bestimmt, in welche Richtung wir unser Leben lenken. Eine positive geistige Haltung und richtiges Denken sind damit die Basis für ein Leben, in dem alle Voraussetzungen für Gesundheit erfüllt sind. Umgekehrt sind negative Gefühle und falsches Verhalten die Faktoren, die zu Unglück und Krankheiten führen. Mit dem Bewußtsein unserer einzigartigen Wesensnatur erkennen wir, was wir wirklich brauchen. Unser Körper und unsere Seele unterstützen uns bei dieser Suche, denn sie ersehnen jenen Zustand, in dem sie Gleichgewicht und Harmonie finden. Deshalb senden sie Signale, die sich in Form von unglücklichen Gefühlen oder als körperliche Beschwerden ausdrücken, sobald wir diese Ausgewogenheit verlassen.

Zu einem glücklichen und gesunden Leben gehören daher ein spirituelles Weltbild, eine positive Lebenshaltung ebenso wie tägliche Rituale mit Yoga- und Meditationsübungen. Auf diesem Fundament können sich wichtige Tugenden wie Nächstenliebe, Mitgefühl, Bescheidenheit, Demut und Geduld entfalten, die ebenfalls eine Voraussetzung für unsere seelische Gesundheit darstellen. Mit der Beachtung dieser Prinzipien können Körper und Seele gesund, rein und bewußt bleiben, bis sie hundert Jahre sind – dieses Alter haben die Weisen als für den Menschen vorgesehene Lebensspanne festgesetzt.

„Feuer ist Leben“: Agni, das Verdauungsfeuer

Im Westen macht man sich relativ wenig Gedanken um das Thema Verdauung. Im Ayurveda wird dagegen eine gute Verdauung als wichtige Voraussetzung für Gesundheit angesehen. Daher heißt es in Abwandlung des Satzes: „Man ist, was man ißt“ im Ayurveda: „Man ist, was man verdaut“. Die hochwertigste Nahrung ist nutzlos, wenn der Körper sie nicht ordentlich verwerten kann. Mit relativ wenig kommen wir dagegen aus, wenn alles ordentlich verdaut wird. *Agni,* unser Verdauungsfeuer, nimmt daher eine Schlüsselrolle beim Thema Gesundheit ein. Agni ist wie eine Kerzenflamme, die möglichst hell und gleichmäßig brennen sollte. Als „Licht unseres Lebens“ erfordert sie unsere ständige Achtsamkeit, denn der Zustand von Agni hängt wiederum vom Gleichgewicht der Doshas ab. Ein ausgewogenes Agni sorgt dafür, daß unsere Nahrung nicht zu schnell, aber auch nicht zu langsam verbrannt

25

wird. Anschließend wird sie durch Agni vollständig in körpereigene Substanzen verwandelt und kann nun von den Zellen aufgenommen werden.

Funktioniert das Verdauungsfeuer optimal, werden die Zellen mit allen wichtigen Nährstoffen versorgt, die Gewebe sind gut aufgebaut, der Mensch strahlt Vitalität und Frische aus. Im geistigen Bereich sorgt Agni für die richtige Verarbeitung von Eindrücken und ist damit maßgeblich verantwortlich für die Entwicklung unseres Bewußtseins. Umgekehrt entstehen die meisten Krankheiten durch eine gestörte Verdauung, wenn die Flamme zu groß oder zu klein ist. In diesem Fall kann die Nahrung nicht vollständig umgewandelt werden und die Zellen erhalten nicht ausreichend Nährstoffe. Zugleich lagern sich die unverdauten Teile der Nahrung als „Ama" im Körper ab.

Ama heißt wörtlich „nicht gekocht" und weist bereits darauf hin, daß Teile des Essens nicht durch Agni umgewandelt worden sind. Dieses unverdaute Material ist eine giftige Substanz, dunkel, klebrig und ähnelt Schlacken. Da es wertlos für den Stoffwechsel ist, lagert es sich in den Geweben ein, wo es die Funktion des entsprechenden Organs stört. Daher wird Ama als die eigentliche Ursache der meisten Krankheiten betrachtet.

Ähnlich wie durch falsche Nahrung, kann sich Ama auch durch falsche Gefühle entwickeln. Durch übermäßigen Streß, Sorgen, Ängste und Unzufriedenheit entstehen geistige Gifte, die sich in Zellen einlagern und ebenfalls die Gewebe verschlacken. Diese toxischen Abfallprodukte schwächen letztlich Körper und Geist und verursachen auf diese Weise Krankheiten aller Art.

Mala ist die Bezeichnung für die Abfallstoffe des Körpers. Um alle Gewebe rein zu erhalten, muß der Körper die bei der Verdauung anfallenden Giftstoffe regelmäßig und vollständig ausscheiden. Funktionieren die Ausscheidungen nicht, lagern sie sich ebenfalls als Ama ein und stören das Gleichgewicht der Doshas. Ein ayurvedischer Arzt interessiert sich daher für die Körperausscheidungen seines Patienten, denn ihre Beschaffenheit und Menge liefern wichtige Hinweise für den Grad der Gesundheit. Die drei grobstofflichen Abfallstoffe sind Stuhl, Urin und Schweiß. Feinstoffliche Malas werden durch Augen, Nase, Mund, Ohren und Geschlechtsorgane abgesondert.

26

Dhatus – die Gewebe

Brennt Agni auf moderater Flamme und werden die Abfallstoffe regelmäßig ausgeschieden, dann kann der Organismus seine Gewebe ordentlich aufbauen, so daß die Organe und verschiedenen Körpersysteme richtig funktionieren. Ayurveda unterscheidet sieben Arten von Dhatus. Diese bauen sich systematisch nacheinander auf, so daß eines jeweils vom Zustand des vorherigen abhängig ist. Stets wird die Essenz aus der letzten Stufe verwertet, wodurch sich ihre Qualität immer mehr potenziert. Tritt auf irgendeiner Stufe eine Störung auf, bekommen die folgenden Gewebe nicht die entsprechenden Nährstoffe und können sich nicht ordentlich entwickeln.

Die einzelnen Dhatus sind:

Plasma (Rasa): Plasma durchströmt den ganzen Körper. Es enthält die Nährstoffe aus der verdauten Nahrung und liefert sie zu den verschiedenen Geweben und Organen. Plasma verleiht Lebensfreude und Glückseligkeit.

Blut (Rakta): Blut versorgt die Zellen mit Sauerstoff und schenkt ihnen dadurch Leben.

Muskeln (Mamsa): Die Muskeln ermöglichen die Bewegung im Körper und verleihen ihm Struktur. Genügend Muskelmasse gibt Kraft und Mut.

Fett (Meda): Fett erhält die Gewebe weich und geschmeidig.

Knochen (Asthi): Die Knochen unterstützen die Gewebe und geben ihnen Festigkeit. Genug Asthi verleiht Selbstvertrauen und Stabilität.

Knochenmark/Nervensystem (Majja): Die Nerven leiten motorische und sensorische Impulse weiter und sorgen damit für den Informationsfluß zwischen den einzelnen Körperteilen.

Fortpflanzungsgewebe (Sukra): Sukra bringt neues Leben hervor und erhält so den Fluß des Daseins.

Aus Sukra wiederum entsteht ein feinstoffliches Konzentrat, das im Herzchakra seinen Sitz hat. *Ojas,* wörtlich „Lebenskraft", ist

27

jene höchste Kraft für den Menschen, die unserem grobstofflichen Körper Ausstrahlung, Mut und ein gutes Immunsystem verleiht. Ohne Ojas sind wir nicht lebensfähig. In der *Charaka Samhita* heißt es: „Ojas wird aus der Essenz aller Körpergewebe gebildet, so wie Honig die Essenz der Blumen ist, welche die Bienen sammeln." Daher betont Ayurveda stets die Wichtigkeit von Verdauungsfeuer und Ausscheidung, denn nur mit genügend Ojas kann der Mensch gesund und glücklich werden.

Die Ursachen von Krankheit

Krankheiten entwickeln sich dann, wenn die obengenannten Bedingungen nicht erfüllt sind und dadurch das Gleichgewicht zwischen Vata, Pitta und Kapha gestört ist. So gesehen, bricht keine einzige Krankheit aus heiterem Himmel über uns herein. Selbst sogenannte akute Krankheiten bahnen sich oft über lange Zeit an, längst bevor sie Beschwerden verursachen. Ein Herzinfarkt hat, obwohl er als akutes Ereignis erscheint, meist eine jahrelange Vorgeschichte.

Eine Erkrankung kann viele Ursachen haben. Dazu können äußere Streßfaktoren gehören, etwa ein Klimawechsel, Veränderung der Umgebung, falsche Nahrungsmittel usw. Die hohen Anforderungen des Alltags setzen uns häufig unter extreme Belastungen. Menschen, die ständig überfordert sind, fehlt die Zeit und Ruhe, um sich ausreichend lange Regenerationsphasen zu gönnen. Häufig erkranken Menschen auch, weil sie die Bedürfnisse ihrer Wesensnatur nicht kennen und damit an ihrem Potential, das seinen Ausdruck sucht, vorbei leben. Gerade diese nicht ausgelebten Energien schaffen sich häufig in Form von Erkrankungen Raum.

Wenn das Gleichgewicht zwischen Vata, Pitta und Kapha nur kurzzeitig gestört ist, kann ein gesunder Körper selbständig zur harmonischen Balance zurückfinden. An den Klimawechsel zwischen den Jahreszeiten etwa ist der Körper gewöhnt. Er kann sich der veränderten Situation anpassen, ohne spezielle therapeutische Maßnahmen zu benötigen. Zwischen Winter und Frühjahr sammelt sich beispielsweise Kapha an. Dadurch dringt Schwere in den Organismus ein, die sich in den Geweben festsetzt und zu vermehrter Fetteinlagerung führt. Vielleicht kommt es auch zu Anflügen von Lethargie und Passivität, wenn es besonders naßkalt ist. Dieser Zustand reguliert sich jedoch auf natürliche Weise, wenn die Pitta-Zeit anbricht und es draußen wieder warm, hell und trocken wird.

Erst wenn die Hitze es nicht schafft, Kapha zu regulieren, verstärkt sich dieses Übergewicht weiter und breitet sich aus. Spätestens an diesem Punkt sind nun Kapha reduzierende Maßnahmen notwendig. Mit einer entsprechenden Diät, also leichten, warmen, gut gewürzten Speisen, genügend Sport und Aktivitäten kann das Kapha-Dosha gezielt reguliert werden.

Problematisch wird die Situation, wenn die Überlastung für den Körper bestehenbleibt. Nun sammelt sich das überhöhte Dosha an, und es entsteht Ama. Als offensichtliche Krankheit manifestiert sich dieses Ungleichgewicht aber erst in einem fortgeschrittenem Stadium der gestörten Körperprozesse. Vorher sendet der Körper jedoch Signale aus, denn schließlich strebt die innere Intelligenz stets Ordnung, also einen Zustand der Gesundheit an. Oft scheinen solche Signale unauffällig zu sein; um so wichtiger ist es, daß wir bereits kleine Veränderungen ernst nehmen: Diese Signale sind Boten der Weisheit unseres Körpers. Sie zeigen unser Befinden an und möchten uns warnen, bevor Schlimmeres geschieht. Werden solche Symptome ignoriert und die zugrundeliegende Ursachen nicht behandelt, schreitet die Entwicklung zur nächsten Stufe der Krankheit fort. Deshalb ist es wesentlich einfacher, ein Ungleichgewicht möglichst frühzeitig zu regulieren, als später eine manifeste Krankheit zu behandeln.

Die alten Texte beschreiben sechs Stadien, in denen sich eine Krankheit entwickelt. Mit einer Haltung der Achtsamkeit und einem feinen Gespür für die Bewegungen innerhalb des Körpers können Veränderungen frühzeitig erkannt werden. Daher ist genaue Beobachtung ratsam: Wie reagiert der Körper auf Veränderungen? Wie steht es mit den Gefühlen und der Stimmung?

Die Entwicklungsstufen einer Krankheit

Ansammlung (Akkumulation):

Die Doshas sammeln sich an ihrem Ursprungsort an und verursachen ein leichtes Unwohlsein, das so minimal sein kann, daß es nur mit viel Feingefühl bemerkt wird. Ein erfahrener Arzt kann die Störung bereits am veränderten Puls erkennen.

Vata vermehrt sich im Dickdarm und kann zu Verstopfung und Blähungen führen. Pitta sammelt sich im Dünndarm. Ein Zuviel an Pitta ist erkennbar an einer leicht erhöhten Körpertemperatur, einem Gefühl von Wärme um die Nabelgegend; vielleicht sind Haut und Augäpfel leicht gelblich verfärbt. Kapha akkumuliert sich im Magen und ruft ein Gefühl von Lethargie und Schwere sowie Appetitmangel hervor. In diesem Stadium versucht der Körper, sich selbst dadurch zu regulieren, daß er nach einer bestimmten Speise verlangt oder allgemein eine Abneigung gegenüber Nahrung hat.

Provokation:

Das vermehrte Dosha nimmt weiter zu und entwickelt die Neigung, „auf Wanderschaft zu gehen" und sich in andere Regionen des Körpers auszubreiten. Die Symptome werden bereits deutlicher: Der Überschuß an Vata kann verstärkt Bewegungen im Darm verursachen, möglicherweise auch stechende Rückenschmerzen. Pitta produziert vermehrt Säure, wodurch Sodbrennen entsteht, ein brennendes Gefühl im ganzen Körper. Der Betreffende hat auch großen Durst. Kapha füllt nun den gesamten Magen aus, und es stellt sich eine deutliche Abneigung gegenüber Nahrung ein. Fließt Kapha über, dehnt es sich in die oberen Körperbereiche aus, beengt den Brustraum und verursacht womöglich Husten.

Ausweitung:

Das Dosha beginnt nun tatsächlich seine Reise, indem es in Blut und Lymphe eindringt und im ganzen Körper zirkuliert, um sich nach einem „geeigneten Organ" umzusehen. Vata macht sich in diesem Stadium durch blubbernde Geräusche in Magen und Darm bemerkbar. Ein Übermaß an Pitta zeigt sich durch ein Gefühl von heftigem Brennen, das im ganzen Körper auftreten kann. Bei Kapha muß man sich vielleicht erbrechen, der Appetit ist nun ganz vergangen. Es kommt zu Schwäche, Müdigkeit sowie einer gestörten Verdauung.

Festsetzung:

Bislang zirkuliert das überschießende Dosha noch überwiegend in den Hohlräumen des Magen-Darm-Trakts. Nun verläßt es diese Hohlräume und setzt sich an einem Organ fest, das bereits vorher geschwächt war. Möglicherweise ist die Leber durch übermäßigen Konsum von Fett und Alkohol angegriffen oder vielleicht das Herz durch lange Phasen von Anspannung. Jedes Dosha kann sich in jedem beliebigen Organ festsetzen, wo es sich mit dem gesunden Gewebe dieses Organs verbindet. Im Sinne ganzheitlichen Denkens ist es daher wichtig, daß der Körper im Vorfeld möglichst wenig Angriffsfelder bietet. Daher kommt auch einer gesunden Lebensweise, Ernährung und geistiger Ausgeglichenheit eine so außerordentliche Bedeutung zu.

Durch diese neue Situation wird das Organ in Verwirrung versetzt, so daß sich seine normale Funktion verändert und auch das Gewebe Veränderungen zeigt. In diesem Stadium ist die bevorstehende organische Erkrankung – wie bereits im ersten Stadium – vom Arzt am veränderten Puls feststellbar.

Manifestation:
Die Funktion des Organs ist nun so stark gestört, daß die Krankheit offensichtlich wird, da sie Unwohlsein und Schmerzen verursacht.

Differenzierung:
Die Krankheit hat sich in diesem letzten Stadium vollständig festgesetzt, auch die Gewebestruktur ist geschädigt. Die betroffene Person hat sich entsprechend ihrer Krankheit verändert. An diesem Punkt ist entscheidend, ob die Krankheit noch heilbar ist oder die Organe irreparabel zerstört sind.

Solange Störungen noch relativ leicht sind, wie in den ersten beiden Stadien, können wir selbst durch regulierende Ernährung und entsprechendes Verhalten den weiteren Fortgang mit verhindern. Daher legt Ayurveda solch einen großen Wert auf unsere Aufmerksamkeit.

Entgiftung durch Panchakarma

Wenn die Giftstoffe bereits in tiefere Gewebe eingedrungen sind und die Beschwerden einen chronischen Verlauf annehmen, empfiehlt sich eine spezielle Reinigungskur. Im Ayurveda wurde dafür eine einzigartige Methode der Entgiftung entwickelt: *Panchakarma* ist ein Verfahren, das bis in die tiefste Zellebene reicht und die abgelagerten Schlackenstoffe auflösen kann. Auch als regelmäßige Reinigungskur besonders im Frühjahr und Herbst ist Panchakarma optimal. Je früher die gestörten Doshas ausgeleitet und harmonisiert werden, um so besser ist das für die Heilung. Die Grundidee bei Panchakarma ist, jene durch überhöhte Doshas angesammelten Schlackenstoffe aufzuweichen und aus dem Körper zu transportieren. Die Entgiftung verläuft in mehreren Schritten, und zwar in umgekehrter Reihenfolge wie der Entwicklungsverlauf der Krankheit: Zunächst werden die Schlacken durch Zuführung von Wärme und Körperölungen aus den Geweben aufgelöst. Danach wandern sie, als Gifte im Körper zirkulierend, automatisch in die Hohlräume des Verdauungstraktes zurück, von wo sie schnellstmöglich ausgeschieden werden müssen. Das geschieht durch verschiedene Maßnahmen wie Abführen, Einläufe und gezieltes Erbrechen.

Wenn der Körper von diesen Schlacken befreit ist, die ja bis zu diesem Moment auch eine Art Stütze für ihn waren, wird er mit speziellen Kräuterpräparaten wieder aufgebaut.

II.
Die Entdeckung
der eigenen Natur

Prakriti – die Wesensnatur

Jeder Mensch kommt mit einer persönlichen Wesensnatur zur Welt. Diese Wesensnatur, Prakriti, drückt seine gesamte Individualität aus und beschreibt das Verhältnis der fünf Elemente in ihm. Seine innere Zusammensetzung ist angeboren und verändert sich ein Leben lang nicht. Mit der Kenntnis unserer Wesensnatur verstehen wir, warum uns Dinge ärgern, die andere unberührt lassen; weshalb uns Speisen schmecken, die andere nicht mögen; warum wir Filme, Museen und Ausstellungen besuchen, die andere langweilig finden. Wir verstehen auch, weshalb wir immer dieselben Probleme haben und auf Hürden stoßen, die sich in unterschiedlicher Gestalt zeigen mögen, jedoch ein gemeinsames Muster haben. Alle diese Verhaltensweisen sind in unserer Wesensnatur angelegt.

Die uns innewohnende Natur wird uns ein Leben lang begleiten – wie der Grundakkord eines Liedes, auf dem die Melodie aufgebaut wird. Um ein harmonisches Klangbild zu bewahren, sollte der Grundakkord immer stimmen. Wenn ein Ton allzu schrill oder dumpf hervortritt, verschwinden die anderen Klänge dahinter. Deshalb halten wir mit dem Wissen um unsere Prakriti einen großen Schatz in unseren Händen. Wie ein roter Faden durchzieht sie alle Bereiche unserer Existenz. Durch sie bekommen wir wertvolle Hilfestellungen, um unseren individuellen Weg zu finden. Und wir können auch längst vergessene Qualitäten wieder entdecken und zu neuem Leben erwecken.

Ayurveda weiß darum, daß jeder Mensch in seiner Natur einzigartig ist und jeder seinen ganz eigenen Platz hat, auf dem er wirken und die ihm anvertrauten Aufgaben erfüllen darf. Daher ist keine Konstitution besser oder schlechter als eine andere. Es liegt an uns, wie das Kaleidoskop dieses Lebens ausfallen wird.

Diese angeborene Konstitution hat sich aus Faktoren entwickelt, die bereits vor der Geburt festgelegt wurden. Die Beschaffenheit von Samen und Eizelle der Eltern hat einen großen Einfluß auf den Embryo. Paaren mit Kinderwunsch wird daher empfohlen, sich vor der Empfängnis einer reinigenden Panchakarma-Kur zu unterziehen. Die künftigen Eltern sollen ihren Körper mit Vi-

talstoffen aufbauen sowie ihre spirituelle Einstellung verfeinern.
Eine weitere Rolle für die Zusammensetzung der Elemente spielt
die Jahreszeit der Zeugung, der Zustand der Gebärmutter und
benachbarter Organe sowie die Ernährung, das Verhalten und die
geistige Einstellung der Mutter während der Schwangerschaft.

Vikriti – die Abweichung von Prakriti

Nur wenige Menschen leben in Harmonie mit der ihnen angeborenen Natur. Manchmal kann eine Erkrankung in einem kurzen
Moment entstehen, wenn die Elemente in Unordnung geraten und
beispielsweise ein Schnupfen auftritt, den man sich nach einem
Spaziergang bei naßkaltem Wetter geholt hat, weil Kapha kurzfristig nach oben geschnellt ist. Eine solche Abweichung oder *Vikriti*
ist in der Regel harmlos und läßt sich leicht regulieren.

Problematischer ist es, wenn sich eine Abweichung von unserer
ursprünglichen Natur langfristig einschleicht. Gerade weil diese
psychophysischen Bewegungen häufig subtil sind, werden sie oft
nicht bemerkt. Daher finden manche Menschen kaum Überein-
stimmungen zwischen ihren Wurzeln und dem Verhältnis ihrer
Doshas, in dem sie heute leben. Ein Leben, das nicht in Harmonie
mit der ursprünglichen Wesensnatur geführt wird, stellt Körper
und Geist unter ständige Anspannung. So entwickeln sich nicht
nur Krankheiten durch falsche Verhaltensweisen, sondern es entstehen auch seelische Probleme, wenn wir nicht erkennen oder
akzeptieren können, wer wir wirklich sind.

Wichtig ist daher, daß wir ein richtiges Selbstbild haben und
uns nicht mit einem vorübergehenden Vikriti-Zustand identifizieren, also die Störung nicht als unser eigentliches „Ich" ansehen.
Damit der krankmachende Zustand nicht mit der Wesensnatur
verwechselt wird, müssen Prakriti und Vikriti immer sorgfältig voneinander getrennt werden. Auch für die spätere Behandlung ist
diese Unterscheidung wichtig: **Vikriti ist die Störung, die es zu**
erkennen gilt, damit wir sie verändern oder beheben können.
Prakriti ist der Zustand, den wir (wieder) erreichen wollen, denn
allein in Prakriti finden wir Harmonie und Gesundheit.

37

Konstitutionstests für Prakriti und Vikriti

Die beiden Konstitutionstests dienen der Feststellung der Wesensnatur (Prakriti) und der krankheitsbedingten Abweichung davon (Vikriti).

Um die angeborene Wesensnatur und die möglichen Abweichungen davon herauszufinden, beantworten Sie die Fragen der beiden folgenden Konstitutionstests. Sie beschreiben Aspekte einer Persönlichkeit in verschiedenen Lebensbereichen. Ebenso wie das körperliche Erscheinungsbild sind auch geistige Aspekte und Verhaltensweisen wichtige Kriterien für die Beurteilung. Nur aus vielen einzelnen Facetten ist das gesamte Persönlichkeitsbild zu ermitteln.

Bei dem **Fragebogen zu „Prakriti – meine Konstitution"** werden Sie hauptsächlich Aspekte vorfinden, die eigentlich während des ganzen Lebens mehr oder weniger konstant geblieben sein sollten, wenn Sie Ihre Wesensnatur gelebt haben. Der Fragebogen zu **„Vikriti – mein augenblicklicher Zustand"** zielt mehr auf akute Krankheitssymptome ab. Füllen Sie beide Fragebögen sorgfältig aus und lassen Sie sich genügend Zeit dafür.

Übung: Werden Sie zu Ihrem eigenen Beobachter. Welche Gedanken haben Sie als erstes, wenn Sie morgens aufwachen? Rotiert der Kopf schon um tausenderlei Dinge, die Sie zu tun haben? Oder sind Sie in diesen Minuten noch ganz bei sich, können die wohlige Ruhe genießen? Auf welche Weise betrachten Sie Objekte, gründlich oder flüchtig? Wie lesen Sie Bücher, genußvoll und in aller Ruhe, oder überfliegen Sie eher die Seiten? Werden Sie sich bewußt über Ihre Verhaltensmuster. Wie fühlen Sie sich nach dem Essen, leicht oder schwer? Sind Sie ein guter Zuhörer, lassen Sie andere Menschen ausreden, oder werden Sie schnell ungeduldig? Besonders bei dem Fragebogen zu „Prakriti" müssen Sie vielleicht bei manchen Punkten, die über die körperliche Beschreibung hinausgehen, etwas länger überlegen. Lassen Sie sich ruhig einige Tage Zeit, um alle Kreuze einzusetzen. Eine kleine Traumreise kann hilfreich dabei sein, um wieder zu jenem Gefühl zu finden, das Sie früher durchs Leben getragen hat. Gehen Sie in Gedanken zurück in die Vergangenheit. Denken Sie schrittweise zurück, fühlen Sie sich hinein in die Zeit, als Sie ein Teenager oder, noch besser, ein Kind waren. Wie ist es Ihnen damals ergangen, wie haben Sie sich gefühlt? Welche Träume oder Zukunftsvisionen haben Sie gehabt? In dieser Phase dürften Sie Ihrer Prakriti relativ nahe gewesen sein.

Es ist aber auch möglich, daß Ihre eigentliche Wesensnatur bereits in jungen Jahren durch äußere Einflüsse, wie Erziehung und soziale Konditionierung, Veränderungen ausgesetzt war und dadurch verzerrt wurde. Damit kann Ihnen eine „zweite Natur" zu eigen geworden sein. In welcher Phase Ihres Lebens verspüren Sie beim Zurückdenken Bruchstellen, die Sie anders handeln und reagieren ließen, als Sie eigentlich wollten? Möglicherweise entwickelt sich jetzt Klarheit über diese Situationen, und Sie fragen sich, weshalb Sie Ihre ursprünglichen Bedürfnisse nicht ausgelebt haben. Diese eigentlichen Bedürfnisse können Sie nun vielleicht dadurch rekonstruieren, daß Sie sich bei Ihrer Traumreise von Ihrer inneren Schau leiten lassen und herauszufinden suchen, bei welchem Wesenstyp Sie die größte innere Übereinstimmung feststellen und das größte Wohlgefühl verspüren.

• Füllen Sie Ihren **Prakriti-Fragebogen** nach den Botschaften dieses inneren Bildes aus, das nicht unbedingt damit übereinstimmen muß, wie Sie sich die meiste Zeit Ihres Lebens über gefühlt haben.

• Kreuzen Sie all jene Aussagen an, die für Sie zutreffen.

• Füllen Sie dann Ihren **Vikriti-Fragebogen** entsprechend Ihres gegenwärtigen Befindens aus.

Ayurveda legt großen Wert auf körperliche und geistige Symptome. An ihnen ist erkennbar, welche/s Dosha/s in Unordnung ist/sind. Wie haben Sie sich in der letzten Zeit gefühlt? Gehen Sie die Fragen für jedes Dosha durch und kreuzen die Aussagen an, die für Sie zutreffen. Sind unter einem Punkt zwei oder mehr Aspekte angegeben, kreuzen Sie ihn auch dann an, wenn nur einer davon zutrifft.

Prakriti – meine Konstitution

	Vata
Körpergröße	❏ sehr groß oder sehr klein
Körperbau	❏ schlank, feingliedrig
Gewicht	❏ Untergewicht, nimmt leicht ab und schwer zu
Gang	❏ rascher leichter Gang, schnelle tänzelnde Bewegungen
Gliedmaßen	❏ dünn, schwach entwickelt
Gelenke	❏ kalt, knackend, schlecht gepolstert
Haut	❏ dünn, trocken, kalt, rauh
Hautfarbe	❏ glanzlos, eher dunkel
Haare	❏ dünn, trocken, leicht lockig, mitteldick
Kopfform	❏ klein, lang
Gesicht	❏ unscheinbar, länglich, zerfurcht, gerunzelte Stirn
Augen	❏ klein, aktiv, unruhig, trocken, tiefliegend
Augenfarbe	❏ schwarz, braun
Nase	❏ dünn, klein, teils schief
Lippen	❏ schmal, trocken, rissig, spröde
Zähne	❏ unregelmäßig, unterschiedlich groß, wenig Zahnfleisch
Nägel	❏ klein, dünn, trocken, rauh, brüchig und rissig
Brust	❏ dünn, flach, eingefallen
Hände und Füße	❏ klein, kalt und trocken, unstet
Stimme	❏ schwach, leise, gebrochen, rauh
Sprache	❏ sprunghaft, redet viel und schnell
Appetit	❏ unregelmäßige Eßgewohnheiten, ungleichmäßiger Appetit
Durst	❏ unterschiedlich, eher schwach
bevorzugte Nahrung	❏ mag süßes, saures, salziges Essen, das warm und nahrhaft ist
Verdauung	❏ unterschiedlich, empfindlich
Stuhl	❏ trocken, hart, Tendenz zu Verstopfung, Blähungen
Urin	❏ spärlich, farblos, schwerer Urinabgang
Schweiß	❏ wenig

Zwischensumme Prakriti: —

40

Pitta	Kapha
❏ mittelgroß	❏ klein oder groß
❏ mittel, mäßig entwickelt	❏ stämmig, großgliedrig
❏ Normalgewicht	❏ Neigung zu Übergewicht, nimmt schnell zu und nicht leicht ab
❏ dynamisch, forsch, kraftvoll	❏ langsam, bedächtig, zielgerichtet
❏ mittlere Dicke und Länge	❏ gut entwickelt, weich, dick, rund
❏ mittelgroß, locker	❏ groß, gleitfähig, dick
❏ ölig, glatt, warm	❏ ölig, kühl, dick
❏ rötlich, rotwangig	❏ weiß, blaß
❏ hell, gerade, glatzköpfig, seidig, fein, ergraut frühzeitig	❏ dick, weich, dicht, schwarz, gewellt, glänzend
❏ mittelgroß	❏ groß
❏ scharfkantige Züge, Stirn in Falten	❏ weiche Züge, rund, füllig, ebenmäßig, flächige Stirn
❏ mittelgroß, durchdringender Blick	❏ groß, still, ruhig, attraktiv
❏ grau, grün	❏ blau, blasse Farbe
❏ mittelgroß, gerade, spitz	❏ groß, stumpf, fleischig
❏ mittelgroß, rötlich, weich	❏ voll, glatt, blaß, ölig
❏ regelmäßig, von mittlerer Größe, empfindliches Zahnfleisch	❏ regelmäßig, groß, weiß, festes Zahnfleisch
❏ mittelgroß, weich, rosig	❏ glatt, dick, ölig, groß, fest
❏ mittelbreit	❏ breit, groß, gut oder übermäßig entwickelt
❏ mittelgroß, warm und oft schwitzig	❏ groß, dick, feucht und kalt
❏ kräftig, durchdringend	❏ tief, angenehm, klangvoll
❏ flüssig, klar, überzeugend	❏ langsam, entschieden, ruhig
❏ guter Appetit, ißt viel, braucht regelmäßiges Essen	❏ geringer Appetit, kann Mahlzeiten auslassen
❏ sehr groß	❏ gering
❏ mag süßes, bitteres, zusammenziehendes Essen, das kühl ist	❏ mag scharfes, bitteres, zusammenziehendes Essen, das warm und leicht verdaulich ist
❏ sehr gut	❏ träge, schwach
❏ ungeformt, gelblich, reichlich, Tendenz zu Durchfall	❏ regelmäßig, ölig, eher hell und schleimig
❏ üppig, dunkelgelb, scharfer Geruch	❏ trübe, durchschnittliche Menge
❏ viel, schlechter Geruch	❏ mittel, leichter Duft

41

Forts.: Prakriti	Vata
Energie	❏ plötzliche Energieschübe, inkonstant, überaktiv, spontan
Körperkraft	❏ schwach, gute Kurzkraft, geringe Ausdauer
Schlaf	❏ leicht und störbar, unruhig, schlaflos
Träume	❏ rastlose und Alpträume vom Fliegen, Bergen, Laufen, vergißt Träume leicht
Sexualität	❏ ungleichmäßiges Verlangen, phantasievoll, großes Bedürfnis, aber wenig Energie
Immunsystem	❏ relativ schwaches Abwehrsystem
klimatische Empfindlichkeit	❏ auf kalten Wind und trockene Kälte
Veranlagung zu Krankheiten	❏ Ängste, Unruhe, Funktionsstörungen von Herz und Kreislauf, Gelenkschmerzen
Hobbies	❏ kreative Tätigkeiten, Literatur, Reisen
Glaube	❏ veränderlich, verschiedene Ideen
Intellekt	❏ überschnelle und häufig falsche Reaktionen
geistige Aktivität	❏ unruhig, immer rege, unentschlossen, übersprudelnd vor Ideen
Reaktion auf Veränderungen	❏ spontane Neugierde, liebt Neues
Freundschaften	❏ schließt schnell Freundschaften, die häufig kurzlebig sind
Willenskraft	❏ geringe Ausdauer; impulsiver Beginn ohne Abschluß
Gedächtnis	❏ gutes Kurzzeitgedächtnis, schlechtes Langzeitgedächtnis
Selbstbewußtsein	❏ wenig selbstbewußt, wird schnell unsicher, läßt sich leicht irritieren
Umgang mit Konflikten	❏ durch Diskussion oder Flucht in Belanglosigkeiten
Verhältnis zu Geld	❏ wenig Besitz, gibt Geld schnell und impulsiv aus
geistige Eigenschaften	❏ instabil, einfühlsam, tolerant, ängstlich, besorgt, nervös, chaotisch, liebt das Spiel, Gedanken sind in der Phantasie/Zukunft

42

Gesamtsumme Prakriti: —

Pitta	Kapha
❏ mittelgroß, zielorientiert	❏ langsam, gleichmäßig
❏ mittel, bei Überanstrengung große Überhitzung	❏ stark, langsamer Start und langes Durchhaltevermögen
❏ mäßig gut, gestört durch Träume, schläft schnell wieder ein	❏ tief, großes Schlafbedürfnis, Probleme mit dem Aufwachen
❏ leidenschaftlich und farbig von Gold und Feuer, viele Konflikte, gute Erinnerung an die Träume	❏ wenige Träume, emotional, von Wasser, Ozean
❏ starkes Verlangen, leidenschaftlich, dominant; durchschnittlich fruchtbar	❏ mäßiges, aber konstantes sexuelles Bedürfnis, braucht Stimulation, aber ausdauernder Akt; sehr fruchtbar
❏ mittelmäßig, anfällig gegen Infektionskrankheiten	❏ gute und zuverlässige Abwehrkräfte
❏ auf starke Hitze	❏ feuchte Kälte, nebliges Wetter
❏ Infektionen, Entzündungen, Fieber, Leber- und Galleprobleme, Pickel	❏ Schleimbildung, Erkältungen, Entzündung der Nebenhöhlen und Bronchien, Diabetes, Ödeme, geschwollene Glieder
❏ Diskussionen, Leistungssport, Jagd	❏ Faulenzen, Lesen, ruhige Beschäftigungen
❏ entschlossen, verteidigt Ideologie, fanatisch	❏ konservativ, beständig, tief, loyal
❏ überlegte präzise Reaktionen	❏ langsame zielgerichtete Reaktionen
❏ intelligent, scharf, durchdringend	❏ ruhig, dumpf
❏ wägt kritisch ab	❏ widerstrebend, traditionsbewußt
❏ schließt schnell Freundschaften, umgibt sich mit Freunden, die zugleich nützlich sind	❏ schließt nicht leicht Freundschaften; die wenigen Beziehungen sind langlebig und werden zuverlässig gepflegt
❏ starker Wille, kann sich durchsetzen, stur, wetteifernd	❏ konstant und entschlossen, bringt Dinge langsam zu Ende
❏ scharf, klar	❏ faßt Dinge langsam auf, vergißt sie aber nie
❏ mittel, erscheint nach außen selbstbewußter, als er wirklich ist	❏ gutes Selbstbewußtsein, bestens geerdet, selbstzufrieden
❏ fordert Klärung, verteidigt eigene Position	❏ vermeidet Konflikte und igelt sich ein
❏ gibt Geld methodisch und mäßig aus, gerne für Luxus	❏ viel Besitz, spart, wirtschaftet gut
❏ aufbrausend, ungeduldig, leidenschaftlich, schnell gereizt, intolerant, mutig, forsch, effizient, liebt die Herausforderung, Gedanken sind in der Realität/Gegenwart	❏ sanftmütig, verliert selten die Fassung, warmherzig, vergibt gerne, nachgiebig, gelassen, stabil, diszipliniert, liebt die Gemächlichkeit, Gedanken sind in der Vergangenheit

43

Vikriti – mein augenblicklicher Zustand

Vata:

- ❏ Ich bin ziemlich vergeßlich
- ❏ Ich fühle mich schwach
- ❏ Ich leide unter Verstopfung/aufgeblähtem Bauch
- ❏ Ich fühle mich zur Zeit besonders ängstlich, auch grundlos, und bin sehr unsicher in meinen Entscheidungen
- ❏ Ich leide unter Schlaflosigkeit, mein Schlaf ist leicht und unterbrochen
- ❏ Mein Appetit ist unregelmäßig, eher schlecht
- ❏ Ich bin innerlich unruhig und nervös, manchmal panisch
- ❏ Ich bin unkonzentriert und verliere ständig Sachen
- ❏ Ich habe Tinnitus, Hörsturz
- ❏ Ich habe Rückenprobleme, Hexenschuß
- ❏ Ich bin immer am Grübeln
- ❏ Ich habe häufig Spannungskopfschmerzen
- ❏ Meine Stimmung schwankt ständig
- ❏ Ich habe Rheuma
- ❏ Ich bin sehr lärmempfindlich
- ❏ Ich bin schnell beleidigt
- ❏ Ich bin überdreht und kann mich nicht entspannen
- ❏ Mir ist häufig schwindelig
- ❏ Ich habe an Gewicht verloren
- ❏ Ich habe nervöse Herzprobleme, Herzrhythmusstörungen

__ Vata

Pitta:

- ❏ Ich schwitze viel
- ❏ Ich habe sehr großen Hunger und Durst
- ❏ Ich habe ein brennendes Gefühl im Körper: im Magen, auf der Zunge oder brennende Hände und Füße
- ❏ Ich habe entzündliche Krankheiten, wie Magengeschwüre, einen entzündeten Dünndarm, Mandel- oder Blinddarmentzündung
- ❏ Ich habe Fieber
- ❏ Ich habe zu hohen Blutdruck
- ❏ Ich bin oft wütend oder aggressiv
- ❏ Ich bin übermäßig perfektionistisch, überpünktlich
- ❏ Ich bin schnell gereizt und verärgert
- ❏ Ich bevorzuge kaltes Essen und kalte Getränke

❏ Ich verspüre einen bitteren oder sauren Geschmack im Mund
❏ Ich habe relativ dünnen Stuhl oder Durchfall
❏ Ich bekomme schnell Infektionskrankheiten
❏ Ich habe Probleme mit der Leber, habe Hepatitis
❏ Ich habe Gallensteine
❏ Ich habe einen schlechten Körpergeruch
❏ Ich vertrage heißes Klima nicht
❏ Ich bin manchmal rechthaberisch
❏ Ich habe rötliche Flecken am Körper
❏ Ich habe Migräne

__ Pitta

Kapha:

❏ Ich fühle mich antriebslos und inaktiv
❏ Ich werde schnell müde, auch nach kleinen Anstrengungen, und schlafe zuviel
❏ Ich habe wenig Appetit
❏ Ich habe an Gewicht zugenommen
❏ Mein Körper wirkt aufgedunsen, Hände und Füße sind geschwollen
❏ Meine Zunge ist belegt
❏ Ich habe Schnupfen oder chronische Nebenhöhlenentzündungen
❏ Ich bin verschleimt, habe schleimigen Husten
❏ Ich habe Nierenprobleme, Nierensteine
❏ Ich habe verstärkten Speichelfluß
❏ Ich habe Harnwegsinfekte
❏ Ich habe ständig schwere Glieder
❏ Ich habe Probleme mit der Lunge, Bronchitis
❏ Ich bin schweratmig
❏ Meine Geschmacksnerven sind schlechter geworden
❏ Ich habe Diabetes
❏ Mir ist alles gleichgültig
❏ Ich bin übermäßig anhänglich
❏ Ich fühle mich häufig benommen
❏ Ich habe einen süßlichen oder salzigen Geschmack im Mund

__ Kapha

Gesamt Vata/Pitta/Kapha: _____

Auswertung

Ermitteln Sie die Ergebnisse beider Fragebögen unabhängig voneinander.
Zu „**Prakriti**": Zählen Sie die Zahlen in den einzelnen Spalten
zusammen.

Prakriti: ☐ Vata ☐ Pitta ☐ Kapha

Das Verhältnis der Zahlen zueinander zeigt Ihnen Ihre konstitu-
tionelle Energieverteilung. Da jeder Mensch alle drei Energien in
sich trägt, besitzt er Anteile aus jeder der drei Spalten. Je mehr
Punkte Sie bei einer Konstitution erreichen, um so mehr tendie-
ren Sie zu diesem Wesenstyp.

Haben Sie in einer Spalte mehr Punkte gezählt als in den beiden
anderen zusammen, dominiert eine Energie. Wenn Sie deutlich
mehr Punkte unter Vata angekreuzt haben, sind Sie Ihrer Wesensnatur nach der „Schmetterling". Bei der größten Punktzahl unter
Pitta entsprechen Sie dem Energietyp „Vulkan". Dominiert Kapha sehr klar bei Ihnen, sind Sie der „See".

Nicht allzu viele Menschen tragen die deutliche Dominanz einer einzigen Energie in sich. Die meisten gehören einem Mischtyp
an, das heißt, zwei Energien überwiegen deutlich vor der dritten.
Diese haben in zwei Spalten etwa gleich viele Punkte, in der dritten Spalte dagegen nur wenig Zutreffendes angekreuzt. Angenommen, Sie haben die meisten Punkte bei Pitta und Kapha und nur
wenige bei Vata, dann sind Sie eine Wesensnatur vom Typ Pitta-
Kapha. Jetzt kommt es noch darauf an, ob Sie mehr Kreuze bei
Pitta oder Kapha gemacht haben. Weil die Energien von Pitta und
Kapha in ihren Merkmalen sehr unterschiedlich sind, ist die Spannbreite beim Pitta-Kapha-Typ ziemlich breit gefächert.

Haben Sie die überwiegende Punktzahl bei Vata und Kapha, gehören Sie zur Wesensnatur von Vata-Kapha. Wenn Vata und Pitta
mit Abstand überwiegen, dann sind Sie eine Vata-Pitta-Natur.

Nur bei wenigen Menschen treten alle drei Energien in einem
relativ ausgewogenen Verhältnis auf. Sind Ihre Kreuze nahezu
gleichmäßig in allen drei Spalten verteilt, dann gehören Sie zu dem
recht seltenen Tridosha-Typ.

Wenn also beispielsweise vom Vata-Typ gesprochen wird, heißt
das lediglich, daß die betreffende Person besonders viele Merkma-

le von Luft und Äther aufweist und sich ihr Aussehen, ihr Charakter und ihre Eigenschaften weitgehend in der Wesensnatur des Schmetterlings manifestieren. Allerdings wird niemand von einem Dosha alleine geprägt. In jedem sind die Energien aller fünf Elemente vorhanden, wenn auch in unterschiedlicher Gewichtung und Ausprägung. Dem Vata-Typ des Schmetterlings werden Eigenschaften von Feuer, Erde und Wasser zugehörig sein, die ihm bestimmte Züge des Vulkans und des Sees verleihen.

Vata, Pitta und Kapha sind daher wie der Schmetterling, der Vulkan und der See als Symbolfiguren zu verstehen. Dennoch ist ein tiefer Einblick in ihre innere Natur äußerst wichtig, denn diese bildet auch die Grundlage für das Verständnis der Mischtypen.

Wie schon gesagt, sollten Sie beide Auswertungen zunächst ganz unabhängig voneinander behandeln. Durch das Mischungsverhältnis Ihres „Prakriti"-Fragebogens haben Sie Ihre ursprüngliche Wesensnatur erkannt. Dieses Ergebnis behalten Sie bitte stets vor Augen. Orientieren Sie sich an diesem inneren Potential, das Ihre einzigartige Wesensnatur beschreibt und Ihre Wurzeln ausmacht. Wenn im Ayurveda – wie es oft geschieht – von Ausgleich der drei Doshas gesprochen wird, bedeutet dies nicht, daß die Anteile von Vata, Pitta und Kapha auf gleiches Niveau gebracht werden sollen, sondern das Verhältnis zwischen den drei Kräften, das bei jedem Menschen seit der Empfängnis vorliegt, zu erhalten.

Zählen Sie nun die Punkte des „**Vikriti**"-Fragebogens zusammen, und betrachten Sie, in welchem Verhältnis die Doshas hierbei zueinander stehen.

Vikriti: ☐ Vata ☐ Pitta ☐ Kapha

Dieses Ergebnis stellt eine Momentaufnahme dar, in die viele äußere und emotionale Faktoren hineinspielen: Jahreszeit, Tageszeit, Ernährung, geistige Einstellungen und emotionaler Zustand. Krisen und Krankheiten können die Prakriti tiefgreifend und über Jahre hinweg überdecken. Es bringt nicht viel, an den exakten Zahlenverhältnissen dieses Ergebnisses festzuhalten, sondern es geht vielmehr darum, Klarheit über Ihre augenblickliche Situation zu gewinnen.

47

Der Umgang mit den Ergebnissen des Fragebogens

Prakriti

Die Kenntnis unserer Konstitution und damit unserer Wesensnatur bzw. unseres Energietyps gibt uns viele wichtige Auskünfte, um den harmonischen Grundakkord, auf dem wir unsere Lebensmelodie aufbauen, halten zu können. Sie zeigt unsere natürlichen Bedürfnisse auf, jene Qualitäten also, die gelebt werden wollen. Die in uns angelegten Energien wollen genährt werden. Daher sollten wir sie achten und ihnen genügend Raum zu ihrer Entfaltung geben. Eine Vata-Konstitution braucht viel Abwechslung, Inspiration und kreative Ausdrucksmöglichkeiten, um sich wohl zu fühlen. Ein Pitta-Typ sucht große Aufgaben und möchte sein Können herausgefordert sehen. Eine Kapha-Natur braucht ein strukturiertes Leben und ihr gutes Quantum an Ruhe.

Werden diese angeborenen Qualitäten nicht erkannt, wird der betreffende Mensch unglücklich und krank. Wird die Beweglichkeit von Vata eingefangen in ein zu geregeltes Leben, wird dieser Wesenstyp nervös, ängstlich oder depressiv. Lebt der feurige Pitta-Typ seine Dynamik nicht aus, wird sein inneres Feuer ihn verbrennen. Wenn die Kapha-Konstitution ein zu unruhiges und hektisches Leben führt und sich ihr inneres Bedürfnis nach Gemächlichkeit nicht erfüllt, verlangsamt der Körper seinen Stoffwechsel und versucht auf diese Weise das auszugleichen, was er nicht bekommt. Der Kapha-Typ kann sich harmonisieren, indem er auf den Ruf seiner Seele, die sich nach Ruhe sehnt, horcht und die Anspannung herunterschraubt.

Zugleich verstehen wir mit der Kenntnis unserer Prakriti, worauf wir achten sollten, um unser Energieniveau nicht übermäßig zu beanspruchen. Viele Menschen neigen nämlich dazu, ein Dosha im Übermaß auszuleben und andere in sich angelegte Qualitäten zu vernachlässigen. Es gibt jedoch drei Bioenergien, die dem Verhältnis ihres natürlichen Vorhandenseins entsprechend ihren Ausdruck suchen. Ein Mensch vom Pitta-Kapha-Energietyp etwa arbeitet sein ganzes Leben lang durch, gönnt sich kaum Entspannung, nimmt sich keine Zeit, um Neues zu entdecken. Sehnsüchte nach Veränderung, Impulse für einen Wandel nimmt er womöglich überhaupt nicht wahr, denn den Ruf der Vata-Anteile in seiner Natur kann er nicht hören. Deshalb entwickeln viele Menschen von diesem Typus im Alter, wenn Vata ohnehin ansteigt, Erkrankungen im nervlichen Bereich.

Die Kenntnis unserer Wesensnatur zeigt auch auf, zu welchen Beschwerden wir besonders neigen, wenn die Doshas nicht im Gleichgewicht sind. Wir entwickeln immer solche Krankheiten am schnellsten, deren Dosha unserer Grundkonstitution entspricht. Eine Person vom Pitta-Typ tendiert deshalb zu hitzigen Störungen wie Entzündungen, Infektionskrankheiten oder auch Wutausbrüchen. Vor allem im Sommer, wenn Pitta ohnehin erhöht ist, entwickeln sich solche Beschwerden bei einer Pitta-Konstitution besonders schnell. Deshalb empfiehlt Ayurveda die Regulierung der Doshas entsprechend der Jahreszeit.

Mit der Kenntnis der Konstitution und dem Wissen daraus, zu welchen Erkrankungen wir neigen, können wir entsprechend vorbeugen. Wer eine Kapha-Konstitution hat und vielleicht Probleme mit Übergewicht und ständiger Müdigkeit, sollte im Frühling (Kapha-Zeit), obwohl die Sonne scheinen mag, auf die Portion Eis beim Italiener besser verzichten. Möglicherweise bekommt er eine Erkältung und fühlt sich dann noch erschöpfter. Für eine Pitta-Konstitution, die einen anstrengenden Tag hinter sich hat, ist dieses Eis mit Sahne dagegen genau das Richtige. Nun wird auch verständlich, weshalb Ratschläge für Ernährung und das richtige Verhalten niemals für *alle* Menschen gelten können. Auch die verbreitete Empfehlung, es diene *immer* der Gesundheit, möglichst viel frisches Obst und Gemüse zu essen, stimmt derart verallgemeinert nicht. Eine Vata-Konstitution bekommt vielleicht Blähungen davon; außerdem kann sie ohnehin nicht alle Vitamine verwerten, da ihr Verdauungsfeuer zu schwach ist.

Mit der Kenntnis unserer Wesensnatur können wir unser Leben so gestalten, daß es sehr individuell auf unsere Persönlichkeit zugeschnitten ist. Unsere innere Stimme kennt unsere gesunden Wünsche und Bedürfnisse. Im Grunde wissen wir selbst genau, was wir brauchen. Mit dieser Gewißheit können wir uns lösen von den Strömungen des Zeitgeistes, der bestimmte Normen aufstellt. Vielleicht kann eine Kapha-Natur ihren Körper zum erstenmal liebevoll an-

49

nehmen, obwohl sie nie die Maße erreichen wird, die uns die Schönheitsindustrie suggeriert. Dafür hat sie eine verläßliche und sinnliche Ausstrahlung, wie nur eine Kapha-Natur sie haben kann. Wir haben es nicht mehr nötig, die Meinung anderer als Maßstab für unsere eigenen Bedürfnisse anzulegen. Besonders die sensible Vata-Natur reagiert so empfindlich auf Kritik, daß sie schnell den Mut verliert, ihren eigenen Weg zu gehen. Wenn sie dem Ruf ihrer Seele folgt, kann sie diesen Mut wieder finden. Wenn man sich selbst durch die spezielle Brille von Vata, Pitta, und Kapha betrachtet, kann man auch besser verstehen, welche gemeinsamen typischen Dosha-Grundmuster unsere Strukturen und Verhaltensweisen haben.

Mit der Kenntnis unserer Wesensnatur werden uns alle Qualitäten und Stärken bewußt, die das Schicksal uns mitgegeben hat. Wenn es uns gelingt, dieses Potential in seiner ganzen Vielfalt zu verwirklichen, werden wir im spirituellen Sinne ganz geboren.

Häufig ist der Verbindungsfaden zu unseren Wurzeln abgerissen und das Wissen um unsere Einzigartigkeit an irgendeinem Punkt verlorengegangen. Nahezu jeder Mensch hatte einmal einen großen Traum, ein besonderes Talent, das allmählich verblaßt und schließlich in Vergessenheit geraten ist. Das ist eine Tragödie, denn jeder Mensch birgt als einzigartiges Geschöpf in sich eine einmalige Verbindung an Qualitäten. Durch das Wissen um unsere Prakriti können wir diesen Faden wieder finden.

Durch die bewußte Verantwortung, die wir für unser eigenes Lebensglück übernehmen, werden immense Energien freigesetzt. Damit kann jeder Augenblick zu einem kreativen Akt werden. Schon immer ist der ganze Strauß an Qualitäten vorhanden, nur überdeckt durch den Schleier von Vikriti, der irritierten Wesensnatur. Körper wie Geist befinden sich in stetigem Fluß und sind in jedem Augenblick offen für Veränderung. Wenn wir die Doshas regulieren, sie gleich Pendeln zur Mitte hinschwingen lassen, nähern wir uns den Wurzeln.

Vikriti

Immer mit dem Augenmerk auf unsere ursprüngliche Wesensnatur, wenden wir uns nun der momentanen Situation zu. Falls Sie bei Vikriti überhaupt keine Kreuze gemacht haben, um so besser, dann sind Sie im Gleichgewicht. Beachten Sie die unter Ihrem Energietyp angegebenen regulierenden Richtlinien. So können Sie Ihr Gleichgewicht erhalten und Krankheiten, zu denen Sie neigen, vorbeugen. Möglicherweise aber leiden Sie gerade unter einer Erkrankung, sind vielleicht auch emotional nicht auf der Höhe. In diesem Fall hat die Korrektur der Beschwerden natürlich Vorrang. Erst wenn Sie zum Zustand der Harmonie zurückgefunden haben, widmen Sie sich wieder der Pflege Ihrer Prakriti.

Ayurveda nennt zwei grundlegende Prinzipien, die wir ständig vor Augen haben sollten. Auf diesem Prinzip des Ausgleichs der Elemente funktioniert das gesamte Behandlungssystem:

Gleiches stärkt Gleiches
Gegensätze gleichen einander aus

Wenn also Vata, das die Eigenschaften leicht, trocken, kühl, beweglich hat, erhöht ist, steigen diese Qualitäten an, wenn sie noch weiter zugeführt werden. Wenn Sie ohnehin nervös und zittrig sind, wird es Ihnen nach einem Spaziergang bei kalter windiger Witterung noch schlechter gehen. Ein Ausgleich von Vata findet dagegen durch die Gabe gegensätzlicher Eigenschaften statt. Daher ist es bei überhöhtem Vata beispielsweise hilfreich, eine kräftige warme Suppe zu essen und ein heißes Bad zu nehmen. Ayurveda kennt vielfältige Methoden, um die Elemente behutsam in ihren harmonischen Bereich zurückzuführen und wieder Balance zu finden.

Hat sich die Krankheit bereits handfest manifestiert, ist freilich ein Besuch beim Arzt ratsam. Ayurveda als medizinischer Zweig hat wirksame Arzneimittel auf pflanzlicher und mineralischer Basis zur Verfügung. Die ärztliche Therapie können Sie durch eine entsprechende Lebensführung nach ayurvedischen Richtlinien unterstützen.

Unsere besondere Aufmerksamkeit gilt nun demjenigen Dosha, durch das die Beschwerden ausgelöst worden sind. Angenommen, Sie finden im Prakriti-Test heraus, daß Sie eine Pitta-Konstitution haben, dann gibt es folgende Möglichkeiten:

1. Sie leiden an einer Erkrankung (Vikriti), die ebenfalls durch Pitta hervorgerufen wurde. Vielleicht sind Sie völlig überarbeitet, haben zuviel Ärger und die letzten Abende zuviel getrunken und

51

geraucht. Jetzt macht sich der Pitta-Überschuß durch Sodbrennen bemerkbar. Außerdem sind Sie emotional leicht reizbar. Befolgen Sie nun besonders achtsam die für Sie ohnehin geltenden Pitta regulierenden Maßnahmen, denn sie wirken jetzt als Heilmittel (siehe unter „Wege zur Regulierung des Pitta-Dosha", Seite 155 f.).

2. Zur Zeit leiden Sie unter Blähungen und einer trockenen jukkenden Haut. Sie sind ständig nervös und haben Probléme mit dem Einschlafen. Alles dies sind Zeichen von überhöhtem Vata. Halten Sie jetzt bitte Vata beruhigende Ratschläge ein.

Wichtiger Hinweis: In diesem Fall ist mit „Vata" natürlich nicht Ihre Konstitution gemeint, wie sie die Vata-Persönlichkeit des „Schmetterlings" hat. Vielmehr ist Ihre Vikriti-Situation durch überhöhtes Vata entstanden. Sie werden einige Ihrer Symptome in dem späteren Abschnitt „Vata im Zustand der Verwirrung – geistige und körperliche Herausforderungen" (siehe Seite 117 f.) wiederfinden. Entsprechend orientieren Sie sich bitte nach den Empfehlungen von „Wege zur Regulierung des Vata-Dosha" (siehe Seite 124 f.).

3. Etwas komplizierter wird es, wenn zwei Doshas gleichzeitig erhöht sind. Das kommt sehr häufig vor, da wir ja vielen unterschiedlichen Einflüssen ausgesetzt sind. Grundsätzlich kann jede Konstitution ein Übermaß an jedem Dosha entwickeln. Vielleicht ist der betreffende Pitta-Typ beruflich viel unterwegs und lebt unter ständigem Termindruck, da er mehrere Projekte gleichzeitig erarbeitet. Vata meldet sich wegen des ewigen Wechsels von Orten und Personen; ein Übermaß an Eindrücken verursacht Erschöpfung und Unkonzentriertheit. Das Essen findet eher nebenbei statt, ein kaltes Wurstbrot oder schwere fettige Speisen am Stehimbiß. Da gerade Winter ist, verursacht diese falsche Nahrung zugleich ein Übergewicht von Kapha. Prompt bekommt der Betreffende Schnupfen und dazu eine leichte Bronchitis.

Welche Störung ist nun zuerst zu behandeln? In der Regel wird im Ayurveda Vata zuerst therapiert, da es wegen seiner Leichtigkeit zwar schnell aus der Balance gerät, aber ebenso schnell wieder ins Lot kommt. Anschließend werden die anderen Doshas behandelt. Ist eine Störung aber akut, muß natürlich diese vorrangig angegangen werden. Hat sich beispielsweise die Pitta-Störung von der Gastritis zu einer Entzündung der Magenschleimhaut entwikkelt, muß diese sofort behandelt werden, da die Gefahr eines Ulcus, also eines Geschwürs in der Magenwand besteht. Komplexe Situationen sollte ohnehin ein ayurvedischer Arzt individuell abklären, und schwierige Krankheiten müssen immer unter ärztlicher Aufsicht behandelt werden. Erst wenn das Pendel wieder im Mittelpunkt angelangt ist, wenn sich die Pitta-Konstitution also gesund, vital und glücklich fühlt, werden auch wieder die Pitta harmonisierenden Regeln eingehalten.

Die Beeinflussung der Konstitution durch äußere Faktoren

Wir wissen bereits, daß die Grundnatur oder Prakriti sich niemals verändert. Doch gibt es eine Reihe von Faktoren, die sie überdekken und den ursprünglichen Wesenstyp sehr tiefgreifend beeinflussen können. Der Mensch kommuniziert auf vielschichtige Weise mit seiner Umwelt, und entsprechend verändert jeder Eindruck den Zustand der Energieverhältnisse. Dazu gehören die Qualität und Menge unserer Nahrung, die Einnahme von Medikamenten, Umweltbelastungen, Körpertraining, Beruf und Aktivitäten in der Freizeit usw. Alle diese Faktoren beeinflussen die aktuelle Zusammensetzung der Doshas.

Ebenso hat das Lebensalter eine direkte Wirkung auf die Konstitution: Kinder werden – unabhängig von ihrer individuellen Wesensnatur – weitgehend durch Kapha geprägt. Es entspricht der Phase des Aufbaus, dem nährenden Aspekt. Deshalb haben Babys im Winter so häufig Schnupfen, der eng mit dem Kapha-Dosha zusammenhängt. Das mittlere Lebensalter wird stark von Pitta bestimmt. Dies entspricht jener Zeit, in der ein Mensch seinen aktiven Beitrag zur Gesellschaft leistet, im Berufsleben steht und Kinder großzieht. Im fortgeschrittenen Alter baut sich vermehrt Vata auf. Ein älterer Mensch – durch Vata ohnehin von Trockenheit und Leichtigkeit geprägt – bekommt schneller Probleme, vielleicht durch innere Unruhe, Gewichtsabnahme oder trockene Haut.

Auch die aktuelle Jahreszeit, die ebenfalls dem Rhythmus der kosmischen Energie unterliegt, beeinflußt den Menschen. Der Som-

53

mer ist vorwiegend vom heißen Prinzip Pitta geprägt. Im späten
Herbst, wenn das Klima trocken und kalt wird, meldet sich Vata,
und das Frühjahr, feucht, schwer und fruchtbar, ist die Zeit, in der
Kapha den Menschen verstärkt beeinflußt.

Andere Einflüsse sind subtiler und werden durch einen gewissen
Gewohnheitseffekt häufig kaum bewußt wahrgenommen. Desto
wichtiger ist es, sich dieser Eindrücke bewußt zu werden, um ihre
Wirkung auf unsere Persönlichkeit zu verstehen.

Als Mitglied einer dicht organisierten Gesellschaft sind die meisten
Menschen, ob in Beruf, Familie oder Freizeit, in ständigem Austausch
mit anderen. Viele sind so an Kommunikation gewöhnt, daß es ihnen
schwerfällt, einige Stunden alleine zu verbringen. Die soziale Schicht,
in der sich ein Mensch bewegt, seine Bildung, sein Lebenspartner und
Freundeskreis üben daher großen Einfluß auf ihn aus.

Jedes Lebewesen strahlt seine individuelle Energie aus, die auf sein
Umfeld wirkt. In einem umfassenderen Sinn schwingt jedes Land in
seinem Energiefeld, das seine Geschichte, Kultur, ethische und moralische Werte trägt. Die Schwingungen liegen in der Luft und sinken tief in das feinstoffliche Bewußtsein ein. Westliche Länder sind
stark durch die Energien von Vata und Pitta geprägt, also von Erfin-
dungsgeist, Dynamik, Leistung, aber auch von vielen Ängsten, Sorgen, Tempo, Reizbarkeit und Egoismus. Diese Atmosphäre von Leistungsdruck und Streß überträgt sich leicht auf den Einzelnen, der
dann dazu neigt, auch solche Qualitäten anzunehmen, selbst wenn
sie nicht seiner Wesensnatur entsprechen. Dagegen sind Eigenschaften von Kapha, wie Ruhe, Genuß und Gelassenheit, im Westen allgemein nicht besonders geschätzt, denn sie erfüllen nicht die Anforderungen einer von Leistung geprägten Gesellschaft. In Indien
dagegen werden gerade solche Eigenschaften angestrebt, denn sie
bringen dem Menschen Glück und eine stabile Gesundheit.

Über die Sinnesorgane nehmen wir alle Eindrücke aus der Umgebung unwillkürlich auf. Ist dieses Umfeld von Hektik und Aggression
bestimmt, reagieren die meisten Menschen irgendwann darauf mit
einem ebenso aufgewühlten und gereizten System von Körper-Seele-
Geist. Umgekehrt inspiriert ein ruhiges harmonisches Umfeld zu Ruhe
und Frieden. Wegen dieser engen Wechselwirkung empfiehlt Ayurveda die Umgebung wohlgesonnener Menschen, um innerhalb dieses
Feldes selbst eine harmonische Stimmung entwickeln zu können.

Eine ausfüllende berufliche Tätigkeit bietet ebenfalls ein gutes Umfeld für die Entfaltung unserer Wesensnatur. Nach Möglichkeit sollte unser Beruf zugleich auch unsere „Berufung" darstellen. Positive berufliche Herausforderungen lassen uns in allen Bereichen unserer Persönlichkeit wachsen. In unserem Beruf können wir Anerkennung und Selbstachtung finden – und dadurch letztlich Wohlbefinden, das sich auf unsere Familie und unser weiteres soziales Umfeld auswirkt.

Im Ayurveda nimmt die berufliche Tätigkeit einen zentralen Stellenwert im Leben des Menschen ein. Zu den vier grundlegenden Lebenszielen gehört neben *Kama,* der Freude, *Artha,* dem Wohlstand, und *Moksha,* der Befreiung, auch *Dharma,* der Beruf. Unser Beruf gibt uns die Gelegenheit, dem Gemeinwohl zu dienen; zumindest aber sollten wir anderen durch unsere Tätigkeit keinen Schaden zufügen.

Zur „Dosha-Falle" kann der Beruf irgendwann werden, wenn er weniger nach persönlichen Neigungen, sondern vorrangig unter den Aspekt von sozialem Status und Einkommen ausgewählt worden ist. Auf längere Sicht jedoch sind nur solche Dinge erfolgversprechend, die sich in Harmonie mit der eigenen Wesensnatur befinden. Vermutlich werden aber nur wenige Menschen die Möglichkeit haben, ihren Beruf zu wechseln – selbst wenn sie ihn als für sich unpassend erkannt haben. In einer solchen Situation sind Phantasie und Kreativität gefragt. Man könnte beispielsweise versuchen, sich in eine andere Abteilung versetzen zu lassen oder seinen Tätigkeitsbereich durch Fortbildung umzugestalten. Die Erfordernisse der eigenen Wesensnatur sind soweit zu (be)achten, daß zumindest grobe Verstöße gegen sie vermieden werden. Wir verbringen jeden Tag viele Stunden am Arbeitsplatz, und entsprechend groß ist seine Bedeutung für unser Glück und Wohlbefinden.

Eine andere subtile „Dosha-Falle" ist die Geschlechterrolle. Trotz Emanzipationsbewegung zunächst der Frau, dann auch des Mannes bleibt die Rollenverteilung weiterhin ein heißes Eisen. Von Frauen wie Männern wird einfach erwartet, daß sie bestimmte gesellschaftliche Ansprüche erfüllen. Die öffentliche Meinung fördert gewisse Energien, andere werden abgelehnt. Ein Mann mit einer Kapha-Natur, der die Kinder versorgt, während die Frau das Geld verdient, wird in seiner Rolle als Hausmann kaum breite gesellschaftliche An-

55

erkennung ernten. Von einem Mann wird einfach erwartet, daß er aktiv im Berufsleben „seinen Mann steht". Umgekehrt dürfen Frauen zwar Feuer haben, aber wiederum nicht allzuviel! Besonders für Frauen ist es immer noch eine Herausforderung, die ihnen entsprechende Rolle zu finden. Frauen haben im Laufe der beiden letzten Generationen einen bemerkenswerten Wandel erlebt. Heute studieren sie, tragen zum Unterhalt der Familie bei, bekleiden führende Ämter, sind bis in die Führungsetagen aufgestiegen – und stehen damit jetzt vor mehreren Problemen: Erstens bekommt eine Frau Kinder und muß damit Familienleben und Beruf unter einen Hut bekommen. „Nur-Mutter-Sein" wird gerade in intellektuellen Kreisen häufig argwöhnisch beurteilt. Eine „Powerfrau", die ihre Karriere wegen der Kinder nicht aufgeben möchte und die Kleinen in die Tagesstätte bringt, aber nicht minder. Häufig sind die Frauen orientierungslos und wissen nicht mehr, was sie eigentlich selbst wollen.

Zweitens werden Frauen, die in ehemalige Männerdomänen eingestiegen sind, noch immer mit Skepsis betrachtet. Der sensible Punkt ist ihr „Feueranteil", der vielen Frauen selbst und den anderen Probleme macht. Eine Frau, die zuviel Temperament zeigt und auch einmal ihrer Wut lautstark Ausdruck verleiht, wird schnell kritisiert; ein Mann darf da schon eher einmal auf den Tisch hauen, um seine Meinung kundzutun. Oft haben die Frauen selbst Hemmungen, ihren Feueranteil in positiver Kraft und in Würde zu entfalten. Gewiß ist das auch ein Grund, weshalb noch relativ wenige Frauen in Führungspositionen sitzen. Nicht entfaltetes Feuer aber kann sich irgendwann durch entsprechende „heiße" körperliche und seelische Krankheiten entladen.

Häufig wird die ursprüngliche Wesensnatur eines Menschen bereits im Kindesalter nicht geachtet. Ein temperamentvolles Mädchen, das immer gezügelt, zur Mäßigung ermahnt wird, verliert irgendwann ihre Courage und ihre Leidenschaft für das Leben. Statt dessen ist über Generationen in Mädchen Vata, das Naturell des Schmetterlings, genährt worden. Nett und brav sollte eine Tochter sein, sich fraglos anpassen. Unwillkürlich entwickelt dieses Mädchen dadurch ihre verwirrten Anteile: Sie wird ängstlich, unsicher, verliert ihre Unbeschwertheit. Häufig werden solche Erwartungen auf feinster Ebene übertragen durch Mimik und Gesten. Gerade

Kinder, die für solche Zeichen besonders sensibel sind, nehmen sie in ihrer Schutzlosigkeit unterbewußt auf. Wenn eine solche Pitta-Natur später als Erwachsene ihren Energietyp erkennt, kann sie das ihr innewohnende Feuer bewußt entfachen und seine Kraft genießen. Sich den Vulkan-Qualitäten zu öffnen kann ihrem Leben eine wunderbare Wendung schenken.

Kinder lernen durch Nachahmung. Im Laufe ihrer Entwicklung wächst zwar die Fähigkeit, eigene Gedanken zu entwickeln und Lösungsmöglichkeiten für Probleme zu finden. Zugleich ist der Mensch jedoch gewöhnlich so tief in den Denkmustern seiner Eltern oder anderer Erziehungspersonen eingefahren, daß eine wirklich individuelle Entwicklung schwerfällt. Viele Erwachsene führen längst ein selbständiges Leben, haben eine eigene Familie gegründet, bis sie bemerken, wie sehr sie noch immer in diesem übernommenen Gedankengut leben, dessen Prinzipien mit Werten und Moralvorstellungen sich tief in ihnen eingegraben haben.

Mit dem feinen Gespür für unsere Wesensnatur öffnen sich die Türen zu diesem ganz einzigartigen Wesen, das wir tatsächlich sind. Denn was auch immer wir tun, es muß in Harmonie mit unserer angeborenen Wesensnatur geschehen – nur so werden wir mit Selbstwert und Stolz unseren Weg gehen. Ayurveda bezeichnet die Selbstachtung als einen zentralen Aspekt für ein glückliches Leben. Selbstachtung meint jenes schlichte Gefühl des „Ich bin", in dem wir uns so lieben, wie wir sind. Selbstachtung stärkt die Zellen und damit unsere körperliche und seelische Stabilität.

Niemand ist verantwortlich für unsere Situation außer uns selbst. Nach östlicher Vorstellung werden wir als Folge aus unserem Verhalten in den vorherigen Inkarnationen in dieses Leben hineingeboren. Doch man muß nicht an Wiedergeburt glauben, um weder „die Gesellschaft" noch Eltern oder Erziehung für unsere Entwicklung verantwortlich zu machen. Immer sind es wir selbst, die für unser Schicksal Sorge tragen. Schuldzuweisungen würden bedeuten, in Abhängigkeit von äußeren Faktoren zu verharren. Ayurveda will uns aber dazu inspirieren, selbst Verantwortung zu übernehmen und so wirklich erwachsen zu werden.

57

Die drei Gunas – die geistigen Doshas

Um unser inneres Potential bestmöglich zu leben, benötigen wir einen verfeinerten Geist. Prakriti ist zwar die Grundnatur, doch es liegt an unserer Entscheidung, wie wir mit diesem Potential umgehen. Jeder Mensch verfügt über eine innere Stimme – jene angeborene Intelligenz, die ihm „richtiges" Verhalten eingibt. Richtig in dem Sinne, daß es die höchsten Ziele Gesundheit, Glück und einen befreiten Geist verwirklicht. Doch häufig sind wir abgelenkt von diesem Weg, vermischen zu viele fremde Kräfte mit unserem Tun und Denken, so daß wir diese Stimme nicht hören können.

Wie die Doshas auf körperlicher und seelischer Ebene, wirken auf den Geist wiederum drei Kräfte: die *Gunas* Sattva, Rajas, Tamas. Sie beeinflussen alle Vorgänge der Schöpfung, sämtliche Bewegungen laufen durch ihre Impulse ab:

Sattva, die Energie der Ausgewogenheit
Rajas, die Energie der (Über-)aktivität
Tamas, die Energie der Trägheit

Diese drei Kräfte befinden sich in einem kontinuierlichen Wechselspiel, und keine kann ohne die anderen existieren. Wir benötigen sie für alle Entscheidungen: Wir brauchen den Impuls von Sattva, um eine Situation zu verstehen. Mit Hilfe von Rajas wird die Handlung ausgeführt, und Tamas bringt uns anschließend zurück in den Zustand von Ruhe. Wie auf einer Schaukel sitzt auf einer Seite die Überaktivität, auf der anderen Seite die Trägheit und in der Horizontalen die Ausgewogenheit.

Auch die geistige Wesensnatur ist, ähnlich wie Prakriti, schon mit der Geburt festgelegt. Es gibt eine Sattva-, eine Rajas- und eine Tamas-Wesensart, und entsprechend werden die Menschen von unterschiedlichen Impulsen geleitet. Im Gegensatz zu Prakriti ist die geistige Natur aber relativ leicht veränderbar. Ayurveda empfiehlt daher eine positive Geisteshaltung, damit wir uns soweit wie möglich durch die Kraft von Sattva inspirieren lassen.

Sattva manifestiert das höchste Bewußtsein und steht für klares Wissen, Achtsamkeit und Stabilität. Menschen von Sattva-Natur lassen sich von gesunden Bedürfnissen leiten, sie entwickeln sich gerne weiter und haben ausgeprägte intellektuelle Fähigkeiten. Sattva gilt daher als Wegweiser zu gesunden Impulsen.

Rajas drückt den Impuls für Handlung und Aktivität aus. Von Rajas geführte Menschen brauchen ständig Dynamik, Aktivität und immer neue Reize. Wir sollten aber achtsam gegenüber Rajas-Aktivitäten sein, zumal unser Leben im Westen ohnehin weitgehend von dieser hektischen Energie geprägt ist. Da diese Kraft schnell die Kontrolle übernimmt, sollten wir bewußt und maßvoll mit ihr umgehen.

Tamas schließlich ist vom Prinzip Trägheit und Widerstand geprägt. Menschen mit viel Tamas haben einen langsamen, passiven und unbeweglichen Geist. Daher sollten wir den Einfluß von Tamas möglichst ganz umgehen.

Um bewußte Entscheidungen treffen zu können, müssen wir diese geistigen Kräfte gut verstehen lernen.

Fragebogen zu den Gunas

Durch die Betrachtung der drei geistigen Doshas wird die spirituelle und geistige Haltung eines Menschen deutlich. Entsprechend unterscheiden sich Menschen in ihrem Verhalten, Temperament und ihrer Persönlichkeit.

❏ *Sattva:* geduldig, tolerant, treu, religiös, leicht zufrieden, wenig Anhaftung, respektvoll gegenüber Älteren, freigiebig, gütig, hilfsbereit, gutes Wissen, vergebend, gute Intelligenz, gutes Gedächtnis, ist für andere da

❏ *Rajas:* aggressiv, schneller Wechsel von Zorn und Sanftmut, gütig zu Untergebenen, streng bei Ungehorsam, entschlossen, ungeduldig, stark ausgeprägtes Ego, bezwingt andere aus Eigennutz, großer Ehrgeiz, dynamisch und vorantreibend, viel Anhaftung

❏ *Tamas:* furchtsam, unreligiös, untreu, lethargisch, desinteressiert, ergreift keine Initiative, eigennützig, nicht intelligent, schlechtes Gedächtnis, orientiert auf stumpfe Grundbedürfnisse

59

Auswertung

Wenn ein Mensch mit einer Vata-Konstitution einen Sattva-Geist realisiert, kann er Kreativität, Lebensfreude und Klarheit finden. Im Bereich von Rajas entwickelt er Ängstlichkeiten, Nervosität, mangelnde Erdung, Unentschlossenheit und Rastlosigkeit. Tamas bringt ihn in einen Zustand von Leid, Kummer, Desorientiertheit und geistiger Verwirrung.

Eine Pitta-Natur im harmonischen Zustand von Sattva zeigt ausgeprägte Intelligenz, Mut, Unabhängigkeit, Freundlichkeit, Wärme, ein gutes Wissen und die Fähigkeit zu Erkenntnis. Pitta in Verbindung mit Rajas äußert sich durch Aggressivität, übermäßige Impulsivität, Egoismus, Konkurrenzdenken, Machtgier und große Neigung zu Kritik. Im geistigen Feld von Tamas entwickeln sich Haß, Eifersucht, Gewalt und Zerstörungswut.

Kapha in Verbindung mit einem Sattva-Aspekt strahlt Ruhe, Zufriedenheit, Liebe und Mitgefühl aus. Rajas verleiht ihm einen übermäßigen Zug von Materialismus, Bedürfnis nach Sicherheiten und Gier. Im Energiefeld von Tamas entwickelt es Depression, der betreffende Mensch wird apathisch, lethargisch und geistig verwirrt.

Analog zu dieser Aufteilung werden die Doshas in den späteren Kapiteln über die sieben Energietypen untergliedert in den Zustand von Harmonie, der dem Aspekt von Sattva entspricht, und in den Zustand von Verwirrung mit geistigen Herausforderungen, die Rajas und Tamas beschreiben.

III.
Wege zur Regulierung der Doshas

Ernährung

Unsere Ernährung hat einen elementaren Einfluß auf unsere Gesundheit und Vitalität. Umgekehrt ist falsche Ernährung einer der Hauptgründe dafür, daß sich körperliche und auch seelische Krankheiten entwickeln können. Was aber ist „*die* richtige Ernährung"? Zahlreiche Trends geben vor, darüber genau Bescheid zu wissen, und immer neue Diäten werden als das Optimum verkündet. Dagegen heißt es im Ayurveda: Es gibt keine allgemeingültigen Regeln. „Gesunde" Nahrung an sich existiert nicht, denn was für den einen gesund ist, kann den anderen krank machen. Der Gesundheit förderlich ist immer die Nahrung, die unsere individuelle Konstitution oder eine augenblickliche Störung harmonisiert. Das heißt, jeder Mensch soll seinen ganz individuellen Speisezettel zusammenstellen, damit seine Doshas in Harmonie gebracht werden und sein Agni gestärkt wird. Daher orientiert sich die Auswahl und Zusammenstellung der Nahrung an seiner ursprünglichen Wesensnatur, seinem aktuellen Befinden sowie der Tages- und Jahreszeit. In diesem Sinne trägt jeder Mensch selbst die Verantwortung für seine Gesundheit und darf sich von sämtlichen herkömmlichen Ernährungstrends verabschieden.

In unserer westlichen Kultur hat das Essen viel von seinem ursprünglichen Stellenwert eingebüßt und ist weitgehend zur bloßen Nahrungsaufnahme degradiert. Wir leben so sehr im Überfluß, daß Respekt und Wertschätzung für das Essen häufig verlorengegangen sind. Dabei wird ganz vergessen, daß Nahrung eigentlich Lebenskraft ist. Über das, was wir essen, kommunizieren wir auf direkteste Weise mit unserer Umwelt, da wir uns sprichwörtlich einen Teil der Außenwelt „einverleiben". Daher fließt jede Energie aus der Nahrung direkt in unser Energiesystem ein. Sorgfältig und achtsam sollten wir daher die für uns richtige Nahrung auswählen. Die Qualität sollte so hochwertig sein, wie wir sie uns nur leisten können.

In Indien verbringen die Frauen täglich viele Stunden mit der Zubereitung frischer schmackhafter Nahrung; das Geschick für die Kombination der Zutaten und Gewürze wird zur Meisterschaft erhoben. Treffend werden in den klassischen Schriften die Köche als „Alchemisten der Lebensenergie" bezeichnet, denn sie verstehen die Kunst, Nahrungsmittel in Heilmittel zu verwandeln. Um die Wirkung der Nahrungsmittel nachvollziehbar zu machen, haben die ayurvedischen Ärzte sie nach ihren Elementen, Eigenschaften und Geschmacksrichtungen unterteilt. Das bedeutet, alle Nahrungsmittel können enthalten:

- die fünf Elemente: Erde, Wasser, Feuer, Luft, Äther
- die sechs Geschmacksrichtungen: süß, sauer, salzig, scharf, bitter, herb
- die zwanzig Eigenschaften: träge, schwer, kalt, feucht, hart, rauh, grob, fest, klebrig, stabil oder deren Gegensätze.

Mittels der jeweils in ihr enthaltenen Informationen kommuniziert die Nahrung direkt mit unseren Doshas und baut die einzelnen Elemente in uns auf. In Indien ist jede Behandlung einer wie auch immer gearteten Krankheit stets mit einem Ernährungsplan verbunden. Leichtere Erkrankungen können oft allein durch die richtige Diät reguliert werden. Der Speiseplan wird so abgestimmt, um damit das gestörte Dosha wieder ins Lot zu bringen.

Die Elemente der Nahrung

Alle Nahrungsmittel können die fünf universellen Elemente Erde, Wasser, Feuer, Luft und Äther enthalten. Die Zusammensetzung der Elemente ist über den Geschmack einer Nahrung erkennbar; deren Eigenschaften wiederum geben Aufschluß über die Wirkung des Nahrungsmittels auf den Körper. Süßer Geschmack entsteht beispielsweise durch die Elemente Erde und Wasser. Aus denselben Elementen ist Kapha aufgeaut, und entsprechend erhöht der Genuß von Süßem mit seinen Eigenschaften der Feuchtigkeit, Schwere und Kälte das Kapha-Dosha.

Elemente	Eigenschaften	Geschmack
Erde und Wasser	feucht, schwer, kalt	süß
Erde und Feuer	feucht, leicht, heiß	sauer

Wasser und Feuer	feucht, schwer, heiß	salzig
Luft und Feuer	trocken, leicht, heiß	scharf
Luft und Äther	trocken, leicht, kalt	bitter
Luft und Erde	trocken, schwer, kalt	herb

Die Eigenschaften der Nahrung

Jedes Nahrungsmittel hat mindestens eine, meistens aber mehrere der zwanzig grundlegenden Eigenschaften gleichzeitig: Schwer ist Rindfleisch – leicht ist Reis; ölig ist Sesamöl – trocken ist Toast. Ein überhöhtes Dosha wird ausgeglichen durch Lebensmittel, die entgegengesetzte Eigenschaften haben:

Vata wird reduziert durch schwer, heiß, ölig
Vata wird erhöht durch leicht, kalt, trocken

Pitta wird reduziert durch schwer, kalt, trocken
Pitta wird erhöht durch leicht, heiß, ölig

Kapha wird reduziert durch leicht, heiß, trocken
Kapha wird erhöht durch schwer, kalt, ölig

Die Geschmacksrichtungen der Nahrung

Die wichtigste, in der Nahrung enthaltene Information liegt in ihrem Geschmack. Fast alle Nahrungsmittel haben zwei oder mehr Geschmacksrichtungen gleichzeitig. Über den passenden Geschmack finden wir einen sehr effektiven Zugang zur Regulierung der Doshas.

64 Wenn wir beispielsweise viel Salziges essen, erhöhen sich die Elemente Wasser und Feuer in uns; damit breiten sich Feuchtigkeit, Schwere und Hitze aus. Wenn wir Wasser und Erde reduzieren wollen, müssen wir salziges Essen möglichst meiden. Im Ayurveda wird immer mit Hilfe von Gegensätzen reguliert. Wollen wir also

ein Übermaß an Salz regulieren, brauchen wir ein Lebensmittel mit den entgegengesetzten Eigenschaften trocken, leicht und kühl. Das ist zum Beispiel ein Knäckebrot mit Ghee und Frischkäse. Eine Mahlzeit sollte möglichst immer alle sechs Geschmacksrichtungen enthalten. So bekommt der Körper alle Informationen, die er zum Aufbau seiner Elemente benötigt. Die Menge der einzelnen Geschmäcker spielt dabei nicht die wichtigste Rolle: Wir müssen also keine ganze Schüssel Rucolasalat verzehren, was ohnehin die wenigsten Menschen vertragen. Schon einige Blätter genügen, damit die Zungenpapillen die Information „bitter" aufnehmen und weiterleiten. Bereits eine kleine Menge an Gewürzen reicht, um den Geschmack „scharf" abzudecken usw.

Vata wird harmonisiert durch salzig, sauer und süß
Pitta wird harmonisiert durch bitter, süß und herb
Kapha wird harmonisiert durch scharf, herb und bitter

Wer im Gleichgewicht lebt, bevorzugt spontan den Geschmack, der ihm guttut. Wer eine Pitta-Natur hat und leichtes, kühles Essen, viel Rohkost und zwischendurch Eiscreme mag, zeigt, daß er mit seiner inneren Stimme in Verbindung steht. Intuitiv wählt er die ihm entsprechenden Nahrungsmittel mit den Eigenschaften und Geschmacksrichtungen, die sein Dosha regulieren.

Die Eigenschaften der Geschmacksrichtungen

Süß:

Süß ist der Geschmack, der dem Körper Substanz verleiht. Süßes baut das Gewebe auf und unterstützt damit Wachstum. Es gibt uns Lebensessenz und erhöht daher unsere Lebendigkeit und Lebenserwartung. Zugleich erfrischt Süßes Haut und Haar und reinigt den Teint. Es klärt die Sinnesorgane, wodurch sich die Wahrnehmung verbessert. Süßes beruhigt den Geist, vermittelt ein Gefühl von Zufriedenheit und macht den Menschen glücklich. Kurz: Süßes macht das Leben süß.

Mit Süßem fühlen wir auch Geborgenheit. Milch, die Hauptnahrung von Babys, ist der Inbegriff des Mütterlichen und eben-

65

falls süß. Nach den Empfehlungen der Sattva-Diät sollen wir hauptsächlich Nahrung von süßer Qualität essen. Dieser Ratschlag ist einfach zu befolgen, da die meisten Grundnahrungsmittel von süßem Geschmack sind. Süßes steht in Verbindung mit den Elementen Erde und Wasser. Entsprechend reduziert Süßes Vata und Pitta und vermehrt Kapha. Bei Genuß von zu viel Süßem treten demnach Störungen wie bei einem erhöhten Kapha-Dosha auf: Der Mensch entwickelt Übergewicht, er wird träge, die energetischen Leitungsbahnen verstopfen, und er lagert Giftstoffe ein. Verschleimung, Ödeme, Diabetes sind weitere mögliche Folgen. Stumpf und träge wird auch der Geist, markante Facetten der Persönlichkeit verwischen sich.

Süße Nahrungsmittel sind: alle Substanzen, die Zucker oder Stärke enthalten, Honig, Milch, Nüsse, Ghee (Butterfett); süßes Obst: reife Birnen, Weintrauben, Feigen, Datteln, Kirschen, Kokosnuß, Trockenfrüchte; Gemüse (vor allem Wurzelgemüse): Karotten, Rote Bete, Spargel, gekochte Zwiebeln, Kartoffeln; fast alle Getreidearten und deren Produkte (zum Beispiel Nudeln); Gewürze: Süßholz, Zimt, Ingwer, Knoblauch, Kurkuma, Safran; alle Arten von Fleisch und Fisch, Öle, Kuhmilch, Eier, Käse.

Sauer:

Nahrung von saurem Geschmack regt die Speichelsekretion und damit den Appetit an. Allein schon die Vorstellung, in eine Zitrone zu beißen, läßt uns das Wasser im Mund zusammenlaufen. Saurer Geschmack ist erfrischend und macht das Essen schmackhaft. Sauer stimuliert das Verdauungsfeuer, kräftigt die Sinnesorgane, nährt Herz und Geist.

Sauer steht in Verbindung mit den Elementen Erde und Feuer, Entsprechend vermehrt Saures Pitta und Kapha und reduziert Vata. Daher vergiftet der Genuß von zu viel saurer Nahrung das Blut und übersäuert den ganzen Körper. Auch durch zu viel Fleisch und Fisch, raffinierten Zucker und Produkte aus Weißmehl kommt es zu einer Übersäuerung. Im Gewebe sammeln sich giftige Schlakken an. Entzündungen, Ausschläge, Pickel und Geschwüre sowie ein Brennen im gesamten Magen-Darm-Trakt sind die Folge davon. Geistige Pitta-Symptome äußern sich in Form von Zorn und

Neid: Der Mensch wird „sauer" und ist daher ungenießbar. Zu den Kapha-Symptomen gehören Ödeme und ein Gefühl von Schwere.

Saure Nahrungsmittel sind: saure und unreife Früchte: Zitrusfrüchte wie Zitronen, Limonen, Grapefruit, Orangen und Ananas, Äpfel, Erdbeeren, Himbeeren, Johannisbeeren, Rhabarber, Weißdorn; Gemüse: Tomaten, in Essig Eingelegtes, wie saure Gurken, Mixed Pickles; fermentierte Nahrungsmittel: Käse, Kefir, Sauerkraut, Wein, Buttermilch, Joghurt; Essig; Tamarinde.

Salzig:

Salz unterstützt die Verdauung und erleichtert die Ausscheidung von Abfallstoffen. Es reguliert das Gleichgewicht der Elektrolyte im Blut, fördert die Weichheit des Gewebes und das Wachstum. Außerdem lindert es Schmerzen im Darm. Salziger Geschmack verstärkt den ursprünglichen Geschmack der Nahrung, allerdings werden durch eine Überdosierung andere Geschmacksrichtungen unterdrückt. Daher empfehlen ayurvedische Ärzte allgemein maßvolles Salzen, am besten mit Steinsalz, da Meersalz als schlecht für die Augen gilt.

Salz steht in Verbindung mit den Elementen Feuer und Wasser. Mit den Eigenschaften feucht, erhitzend und schwer vermehrt es Pitta und Kapha, während Vata reduziert wird. Übermäßiger Konsum von Salzigem blockiert die Arterien. Entsprechend gehören Bluthochdruck, Übersäuerung, Hitzewallungen und Hautausschläge zu den typischen Symptomen von überhöhtem Pitta und Kapha. Da Salz Wasser im Gewebe bindet, entwickeln sich Ödeme und Übergewicht.

Das Sinnbild vom „Salz des Lebens" weist auf seinen hohen Stellenwert hin, früher wurde Salz mit Gold aufgewogen. Wenn allerdings seine Suppe versalzen ist, wird der Mensch schnell unangenehm, wie das Sprichwort weiß.

Salzige Nahrungsmittel sind: Meersalz, Steinsalz, mit Salz gewürzte Lebensmittel, wie Chips und Pommes Frites.

Scharf:

Nahrung von scharfem Geschmack stimuliert das Verdauungsfeuer und fördert die Verdauung, entgiftet und unterstützt die Ausscheidung von Abfallprodukten. Wenn zum Beispiel eine scharfe Chilischote den Tränenfluß auslöst, werden Mund und Nebenhöhlen gereinigt und dadurch überschüssiges Kapha ausgeglichen. Daher ist scharfes Essen ideal zur Behandlung von angeschwollenen Schleimhäuten, Erkältung und Schnupfen. Zugleich tötet der scharfe Geschmack Keime ab und hat eine desinfizierende Wirkung. Scharf beinhaltet die Elemente Feuer und Luft. Damit zeigt es die erhitzende, leichte und austrocknende Wirkung von Vata und Pitta, während Kapha zugleich verringert wird. Ein Übermaß an scharfem Essen verursacht jedoch ein unangenehmes Brennen, macht durstig und man schwitzt. Die ganze Palette an Symptomen von Pitta und Vata kann sich entwickeln: Geschwüre, Pickel, Durchfall, Unwohlsein, Unruhe, Ängstlichkeit, Zittern und Schlaflosigkeit. In extremen Fällen verbrennt Schärfe Sperma und Eizellen und führt dadurch zu Unfruchtbarkeit.

Der Genuß von Scharfem „schärft" die Sinne, klärt und unterstützt die Wahrnehmung, fördert Tatkraft und Entschlossenheit: Ein Mensch, der „scharf" auf etwas ist, wird viel Energie einsetzen, um sein Ziel zu erreichen. Schärfe bringt im Idealfall zwar Klarheit und Schlagfertigkeit. Reagiert ein Mensch aber „mit aller Schärfe", wird er andere verletzen – so wie ein geschärftes Messer Unheil anrichtet.

Scharfe Nahrungsmittel sind: Gemüse: Knoblauch, Ingwer, Zwiebeln, Rettich, scharfe Paprikaschoten, Senf, Kresse, Lauch; Gewürze: verschiedene Pfefferarten (schwarzer Pfeffer, langer Pfeffer, Chili, Cayennepfeffer), Kurkuma, Zimt, Kardamom, Kreuzkümmel, Muskatnuß, Gewürznelke; Senföl.

Bitter:

Bitterer Geschmack belebt den Gaumen und regt den Appetit an. Um eine träge Verdauung in Schwung zu bringen, empfiehlt sich daher ein bitterer Aperitif. Daneben reduziert Bitteres die Gasbildung im Darm, tötet Krankheitserreger ab und wirkt dadurch entgiftend. Wegen seiner kühlenden Wirkung senkt es Fieber und lindert Brennen und Jucken sowie schwere Hautprobleme. Allgemein trocknet bitterer Geschmack den Körper aus, dadurch werden Gewebe und Fett abgebaut, Haut und Muskeln festigen sich. Bitter beinhaltet die Elemente Äther und Luft. Daher werden Pitta und Kapha reduziert, während Vata sich sehr verstärkt. Übermäßiger Genuß von Bitterem führt demnach zu typischen Symptomen von überhöhtem Vata. Man verliert den Appetit, bekommt Kopfschmerzen und ist ständig müde. Der Körper trocknet so stark aus, daß alle Gewebe und Organe geschwächt werden. Verbitterte Menschen erleben keine Zufriedenheit und schieben stets die Schuld dafür anderen zu – die Wahrheit schmeckt nun einmal bitter.

Bittere Nahrungsmittel sind: Gemüse: bittere Blattgemüse (Chicoree, grüner Salat, Rucola, Endivien), Spinat, Gelbwurz, Salatgurken, Artischocke, Grünkohl; Früchte: Rhabarber, Stachelbeere, Grapefruit; Gewürze: Kurkuma, Muskatnuß, Kardamom, Minze; Kaffee, Tonic Water; Tee von Löwenzahn, Schafgarbe, Wegwarte, Wermut, Tausendgüldenkraut, Kalmus.

Herb (zusammenziehend):

Herber Geschmack steigert Vata noch mehr als bitterer. Herb zieht den Mund zusammen und erzeugt ein trockenes Kratzen in Mund und Hals. Von allen Geschmacksrichtungen ist das Herbe am wenigsten beliebt und gerade für westliche Menschen auch ein relativ unvertrauter Geschmack. Herb trocknet die Gewebe extrem aus und wirkt dadurch harntreibend. Es unterstützt den Heilungsprozeß, da es das Zusammenwachsen von Geweben und die Blutreinigung fördert.

Herb beinhaltet die Elemente Luft und Erde. Pitta und Kapha werden dadurch reduziert, während Vata extrem ansteigt. Übermäßiger Genuß von Herbem führt demnach zu Austrocknung, Verstopfung, Blähungen, Unruhe und Herzklopfen. Herbe Menschen sind kühl und trocken, ihnen fehlt herzliche Wärme. Allerdings verfehlt ein „herber Reiz" kaum einmal sein Ziel.

Herbe Nahrungsmittel sind: Gemüse: Bohnen, Linsen, Kohl, Erbsen, Spinat, Wurzelgemüse, Sellerie; Obst: Granatapfel, unrei-

69

fes grünes Obst, Grapefruit, Rhabarber, Pflaumen; Gewürze: Kurkuma, Koriander, Zimt; schwarzer Tee; Getreide wie Amaranth und Buchweizen; getrocknete Erbsen, Linsen; Kräuter: Johanniskraut, Brennessel, Himbeer- und Brombeerblätter, Salbei, Zinnkraut, Eichenrinde.

Grundregeln der Ernährung

Die Meinung ist weit verbreitet, daß die Ernährung nach ayurvedischen Richtlinien mit exotischen indischen Gerichten und Gewürzen zu tun habe. Das ist nicht der Fall. Es bedeutet vielmehr, unsere Nahrung mit den für uns bekömmlichen Zutaten und in der richtigen Zusammensetzung auf unsere individuelle Konstitution abzustimmen. Daher kann deutsche, italienische, französische oder jede andere Küche nach ayurvedischen Regeln zubereitet werden.

Die Nahrung, die wir zu uns nehmen, sollte in Harmonie mit der Natur gewachsen und nicht chemisch behandelt sein. Wundervolle Kraft enthält frisches Gemüse gerade im Frühling, wenn besonders viel Lebenskraft (Prana) vorhanden ist. Solche Nahrung reinigt und belebt Körper und Sinne. Außerdem empfiehlt es sich, daß die Lebensmittel möglichst aus unserer Umgebung stammen, die von derselben Luft und demselben Wasser wie wir selbst genährt werden; wir fühlen uns einfach stimmiger damit. Alles leblose Essen, wie Konserven, tiefgekühlte Nahrung, aber auch weißes Auszugsmehl und raffinierter Zucker, ist zu vermeiden. Statt dessen verwende man Vollkornmehl und Rohrohrzucker.

Die Zutaten sollten immer achtsam und bewußt ausgewählt werden und unserem augenblicklichen Befinden entsprechen, so wie wir jeden Morgen die passende Kleidung für den Tag auswählen. Die Nahrung kann zusätzlich angepaßt an Jahreszeit, Klima, Alter, Gesundheits- bzw. Krankheitszustand sein. Im Winter werden wir mehr wärmende und schwere Nahrung essen, im Sommer dagegen leichtes und kühles Essen bevorzugen.

Die Nahrung soll abwechslungsreich sein und vor allem reichlich Gemüse enthalten. Optimal ist eine ausgewogene Ernährung, wobei wir spezielles Augenmerk auf den augenblicklichen Zustand unserer Doshas legen. Daher bevorzugen wir den unserer Konstitution oder momentanen Beschwerden entsprechenden Geschmack, doch sollten in geringen Mengen auch die anderen Geschmacksrichtungen darin enthalten sein. Eine ideale Mahlzeit beinhaltet alle sechs Geschmäcker.

Beispiel: Eine Gemüsesuppe mit würzigem Geschmack; Getreide (Reis, Weizen, Nudeln), mit einem Teelöffel Ghee, Dhal-Gericht (Hülsenfrüchte), Gemüsegericht (mit Gemüsen der Saison), Buttermilch (herber Geschmack, der abrundet), etwas Süßes (aber nicht unbedingt notwendig, da auch Getreide süß ist). Dazu kommt ein Salat der Saison und Chutney, Pickles oder andere scharfe Gewürzsaucen.

Die verwendeten Zutaten sollten stets ganz frisch sein, jede Mahlzeit wird am besten frisch gekocht. Alte und wieder aufgewärmte Speisen haben ihre Kraft verloren und belasten den Körper eher, als ihn zu nähren. Schädlich ist besonders das Aufwärmen in der Mikrowelle, denn es zerstört die Schwingungen der Nahrung.

Das Essen sollte immer mit viel Sorgfalt und Liebe zubereitet werden, denn alles steht in einem Zusammenhang miteinander, und auch die Stimmung des Kochs fließt mit in die von ihm zubereitete Nahrung ein. Auf dem Tisch wird das Essen hübsch angerichtet, weil auch das Auge mitißt.

Gemüse sollte vorwiegend gekocht werden, da es so leichter verdaulich ist und die Nährstoffe besser vom Körper aufgenommen werden können. Auch Obst, das kurz gedünstet wurde, ist besser verträglich und belastet das Verdauungsfeuer nicht so stark. Große Mengen an Rohkost sind nur für Menschen mit starkem Verdauungsfeuer empfehlenswert, ansonsten nur in Ausnahmefällen zur kurzfristigen Entgiftung. Um Agni anzuregen, können wir unsere Salate mit Zimt, Ingwer oder *Trikatu* (eine Gewürzmischung, siehe Seite 79) würzen.

Das Essen wird möglichst in einer ruhigen und angenehmen Umgebung eingenommen werden. Wichtig für eine gute Verdauung ist nicht nur, *was* man ißt, sondern *wie* man ißt. Daher sollte stets mit Bedacht und voller Aufmerksamkeit gegessen werden, das heißt, nebenbei nicht fernsehen, lesen oder ablenkende Unterhaltungen führen, natürlich auch keine aufregenden Diskussionen über Geschäfte.

71

Wichtig ist, daß das Essen möglichst regelmäßig eingenommen wird, um ein gleichmäßiges Verdauungsfeuer zu erhalten. Daher sollte man immer erst dann die nächste Mahlzeit essen, wenn die vorherige vollständig verdaut ist. Das dauert bei leichtem Essen zwischen zwei und vier Stunden, bei schweren Mahlzeiten vier bis sechs Stunden. Nach Möglichkeit wird *zwischen* den Mahlzeiten nichts gegessen. Wenn Vata- oder Pitta-Typen Hungerattacken bekommen, dürfen sie leichte Zwischenmahlzeiten einnehmen: Vata beispielsweise eine Gemüsecremesuppe, Pitta frischen Fruchtsaft, Kapha möglichst überhaupt nichts.

Unser Instinkt weiß, welche Menge an Nahrung wir tatsächlich brauchen und wann wir besser zu essen aufhören. Deshalb sollten wir achtsam auf die Meldung unseres Körpers hören und (obwohl es so gut schmeckt) uns möglichst nicht dazu verleiten lassen, uns zu überessen. Babys haben diesen Instinkt noch und essen nur soviel, wie sie brauchen. Hunger ist im Ayurveda stets gleichbedeutend mit der Erlaubnis, etwas zu essen, doch sollten wir uns nicht von Gier und Völlerei leiten lassen.

Theoretisch teilt man den Magen in vier Teile ein. Davon werden zwei Teile für feste Nahrung gerechnet, ein Teil für Flüssigkeit, und das letzte Viertel bleibt leer, um Platz für die Verdauungsaktivität zu schaffen. Die optimale Essensmenge ist soviel, wie in beide Hände paßt. Nach dem Essen sollte man sich fit und voller Spannkraft fühlen. Wer dagegen träge und schläfrig ist, hat zu viel gegessen.

Zum Essen trinkt man zur Unterstützung des Verdauungsfeuers am besten warmes Wasser mit Ingwer, Kreuzkümmel oder Koriander.

Vom Genuß von Fleisch rät Ayurveda generell ab, doch aus therapeutischen Gründen empfehlen Ärzte in Ausnahmefällen Fleisch als Aufbaukost für ausgezehrte und schwache Patienten. Als regelmäßiger Teil des Speiseplans ist es jedoch unvereinbar mit dem Respekt vor der Nahrung, sich Lebenskraft aus toten Tieren zu holen. Durch ein solches Essen werden wir keine Impulse von Glück entwickeln. Wer trotzdem nicht darauf verzichten kann oder will, sollte chemisch unbehandeltes Fleisch aus natürlicher Haltung vom Biobauern kaufen.

Das Verhältnis der Nahrung zu den Gunas

Wie unsere Nahrung auf körperlicher Ebene die Doshas beeinflußt, wirkt sie auf geistiger Ebene auf die Gunas. Die Nahrungsmittel können über ihren Geschmack die Qualitäten von Sattva,
Rajas und Tamas aufbauen.

Sattva:

Um Sattva, die Geisteshaltung der Harmonie und Klarheit zu entwickeln, empfehlen die ayurvedischen Schriften eine besondere Auswahl an Lebensmitteln. Diese sattvische Diät ist leicht und gesund. Sie besteht aus Nahrungsmitteln, die viel Lebenskraft (Prana)
enthalten und dadurch feinstoffliches Bewußtsein stärken. Daher
unterstützt sattvische Nahrung unsere spirituelle Entwicklung und
einen Geist, der von Liebe und Mitgefühl getragen wird.

Süß ist bei der Sattva-Diät der vorrangige Geschmack, er wirkt
nährend und ausgleichend. Diese Süße als Grundgeschmack wird
abgerundet mit sauren, scharfen und salzigen Beigaben. Bitteres
und Herbes sollten nur in geringen Maßen genossen werden.

Zur sattvischen Nahrung gehören: viele Milchprodukte: Milch,
Ghee, frischer Joghurt, Frischkäse; Süßstoffe wie Ahornsirup und
Jaggery (Ursüße); Gemüse, grüner Salat, Süßkartoffeln; das beste
Getreide ist Basmati-Reis; Nüsse; süßes saftiges Obst, wie Birnen,
Kokosnuß, Feigen, Pfirsiche; Bohnen: Mung-Bohnen, gelbe Lin-
sen; Fleisch kommt in sattvischer Nahrung überhaupt nicht vor.

Um den Speiseplan sattvischer zu gestalten, genügen schon kleine Veränderungen in der Zubereitung. Vielleicht versucht man
einmal Basmati-Reis anstatt ungeschälten Reis mit Gemüse und
dazu etwas grünen Salat. Oder Nudeln mit Karotten, Butter und
Parmesan.

Milch gilt im Ayurveda als das sattvischste aller Nahrungsmittel.
Sie bringt einen klaren Geist, langes Leben und Glück. Milch stärkt
die Immunität gegen Krankheiten und kräftigt den Körper. Alten
Menschen, Kranken und Kindern wird Milch daher besonders empfohlen. Am besten ist frische Milch von freilebenden Kühen aus

73

Biohaltung. Auf Milch aus dem Supermarkt und von Tieren, die mit Medikamenten behandelt werden, verzichtet man besser.

Milch sollte vor dem Verzehr aufgekocht werden, aber nur kurz, denn längeres Kochen zerstört die zur Verdauung nötigen Enzyme. Sie kann in kleinen Schlucken heiß, lauwarm oder kalt getrunken werden, nie aber direkt aus dem Kühlschrank. Milch gilt im Ayurveda nicht als Getränk, sondern als Nahrungsmittel. Deshalb verzehrt man Milch am besten allein als vollständiges Gericht oder zusammen mit etwas Süßem, wie Getreide oder süßem Obst, nie aber zusammen mit Saurem und Salzigem.

Wer viel Kapha hat, sollte entrahmter Milch den Vorzug geben und ihr eine Prise Ingwer oder Kurkuma hinzufügen, bei Bedarf auch etwas Rohrohrzucker oder Honig. Auch bei erhöhtem Cholesterinspiegel greife man besser zu Magermilch.

Die Verwendung von Ghee (Butterfett)

Eine Spezialität der ayurvedischen Küche ist die Verwendung von Butterfett, *Ghee,* das aus ausgelassener Butter entsteht. Ghee ist besonders bekömmlich, kräftigt die Verdauungsorgane und insbesondere Agni und ist als einziges Fett auch der Kapha-Konstitution erlaubt. Außerdem gilt es als hervorragendes Lebenselixier und Verjüngungsmittel.

Ghee kann man relativ einfach selbst herstellen, doch braucht diese Prozedur etwas Zeit und Aufmerksamkeit. Es ist daher ratsam, sich einen größeren Vorrat anzulegen, da Ghee mindestens drei Monate haltbar ist, wenn es kühl und dunkel in einem abgedeckten Gefäß aufbewahrt wird.

Wird Ghee beispielsweise aus 2 Päckchen Butter hergestellt, liegt die Kochzeit für diese Menge bei 30-50 Minuten, bei einer größeren Menge entsprechend länger.

Die frische Butter wird in Stücke zerteilt und in einem Topf mit dickem Boden bei niedriger Hitze zum Schmelzen gebracht. Dafür läßt man die Butter auf kleinster Flamme im offenen Topf sanft sieden. An der Oberfläche bildet sich allmählich ein weißer Schaum aus den Eiweiß- und Wasseranteilen der Butter, der zwischendurch immer wieder abgeschöpft wird. Das blubbernde Geräusch bei der Herstellung zeigt an, daß das Wasser noch nicht verdampft ist.

Sobald das Butterfett eine klare goldgelbe Farbe bekommt, nimmt man den Topf sofort vom Herd. Das Ghee wird durch ein feines Haarsieb oder ein grobes Küchenhandtuch in ein sauberes Gefäß oder in einen Steintopf gegossen und nach dem Abkühlen gut verschlossen.

Rajas:

Saure, salzige und scharfe Nahrungsmittel übertragen die Energien von Rajas. Sie fördern zwar die Verdauung, aber ein Zuviel davon überreizt das Nervensystem. Salzgebäck, Kartoffelchips und gesalzene Erdnüsse verlocken zum Übermaß. Doch Vorsicht: Wer zu viel davon ißt, entwickelt Zorn und Wut.

Tamas:

Besonders alte und aufgewärmte Nahrung ist tamasisch, aber auch fetter Käse sowie Fleisch vom Rind und Schwein. Solche Nahrung sollte möglichst ganz vermieden werden, denn sie macht schwer, stumpf und müde.

Das Verdauungsfeuer

Agni im Tagesverlauf

Wie die Sonne Tag für Tag über den Himmel wandert, funktioniert auch das Feuer in unserem Körper in einer Wellenbewegung. Dieser Bewegung folgend, empfiehlt es sich, die Mahlzeiten nach einem bestimmten Zeitplan einzunehmen.

Frühstück: Zwischen 6 und 10 Uhr morgens ist Kapha-Zeit. In dieser Phase ist Agni relativ schwach, und wir fühlen uns noch nicht sehr kraftvoll. Deshalb sollten wir den Körper nicht mit schwerem Essen überlasten. Das Frühstück sollte daher klein und leicht sein und den Stoffwechsel anregen. Es kann beispielsweise aus einem Getreidebrei aus Grieß, Weizen oder Hafer mit frischen Früchten und einem heißen Getränk bestehen. Ist Kapha sehr hoch, wird das Frühstück weggelassen.

Mittagessen: Mittags, wenn die Sonne am höchsten steht, hat auch unser Verdauungsfeuer seinen Zenit erreicht, das heißt, gegen Mittag haben wir den größten Hunger. Deshalb sollte das Mittagessen die Hauptmahlzeit des Tages sein. Da Agni stark ist, verträgt der Körper nun guten Brennstoff. Auch schweres Essen, wie Kohl, Rohkost, Fleisch und Hülsenfrüchte, kann jetzt verarbeitet werden.

Nachmittag: Am späten Nachmittag zur Vata-Zeit fällt Agni auf ein mittleres Niveau zurück, und wir bekommen vielleicht Lust auf einen kleinen Imbiß. Besonders Menschen mit viel Vata werden zwischen 14 und 18 Uhr während der Vata-Phase müde und unkonzentriert. Sie können jetzt eine Pause machen, belebenden Tee trinken (Gewürztee, Yogitee), vielleicht eine Gemüsesuppe löffeln, etwas Süßes (keine Schokolade) oder frisches süßes Obst essen.

Abendessen: Das Abendessen nimmt man ein, bevor die Sonne untergeht, denn später hat auch unser inneres Feuer weniger Kraft. Die Nahrung sollte mindestens drei Stunden vor dem Schlafengehen verzehrt werden, so daß sie halbwegs verdaut ist, wenn wir ins Bett gehen. Der Körper freut sich, wenn er abends keine schwere Kost verarbeiten muß. Ideal ist eine leichte, warme und flüssige Mahlzeit, wie Suppe oder Eintopf. Ein warmer Getreidebrei mit Milch und Kräutertee oder einfach ein großes Glas Milch geben ein gutes Körpergefühl. Gerade unsere westliche Angewohnheit, abends die warme Hauptmahlzeit zu essen, ist für den Körper Gift. Ebenso wenig ist Brot mit Butter und Käse empfehlenswert. Käse blockiert nach ayurvedischer Ansicht ohnehin die Energiekanäle und sollte nur in geringen Mengen gegessen werden.

Agni im Jahreslauf

76
Agni verändert sich auch im Jahresrhythmus. Im heißen Sommer brennt Agni nicht sehr stark, daher ist dann auch unsere Verdauungskraft nicht so gut. Intuitiv bevorzugen wir jetzt kühles leichtes Essen. Im Winter können wir relativ schwere Nahrung vertra-

gen, da unser inneres Feuer jetzt ohnehin stärker brennt, um uns zu wärmen.

Weitere Eigenschaften und Besonderheiten von Agni

Agni gibt uns seine Signale über Hungergefühle. Solange es noch mit dem Verdauen der letzten Mahlzeit beschäftigt ist, haben wir keinen Hunger. Erst wenn alles verdaut ist, meldet es sich über den Appetit zurück, da es jetzt bereit ist, wieder Essen aufzunehmen. Der Abstand zwischen den Mahlzeiten liegt bei einem leichten Essen zwischen zwei und vier Stunden, bei schweren Mahlzeiten zwischen vier bis sechs Stunden. Diesen Rhythmus sollten wir unbedingt einhalten und den Anweisungen von Agni folgen. Wenn wir diese Signale mißachten, werden wir bald Probleme mit unserer Verdauung bekommen: Verstopfung oder Durchfall, Übergewicht oder Untergewicht, allerlei Störungen im Magen-Darm-Trakt können die Folge sein. Außerdem lagern sich giftige Schlacken in die Gewebe ein und verursachen eine ganze Palette an Krankheiten.

Agni kennt vier Zustände:

• Agni in Harmonie ist die beste Voraussetzung für Gesundheit, es verdaut das Essen vollständig und verleiht dem Körper gute Energie. Harmonisches Agni zeigt sich durch einen regelmäßigen und guten Appetit.

• Unregelmäßiges Agni führt zu einer unregelmäßigen Verdauung und letztlich zu Mangelerscheinungen im Körper. Verursacht wird es meistens durch eine Störung von Vata.

• Schwaches Agni: Da sein Feuer so schwach brennt, kann der Mensch sein Essen nicht vollständig verdauen. Dies macht sich durch Appetitlosigkeit bemerkbar. Ein zu schwaches Verdauungsfeuer haben Menschen mit Kapha-Natur, oder aber Vata ist so stark, daß es das Feuer regelrecht ausbläst.

• Starkes Agni: Die Nahrung verbrennt zu schnell und kann daher ebenfalls nicht optimal umgewandelt werden. Deshalb signalisiert der Körper ständig Bedarf, was sich in dauernden Hungergefühlen äußert. Meist haben Pitta-Naturen ein zu starkes oder heißes Agni.

77

Über unseren Appetit erhalten wir also wichtige Hinweise auf den Zustand von Agni: Ein gutes Verdauungsfeuer zeigt sich durch gesunden Appetit, übermäßiger Hunger weist auf zu starkes Agni hin, und Appetitlosigkeit signalisiert, daß Agni zu schwach brennt und sich bereits Schlackenstoffe im Körper angesammelt haben.

• Zeichen für eine gute Verdauung: Klare weiche Haut, klare Augen, ausgeglichene Stimmung, regelmäßiger gesunder Appetit, normaler Stuhlgang, glänzendes Haar, leichter flexibler Körper, tiefer erfrischender Schlaf, gute Energie und Vitalität.

• Zeichen für eine schlechte Verdauung: unregelmäßiger Appetit, häufige Verdauungsprobleme, Zunahme bzw. Abnahme des Gewichts, belegte Zunge, fettige oder trockene Haut, trübe Augen, geblähter Bauch mit Krämpfen oder Gasen, Magenprobleme, unverdaute Essenreste im Stuhl, gestörter Schlaf, vermehrt Schleim, allgemeine Müdigkeit.

Stärkung von Agni

• Ingwer ist für alle Konstitutionen das optimale Gewürz zur Stärkung von Agni. Ingwer kann in jeder Form genossen werden, ob roh als Wurzel oder getrocknet als Pulver, das aber stärker und schärfer ist. Ingwer wird verwendet als Tee, gekocht zu Gemüse und im Kuchen. Roh vor dem Essen regt es den Appetit an. Ingwerwasser ist das ideale Getränk, wenn Vata und Kapha erhöht sind. Täglich eine Kanne davon als Aufguß getrunken, entschlackt, wärmt und reguliert das Verdauungsfeuer. Dazu bringt man einen Liter Wasser zum Kochen, gibt einige Scheiben frischen Ingwer oder etwas Ingwerpulver dazu und läßt es einige Minuten ziehen.

Eine kräftigere Wirkung entsteht, wenn der Ingwer zusammen mit dem Wasser erhitzt und zum Kochen gebracht wird. Dieser starke Tee ist nur angesagt, um Agni gezielt zu unterstützen. Dazu nimmt man zwei bis drei Zentimeter frische Ingwerwurzel und reibt oder schneidet sie in dünne Scheiben in einen Liter Wasser. Alles wird 15 Minuten lang bei geöffnetem Deckel und großer Flamme gekocht; durch das Sprudeln wird das Wasser außerdem mit viel Lebenskraft angereichert.

• Ebenfalls Agni stärkend ist Ghee. Auch eine Kapha-Konstitution darf Ghee als einziges Fett in Maßen verwenden. Ghee ist ein schmackhafter Ersatz für Butter und Fett als Brotaufstrich und als Öl zum Anbraten von Gemüse geeignet (zur Herstellung von Ghee siehe Seite 74).

• Es gibt eine ganze Palette an Gewürzen, die Agni stärken. Dazu gehören besonders Pippali (langer Pfeffer), schwarzer Pfeffer, Cayennepfeffer, Zimt und Meerrettich.

Wer nicht jeden Tag seine Gewürze neu mischen will: Eine Gewürzmischung, die über ayurvedische Versandhäuser bestellt werden, aber auch selbst hergestellt werden kann, ist *Trikatu*. Es besteht zu gleichen Teilen aus langem und schwarzem Pfeffer und aus Ingwer. Außer der Stärkung von Agni fördert Trikatu die Verdauung und kräftigt das Herz. Als allgemeine Dosierung gilt 3mal täglich eine kleine Messerspitze (1-3 g).

• Ein bewährter Appetitanreger ist auch die folgende Mischung: $^1/_2$ Teelöffel zerkleinerter Ingwer und $^1/_2$ Teelöffel Zitronensaft wird zusammen mit einer Prise Steinsalz 20 Minuten vor dem Essen eingenommen.

Was möglichst zu vermeiden ist

• Essen zwischen den Hauptmahlzeiten: Durch ständiges Knabbern von Kleinigkeiten wird Agni permanent stimuliert. Dadurch verliert es seine Wellenbewegung und so allmählich an Kraft.

• Rohkost ist eine gute Methode zur Entgiftung, allerdings schwächt sie das Verdauungsfeuer.

• Mahlzeiten überspringen: Agni folgt einem festen Tagesrhythmus und wird irritiert, wenn wir Mahlzeiten auslassen. Zwar kann ein ausgesprochener Kapha-Typ dies zwischendurch tun; besser ist allerdings, er nimmt wenigstens einige Bissen zur gewohnten Zeit ein.

• Starke Stimulantien wie Alkohol, Kaffee, saures und salziges Essen bringen Agni leicht aus dem Gleichgewicht.

79

Meditation

Ein wichtiger Begleiter auf unserem Lebensweg sollte die tägliche Meditation sein. Über Meditation findet der Geist Offenheit und Verbindung zum Kosmischem Bewußtsein. In der Meditation befinden wir uns in einem sehr entspannten Zustand. Daher verbessert regelmäßige Meditation nicht nur das seelische Befinden, sondern wirkt sich auch positiv auf körperliche Beschwerden aus. Bei zu hohem Blutdruck werden die Werte sich senken, Herzbeschwerden können reguliert werden, und das Immunsystem wird gestärkt. Besonders Probleme im geistig-seelischem Bereich verbessern sich. Meditation harmonisiert Körper und Seele und bringt damit Frieden, so daß wir unsere Aufgaben mit mehr Kraft und Freude verrichten können.

Es ist ganz unerheblich, welcher spirituellen Ausprägung man sich verbunden fühlt. Jede Religion hat ihre eigenen Rituale, um in Verbindung mit dem Höchsten zu treten. Das kann ein Gebet sein, die Visualisierung einer Gottheit oder eine Übung der Achtsamkeit auf den Atemfluß. In jedem Fall dürfen wir in der Meditation eine Insel des Friedens betreten, die tief in unserem Herzen verborgen liegt. Hier sind wir frei von all den emotionalen Turbulenzen, die das Leben häufig so anstrengend machen.

In der Meditation treten wir in Verbindung mit unserem Geist und erspüren auch feine Bewegungen im Strom der Gefühle. So erkennen wir Bedürfnisse und geistige Herausforderungen und entwickeln dadurch ein Gefühl dafür, was uns heilt oder schadet. Niemand anders wird uns sagen können, was für uns zu tun oder besser zu vermeiden ist. Das können nur wir selbst entscheiden, wenn wir uns mit Neugierde und Interesse besser kennenlernen, den Geist in jeden Moment mit klarem Bewußtsein beobachten.

Auf unseren Lebensweg wollen wir nur mit nützlichem Gepäck gehen und Unnötiges allmählich abwerfen. Wie der Atem in der Meditation ein- und ausströmt, sind wir bereit, uns dem Augenblick zu öffnen, in uns einfließende Gedanken mit dem Ende der Ausatmung sanft wieder loszulassen. Auf diese Weise wird Loslassen möglich, und blockierte Lebenskraft kann wieder strömen.

Es liegt nicht in der Absicht von Meditation, auftretende Gedanken und Gefühle, die wir als negativ bewerten, wegzuschieben und angenehme positive Empfindungen festzuhalten. Im Gegenteil: Ganz bewußt sollen keine Urteile über die Natur unserer Gedanken oder Gefühle getroffen werden. Diese Haltung des aufmerksamen Gewahrseins ist keine exotische Technik. Ihre Qualität befindet sich vielmehr von Natur aus in uns, nur will sie wieder entdeckt werden. In der Meditation entwickelt sich eine geistige Haltung, die wirkliche Veränderung bringen kann. Durch die Beobachtung, wie Gefühle auftreten und wieder abebben, wird die Bewegung, die allen Erscheinungen innewohnt, tief im Herzen spürbar. So kann jeder Moment zu einem Tanz mit dem Universum werden, in dem alle Elemente miteinander kommunizieren und wir uns als Teil der universellen Ganzheit erfahren.

Die in diesem Buch beschriebenen Meditationen sind bewußt von religiösen Wertvorstellungen frei gehalten worden. Sie sind großenteils solchen buddhistischen Praktiken entnommen, die ohne Zuhilfenahme von Gottheiten ausgeführt werden, sondern nur mit dem Geist arbeiten. Selbstverständlich ist die Beziehung zur Höchsten Wahrheit für jeden persönlich wichtig und sollte auch in die täglichen Rituale miteinbezogen werden. Daher sind die hier vorgestellten Meditationen nach individuellen Bedürfnissen zu variieren. Für die Andacht zu Hause richtet man sich am besten einen ruhigen Platz ein, der nach den persönlichen Vorstellungen ausgeschmückt werden kann.

Wer noch nie meditiert hat, kann mit einer einfachen und doch tiefgehenden Übung beginnen:

Wir achten in dieser Meditation ausschließlich auf das Ausatmen. Aufkommende Gedanken verbinden wir sanft mit dem Atem und führen sie beim Ausatmen von uns weg. Wichtig ist, mit einer Haltung von Sanftheit und Weichheit vorzugehen. Diese Übung kennt kein Ziel – wir wollen im Gegenteil eine geistige Offenheit entwickeln. So können wir allmählich ganz im Jetzt ankommen. Körper und Geist werden sich nach und nach entspannen. Im Laufe der Zeit wird durch diese Praxis der Geist stabilisiert und geschärft. Der Geist berührt sanft den Atem, wenn wir ihn gehen lassen. Genau am Ende des Ausatmens macht der Geist unwillkürlich eine Pause, es entsteht eine Lücke im ständigen Gedankenstrom. In

81

diesem Augenblick der Lücke öffnet sich kurz das Tor zur vollkommenen Offenheit. Diesen Moment, in dem alle Konzepte wegfallen, wollen wir genießen. Es ist genau jener Augenblick, in dem die Erfahrung von Sphären des Klaren Bewußtseins möglich ist. Wenn diese Momente zwischen Ausatmen und dem nächsten Einatmen ausgedehnt werden, lassen wir Konzepte und Vorstellungen los und dehnen das Bewußtsein grenzenlos aus.

Atemtechniken (Pranayama)

Über die Sinnesorgane nehmen wir ständig Eindrücke auf, die häufig zu fein sind, als daß wir sie bewußt bemerken könnten. Auf einer feinstofflichen Ebene unseres Körpers lassen sie sich dennoch nieder und beeinflussen unsere Aktivitäten und Gefühle. Prana, der Atem, ist jener Berührungspunkt, an dem Körper und Bewußtsein sich begegnen. Bereits die alten Weisen haben den engen Zusammenhang zwischen der Atmung und dem Zustand des Geistes erkannt und entsprechende Atemtechniken entwickelt. Durch bewußtes Atem lassen sich die Aktivitäten des Geistes kontrollieren und Gefühle dadurch lenken. *Pranayama* werden diese Atemtechniken genannt, denn *prana* bedeutet „Atem" und *yama* „beherrschen".

Der Zusammenhang zwischen Atem und Gefühlen ist sehr direkt wahrnehmbar. Entspannt und zufrieden an einem wunderbaren Platz, atmen wir gleichmäßig und tief. Wir befinden uns in Harmonie. Haben wir aber gerade Ärger, sind wütend oder nervös, kommt der Atemfluß automatisch ins Stocken. Wir atmen hektisch, oberflächlich und holen unregelmäßig Luft.

Wenn wir ein natürliches Fließen des Atems zulassen, sind wir im Einklang mit unserer Natur. Ruhiges Atmen versetzt unsere Zellen in harmonische Schwingungen, die der kosmischen Wellenbewegung entsprechen. Daher ist Atmen ein wirklich kreativer Akt, den wir in jeden Augenblick realisieren dürfen.

Atemübungen sollten daher ein regelmäßiges Ritual im Tagesablauf sein. Atemtechniken reinigen die subtilen Kanäle des Nervensystems, die *Nadis,* und zugleich werden die Doshas harmonisiert. Zudem wird das Blut mit Sauerstoff angereichert, was zu einer Verbesserung der Funktionen von Gehirn und Stoffwechsel führt. Und schließlich erinnert bewußtes Atmen an das Wunder unseres Daseins: *Solange wir atmen, leben wir.*

Ein wichtiger Effekt von Pranayama ist die Harmonisierung des weiblichen und männlichen Energieflusses in uns. Sind beide Anteile ausgeglichen, kann das nichtwertende Gewahrsein erreicht werden. Auch nach ayurvedischer Lehre wird das Gehirn in zwei Hälften unterteilt. Der linke Bereich steht mit Logik und Urteils-

83

kraft, den männlichen Energien und der Hitze in Verbindung. Die rechte Gehirnhälfte entspricht dem Prinzip der Kühle und birgt die weiblichen Kräfte von Intuition, Kreativität, Liebe und Mitgefühl. Während des Atmens nehmen wir über das linke Nasenloch Kühle, über das rechte Nasenloch Hitze auf, wodurch ein Energieausgleich entsteht.

Bei Krankheiten, die mit Kälte und Kapha zu tun haben, wie Übergewicht, Schläfrigkeit oder Ödeme, wird durch das rechte Nasenloch geatmet. Auch bei Beschwerden durch Vata, wie beispielsweise Nervosität, Schlafproblemen und Unruhe, empfiehlt sich das vermehrte Atmen über das rechte Nasenloch. Alleiniges Atmen durch das linke Nasenloch reguliert dagegen heiße Erkrankungen, die durch Pitta entstanden sind, wie hitzige Emotionen, Fieber und chronische Durchfälle.

Für diese spezielle Übung hält man einen Finger gegen den anderen Nasenflügel und atmet ein bis zwei Minuten nur durch das der jeweiligen Störung entsprechende Nasenloch.

Die Wechselatmung

Eine einfache, aber sehr wirksame und in Indien weitverbreitete Übung ist die Wechselatmung. Hierbei werden die männlichen und weiblichen Energien dadurch harmonisiert, daß abwechselnd über beide Nasenlöcher geatmet wird.

Setzen Sie sich bequem mit überkreuzten Beinen auf dem Boden oder, falls Ihnen das zu unbequem ist, auf einen Stuhl mit beiden Füßen auf der Erde.

Einatmen: Verschließen Sie die rechte Nasenöffnung mit dem Daumen der rechten Hand und atmen über das linke Nasenloch ein, wobei die Luft tief in den Bauch hinabströmen darf. Alle Energie der Lebenskraft Prana verteilt sich im Bauchraum und im ganzen Körper.

Ausatmen: Verschließen Sie die linke Nasenöffnung mit dem Ringfinger und kleinen Finger der rechten Hand und atmen über das rechte Nasenloch aus.

ATEMTECHNIKEN (PRANAYAMA)

Beim nächsten Einatmen lassen Sie die Finger in dieser Stellung und atmen über das rechte Nasenloch wieder ein, durch das linke dann aus. Der Zyklus in jedem Nasenloch beginnt demnach mit dem Ausatmen, dann wird eingeatmet.

Die Wechselatmung kann jeden Morgen und Abend zusammen mit der Meditation durchgeführt werden. Zusätzlich oder abwechselnd werden die unter dem individuellen Energietyp vorgestellten Übungen praktiziert.

Die Behandlung der Marma-Punkte

Die Behandlung von Marma-Punkten ist ein spezieller Aspekt der ayurvedischen Medizin. *Marmas* sind besonders empfindliche Stellen im Körper. Auf anatomischer Ebene werden sie definiert als Schnittpunkte, an denen Muskeln, Sehnen, Arterien, Knochen, Gelenke und Venen zusammenlaufen. Es gibt 107 Marma-Punkte im Körper, deren Verletzung entweder zum sofortigen Tod oder zu Invalidität führt.

Zugleich sind Marma-Punkte Verbindungsstellen zwischen Körper und subtilem Bewußtsein. Durch sanfte Berührung finden wir über diese hochsensiblen Punkte einen direkten Zugang zu unserem feinstofflichen Energiesystem. Wir können somit unsere körperlichen Blockaden oder aufgestaute Gefühle durch Berührung auflösen, so daß die Energien wieder ins Fließen kommen. Ausgleich der Energien bedeutet, daß wir neue Kräfte schöpfen, wenn wir ausgelaugt sind, und ein Gefühl der Beruhigung entsteht, wenn wir überspannt sind. Das ist auch der Grund, weshalb wir uns nach der Berührung von Marma-Punkten entspannt und friedvoll, aber auch dynamisch fühlen.

Viele Marma-Punkte werden unwillkürlich berührt, wenn wir eine Massage bekommen oder uns selbst massieren. Besonders Kopfmassagen bekommen dadurch eine tiefgreifende Wirkung, da am Kopf viele Marma-Punkte liegen. Es gibt auch spezielle Marma-Massagen, bei denen die Marmas mit besonderen Aromaölen behandelt werden. Der Therapeut sucht hierbei Öle entsprechend der Eigenschaften aus, die gefördert werden wollen. Damit ist die Marma-Behandlung zugleich eine sanfte und tiefgreifende Methode, um auf körperliche, emotionale und geistige Prozesse einzuwirken.

Die in diesem Buch vorgestellten Marma-Übungen sind speziell auf die sieben Wesensnaturen abgestimmt. Sie sind empfehlenswert als tägliche Praxis und können leicht selbst durchgeführt werden. Durch Auflegen Ihrer Hände treten Sie auf ruhige und liebevolle Weise in Verbindung mit jenen Marmas, die in einer speziellen

Beziehung zu Ihren Energien stehen. Sie werden bald die heilende Kraft Ihrer Hände schätzen lernen und sich bewußt werden, wieviel Sie aus Ihrer eigenen Mitte heraus zu Ihrer Gesundheit und Vitalität beitragen können.

Schließlich eröffnet sich über die Berührung der Marma-Punkte der sensibelste Raum unserer Wesensnatur: Auf tiefster Herzensebene angekommen, dürfen wir hier dem Ruf der Seele lauschen. *Mahamarma,* das „Große Geheimnis", heißen daher auch die sechs wichtigsten Punkte. Tiefe Sehnsüchte aus diesem, vielleicht aus früheren Leben sind hier eingebunden, und über ihre Berührung treten wir in Kontakt mit ihnen. Die Marma-Übungen sind ein sanfter Weg, auf dem Sie verborgene Geheimnisse und tiefe Sehnsüchte erspüren werden. Gehen Sie mit Ihren Händen auf die Reise, entdecken Sie „Ihre" Punkte und geben Sie ihnen Raum. Durch aufmerksames Einfühlen werden Gefühle entstehen, Bilder sich in diesem Raum entwickeln. Lassen Sie die Punkte zu Ihnen sprechen, ohne Erwartungen und bestimmte Vorstellungen zu haben.

Grundlage jeder Selbstbehandlung ist die Berührung der Mahamarmas, der Großen Geheimnisse. Je nach Ihrer Konstitution sind das vielleicht zwei, möglicherweise auch alle sechs Punkte. Diese Punkte brauchen jeden Tag Ihre besondere Aufmerksamkeit, dann werden Sie bald mit ihnen in eine sehr enge Verbindung treten.

Sie können vor der Behandlung entsprechende Marma-Öle auftragen. Dann legen Sie Ihre Handflächen fünf tiefe ruhige Atemzüge lang auf „Ihre" Punkte. So lange dauert es etwa, bis ein Marma-Punkt einen Zyklus seiner pendelnden Eigenbewegungen vollzogen hat. Innerhalb dieses Zeitraums empfinden Sie vielleicht ein bizzelndes magnetisierendes Wohlgefühl. Es deutet darauf hin, daß Energien ins Fließen kommen. Spüren Sie dieses Prickeln nicht gleich, machen Sie dennoch weiter. Häufig dauert es eine Weile, bis wir solche feinen Regungen wahrnehmen können. Mit etwas Übung und Aufmerksamkeit sind Sie bald in der Lage, die Eigenbewegungen dieser Punkte zu spüren. Ein Marma dreht sich drei- bis fünfmal in eine Richtung, pendelt dann etwas hin und her, um anschließend drei- bis fünfmal in die andere Richtung zu kreisen.

87

Die sechs Mahamarmas und ihre Bedeutung

Adipathi: Der „Götterkönig" liegt am Scheitelpunkt des Kopfes. Dieser Punkt ist verantwortlich für geistige Gesundheit, einen klaren Verstand und stabile Nerven. Die Energie dieses Punktes verleiht uns Grenzenlosigkeit und Klarheit.

Stapani: Zwischen den Augenbrauen gelegen, steuert dieser Punkt die Geisteskraft und die Nerven. Stapani verleiht uns Klarheit und Entschlossenheit. Durch erkennendes Sehen finden wir zu großer Entscheidungskraft.

Hridaya: Dieser Punkt, der wörtlich „Herz" bedeutet, liegt in der Höhe zwischen beiden Brüsten auf dem Brustbein. Liebe und Nächstenhilfe sind die Stärken dieses Marma; es verleiht Mitgefühl, uns in andere hineinzuversetzen.

Nabhi: Dieser relativ großer Bereich um den Nabel steht für Veränderung und neues Schaffen. Der Wandel von Werden und Vergehen rückt durch Nabhi in das Bewußtsein.

Vasti: Im Unterbauch zwischen Schambein und Nabel gelegen, ist Vasti das Haupt-Marma der Blase. Es kontrolliert vorwiegend das Kapha-Dosha. Auf geistiger Ebene steht Vasti für Gefühle von Scham, Ehre und Empfindsamkeit.

Guda: Guda liegt im Bereich um den After. Über diesen Punkt wird das erste Chakra (Erd- oder Wurzelchakra) und damit das Ausscheidungssystem stimuliert. Geistig steht Guda für ebenso elementare Qualitäten von Struktur, Stärke, Schöpfung.

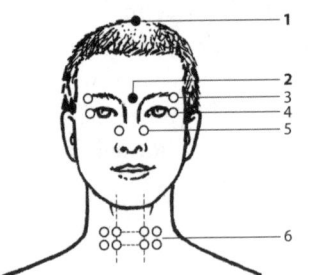

1. Adipathi
2. Stapani
3. Āvarta
4. Apāṅga
5. Phaṇa
6. Sira Matruka

Die Marma-Punkte des Kopfes

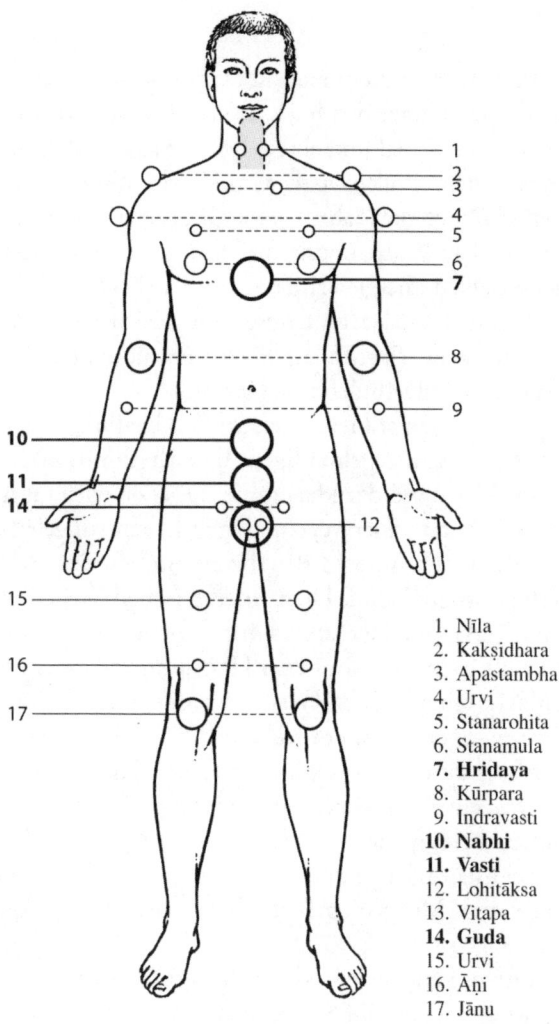

1. Nīla
2. Kakṣidhara
3. Apastambha
4. Urvi
5. Stanarohita
6. Stanamula
7. **Hridaya**
8. Kūrpara
9. Indravasti
10. **Nabhi**
11. **Vasti**
12. Lohitākṣa
13. Viṭapa
14. **Guda**
15. Urvi
16. Āṇi
17. Jānu

89

Die Marma-Punkte des Körpers

Das richtige Verhalten
nach der Tageszeit

In alten Texten werden drei Säulen des Lebens beschrieben, auf denen
perfektes Wohlbefinden beruht. Diese Säulen sind: richtige Ernährung, ausreichend Schlaf und eine gelebte Sexualität. Wenn wir diese
Säulen gut erhalten, erfüllen wir die Grundbedürfnisse unserer menschlichen Natur. Durch die Nahrung, die zu unserer Konstitution paßt,
das rechte Maß an Entspannung und den uns entsprechenden Ausdruck der sexuellen Energie nähren wir unsere Lebendigkeit, Lebensfreude und dadurch letztlich auch unsere Ausgeglichenheit. Den Schlüssel haben wir somit selbst in der Hand, um über diese drei Säulen
vollkommenes Wohlbefinden zu erlangen.

Der tägliche Lebensstil hat einen großen Einfluß auf unsere Gesundheit. Mit einem regelmäßigen Tagesrhythmus erreichen wir
leichter einen Zustand der Harmonie. Deshalb wird im Ayurveda
besonderer Wert auf einen regelmäßigen Lebensstil gelegt. Unsere
Doshas geben einen inneren Rhythmus vor, auf dem wir wie auf
einer Welle mitschwingen. Diese energetischen Wellen geben auf
natürliche Weise den Tagesablauf vor. Orientieren wir uns daran,
befinden wir uns in vollkommener Harmonie mit den kosmischen
Gesetzen. Mit einem feinen Gespür werden wir diese universalen
Wellenbewegungen selbst entdecken.

Der Tag beginnt mit der Kapha-Zeit. Diese Phase ist von Frische,
aber auch von einer gewissen Schwere geprägt. Wir wachen deshalb
entspannt und ruhig auf, unser Körper bewegt sich noch langsam.
Wenn wir einmal zu lange in den Tag hinein schlafen, kommen wir
schwer in Gang. Morgens haben wir vielleicht wenig Appetit, da
Agni noch träge ist.

Unser inneres Feuer entwickelt sich so richtig im Laufe des späten Vormittags. Wenn die Sonne sich ihrem Höchststand nähert
und die Pitta-Zeit anbricht, ist auch unsere aktivste Zeit am Tag.
Körperlich fühlen wir uns zwischen 10 und 14 Uhr am kräftig-
sten, auch ist der Hunger jetzt groß.

Anschließend beginnt die Vata-Phase. Während des Nachmittags bis in die Dämmerung hinein fühlen wir uns leicht und aktiv,

geistig auf dem Höhepunkt und können gedankliche Zusammenhänge schneller aufnehmen als zu anderen Tagesphasen.

Anschließend wiederholt sich dieser Zyklus. Wir werden dieselben energetischen Impulse empfangen wie tagsüber, nur gehen wir
jetzt anders mit ihnen um. Während der abendlichen Kapha-Pha-
se zwischen 18 und 22 Uhr fällt die Zeit, um die Aktivitäten des
Tages herunterzudrehen, man entspannt sich. Mit abnehmender
Energie der Sonne nimmt auch die körperliche Energie ab, nach
Sonnenuntergang kühlt man ab. Wie mittags kommt nun um
Mitternacht wieder die feurige Pitta-Zeit. Jetzt wird die Nahrung
verdaut und der Stoffwechsel angekurbelt – alles Vorgänge, um
den Körper zu regenerieren. In der anschließenden lebhaften Vata-
Phase träumen wir sehr aktiv. Auch der Darm kommt in Bewegung und bereitet die Abfallstoffe für die Ausscheidung am Mor-
gen vor. Damit schließt sich der zweite Zyklus.

Die Weisen entwickelten vor mehr als 2000 Jahren entsprechend
dieser Wellenbewegungen einen idealen Tagesablauf. Diese Empfehlungen sind auch heute noch genauso gültig wie damals. Sie
bereichern unseren Alltag um so vieles, daß der Zeitaufwand von
rund 30 Minuten dafür lohnt. Mit den Behandlungen pflegen wir
unsere Sinnesorgane, die ja unsere Brücke von der Außenwelt zu
unserer Seele darstellen. Dadurch werden wir die Ereignisse des
kommenden Tages viel bewußter wahrnehmen können. Außerdem fördern die Aktivitäten besonders am Morgen unsere Achtsamkeit für die Vorgänge in unserem Körper und Geist, und wir
können bewußt regulierend in unsere Doshas eingreifen. All dies
sind die besten Voraussetzungen, um die Gesundheit zu kräftigen.
Unsere Morgenroutine üben wir mit einem achtsamen, zugleich
entspannten Geist aus. Schließlich hängt unser Tagesverlauf entscheidend davon ab, welche Laune wir morgens schon haben.

Der ideale Tagesablauf

Morgens:

Ayurveda empfiehlt, möglichst früh aufzustehen – am besten schon vor Sonnenaufgang, aber nicht später als um sechs Uhr. Der Morgen ist eine Zeit, in der die Natur noch klar und frisch ist und ihre feinstofflichen Schwingungen aussendet. Der Geist ist jetzt noch rein und kann die subtilen Botschaften aufnehmen und darin seinen Frieden finden. Beim Aufstehen lassen wir bewußt die Ereignisse des vergangenen Tages hinter uns und bereiten uns auf den nun vor uns liegenden Tag vor.

Trinken Sie direkt nach dem Aufstehen ein Glas frisches Wasser, um die Peristaltik des Darms anzuregen. Vata- und Kapha-Konstitutionen vertragen heißes Wasser; für eine Pitta-Konstitution sollte es Zimmertemperatur haben, aber nicht kalt sein. Anschließend nehmen Sie sich Zeit für die Entleerung von Blase und Darm. Auch wenn kein Drang besteht, empfehlen die Ärzte, in aller Ruhe den Stuhlgang abzuwarten. Regelmäßige Ausscheidung stellt sich allmählich von selbst ein, wenn grundlegende ayurvedische Regeln eingehalten werden.

Beim Zähneputzen entfernen Sie den weißen Belag auf der Zunge gleich mit. Dieser Belag weist darauf hin, daß sich giftige Abfallstoffe abgelagert haben und unser letztes Essen vermutlich noch nicht ganz verdaut ist. Verzichten Sie daher bei dickerem Belag auf ein Frühstück und überlegen, welche Fehler in der Ernährung sich eingeschlichen haben könnten.

Das Abschaben des Zungenbelags geschieht mit einem speziellen Zungenschaber, der in Fachgeschäften erhältlich ist, oder mit einem Löffel. Dazu ziehen Sie den Schaber sanft einige Male von der Zungenwurzel bis zur Zungenspitze nach vorne, bis der Belag verschwunden ist. Zugleich verbessert diese Prozedur den Geschmackssinn.

Jetzt nehmen Sie etwas erwärmtes Sesamöl und behalten es einige Minuten im Mund. Bewegen Sie das Öl sanft im ganzen Mundbereich, gurgeln Sie, wenn möglich, einige Male damit und spukken es schließlich in einen Becher. (Das Öl sollte im Hausmüll entsorgt werden, damit der Abfluß des Waschbeckens nicht verstopft.) Natürlich können Sie das Öl auch jederzeit vorher ausspucken, sobald es Ihnen unangenehm wird. Massieren Sie nun Zahnfleisch und Zähne eine Weile mit dem Zeigefinger. Der Ölfilm schützt vor Krankheiten im Hals, verhindert Mundgeruch und stärkt Zähne und Zahnfleisch.

Träufeln Sie etwas Leitungswasser in die Augen, um den Sehsinn zu erfrischen.

Zum Reinigen der Nase ziehen Sie etwas Wasser in beide Nasenlöcher und schneuzen den Schmutz aus. Anschließend führen Sie einige Tropfen warmes Ghee oder Sesamöl mit dem Finger oder einer Pipette in beide Nasenöffnungen. Besonders im Winter und bei trockenem Wetter ist diese Anwendung sinnvoll. Regelmäßige Nasenpflege reinigt die Nebenhöhlen, kräftigt die geistige Schärfe und klärt die Sinnesorgane (genaue Anleitung für *Nasya,* die Reinigung der Nebenhöhlen, im Kapitel „Anleitungen zur Selbstbehandlung", Seite 107).

Nun kommt die Massage des ganzen Körpers an der Reihe. Verteilen Sie mit leichten massierenden Bewegungen einen dünnen Ölfilm gleichmäßig über Ihren ganzen Körper. Diese Einreibung kräftigt den Kreislauf und harmonisiert besonders das Vata-Dosha. Damit werden beste Voraussetzungen geschaffen, um den Tag entspannt und seelisch stabil zu verbringen (eine ausführliche Beschreibung der Selbstmassage finden Sie im Kapitel „Anleitungen zur Selbstbehandlung", Seite 100). Nehmen Sie anschließend ein Bad oder eine Dusche.

Nun folgen einige Minuten der Meditation. Je nachdem, welchem spirituellen Weg Sie verbunden sind, kann das ein Gebet sein, eine stille Betrachtung oder die Visualisierung einer Gottheit. In diesem Raum besteht die größtmögliche Freiheit, um die individuelle Verbindung mit der Kosmischen Einheit herzustellen. Auch einige Atemübungen sollten am Morgen nicht fehlen. Vielleicht möchten Sie die oben beschriebene Wechselatmung zur Harmonisierung beider Gehirnhälften machen oder/und eine speziell Ihrer Wesensnatur angeglichene Übung.

Längere sportliche Betätigung müssen die meisten Menschen aus Zeitgründen auf den Feierabend verschieben. Trotzdem sollten sich jetzt auch ein paar Körperübungen anschließen, wofür einige Yogahaltungen besonders geeignet sind.

93

Nun ist die Zeit für das Frühstück gekommen, bevor Sie voller
Tatkraft an die Tagesarbeit gehen.

Tagsüber:

Während der Arbeit versuchen Sie, den positiven Geist vom Morgen möglichst lange zu bewahren. Wenn zu viele Spannungen entstehen, legen Sie zwischendurch kurze Pausen ein, um wieder ein
Bewußtsein der Achtsamkeit und Freude zu finden. Damit tanken
Sie auf! Erinnern Sie sich auch, daß jeder einzelne Tag ein besonderer und einmaliger Tag Ihres Leben ist – auch wenn das manchmal nicht so erscheint.

Die beste Zeit für das Mittagessen ist gegen 12 Uhr. Die Mahlzeit sollte ausreichend sein, aber nicht zu üppig, damit Sie nicht
müde davon werden. Nach dem Essen bleiben Sie ein paar Minuten schweigend bei Tisch sitzen und machen anschließend einen
kurzen Spaziergang. Vata-Naturen können sich statt dessen auch
ein paar Minuten hinlegen. In der nächsten Zeit trinken Sie besser
nichts Kaltes, um die Verdauungsvorgänge nicht zu stören.

Nachdem Sie Ihre Arbeit beendet haben, sollte wieder eine Phase der Entspannung eingelegt werden. Schließen Sie mit einem
Ritual bewußt den aktiven Teil des Tages ab. Vielleicht möchten
Sie nun alleine einen Spaziergang unternehmen und den Stimmen
der Natur lauschen. Oder Sie nehmen sich Zeit für eine Meditation.

Abends:

Nehmen Sie diese gelassene Atmosphäre mit in die Abendstunden
hinein. Spätestens gegen 18 Uhr, wenn die Kapha-Zeit beginnt,
sucht der Körper ohnehin intuitiv Ruhe. Schalten Sie ab von den
Aufgaben des Tages, und nehmen Sie ein leichtes Abendessen ein.
Achten Sie darauf, den Abend in einer harmonischen und gelösten
Atmosphäre zu verbringen. Vielleicht haben Sie Lust, es sich ku-
schelig zu machen mit entspannender Musik und einem guten
Buch. Oder reden Sie mit dem Partner, den Kindern, guten Freunden. Allerdings sollten in der Unterhaltung nicht nur Probleme

gewälzt werden; erfreuen Sie sich lieber gegenseitig mit anregenden und angenehmen Gesprächen. Lange Fernsehabende mit schlechten Filmen lenken unnötig ab und hinterlassen spätestens im Bett ein schales Gefühl. Direkt vor dem Schlafengehen empfiehlt sich eine kurze Meditation. Denken Sie noch einmal über den vergangenen Tag nach, finden Sie Frieden mit unangenehmen Momenten, und halten Sie keine negativen Gefühle fest. So können Sie diesen Tag auch innerlich abschließen. Gehen Sie relativ früh zu Bett, möglichst zwischen 22 Uhr und 22.30 Uhr, denn nun beginnt die Pitta-Phase und erweckt neue Impulse. Ein erholsamer Schlaf ist einer der wichtigsten Faktoren für Vitalität und Gesundheit. Je nach Veranlagung ist die empfohlene Schlafdauer unterschiedlich. Menschen mit Vata-Natur und Kinder brauchen rund acht Stunden Schlaf, um vollständig zu regenerieren. Pitta-Naturen genügen sieben Stunden. Menschen mit hohem Kapha-Anteil sollten möglichst wenig schlafen, keinesfalls aber mehr als sieben Stunden. Wer viel meditiert, braucht nicht mehr als sechs Stunden Schlaf. Wenn Sie unter Schlafproblemen leiden, probieren Sie vor dem Zubettgehen eine Tasse Milch mit Kurkuma, und geben Sie sich eine leichte Ölmassage an Kopf und Füßen.

Das richtige Verhalten nach der Jahreszeit

Das Verhältnis der Doshas im Körper verändert sich entsprechend dem Klima. Deshalb steigt Vata automatisch an, wenn es draußen kalt und trocken ist. Pitta vermehrt sich bei heißem und schwülem Wetter und Kapha durch Kälte und Feuchtigkeit. Um zu vermeiden, daß die Doshas sich zu sehr ansammeln, regulieren wir sie durch ein angepaßtes Verhalten an die jeweilige Jahreszeit.

Besondere Achtsamkeit empfiehlt sich zu der Jahreszeit, die unserer eigenen Konstitution entspricht, denn sonst sammelt sich schnell ein Übergewicht des vorherrschenden Dosha an. Eine Vata-Natur sollte daher besonders im Spätherbst auf sich und ihr Dosha achten, eine Pitta-Konstitution vor allem im Sommer und eine Kapha-Natur speziell im Frühjahr Kapha senkende Maßnahmen ergreifen.

Wenn Sie, wie die meisten Menschen, zwei vorherrschende Doshas in Ihrer Wesensnatur haben, balancieren Sie jedes Dosha einzeln aus, wenn die ihm entsprechende Zeit beginnt. Sind Sie zum Beispiel ein Pitta-Kapha-Energietyp, richten Sie sich im Sommer nach einem Pitta beruhigendem Verhalten und balancieren im Frühling Kapha aus.

Frühling und Frühsommer: die Kapha-Zeit

„Königin der Jahreszeiten" nennen die Weisen den Frühling. Jetzt erwacht die Natur aus ihrer Winterstarre, Wärme durchdringt alle Poren, Fruchtbarkeit und Wachstum liegen in der Luft. Nun verflüssigt sich auch das über den Winter aufgebaute Körperfett und kann durch Kapha senkende Maßnahmen ausgeleitet werden. Dieser Zeitpunkt ist zum Fasten oder – noch besser – für eine Panchakarma-Kur optimal.

In jedem Fall stehen auf dem Speisezettel Lebensmittel, die Kapha reduzieren und das Verdauungsfeuer kräftigen. Die Nahrung sollte also leicht verdaulich und trocken sein. Bevorzugte Geschmacksrichtungen sind bitter, herb und scharf. Süßes, saures und salziges Essen wird möglichst reduziert. Ein ideales Grundnahrungsmittel ist Weizen (Nudeln) und Gerste. Zur Unterstützung der Blutreinigung empfiehlt sich Brennesseltee. Vermeiden Sie Milchprodukte, kaltes Essen und kalte Getränke ebenso wie Fett.

Um den Körper in Schwung zu bringen, benötigt er genügend, aber keine zu anstrengende Bewegung. Genießen Sie auf langen Spaziergängen die Lieblichkeit der Natur mit ihren zarten Knospen, und spüren Sie zugleich, wie auch Ihre innere Lebendigkeit wieder aufsteigt. Sexuelle Aktivitäten sollten während der Kapha-Zeit mit Vorsicht genossen werden; empfohlen wird Geschlechtsverkehr höchstens einmal pro Woche.

Hochsommer bis Frühherbst: die Pitta-Zeit

Während der Sommerhitze ist das Verdauungsfeuer gering, daher verspüren Sie wahrscheinlich nicht soviel Hunger. Entsprechend leicht und von relativ geringer Menge sollten die Gerichte jetzt sein. Die Lebensmittel sind kühl und saftig und von überwiegend süßem, bitterem und herbem Geschmack. Salziges, saures und scharfes Essen vermeiden Sie besser. Wunderbar schmeckt ein Gericht aus Reis mit Ghee und Milch.

Unser Körper benötigt jetzt viel Flüssigkeit, die zwar kühl sein darf, aber nicht direkt aus dem Eisschrank kommen soll. Kühlende Traubensäfte und ein Tee mit Koriander und Kreuzkümmel wirken erfrischend. Zwei traditionelle Sommergetränke sind Milch, in die Gerstenmehl und Zucker eingerührt wird, und Lassi (auf Joghurt/Milchbasis).

Wenn Pitta aufgrund übermäßiger Hitze zu sehr ansteigt, empfehlen ayurvedische Ärzte eine milde Abführkur (bei den Ernährungsempfehlungen für den Pitta-Typ beschrieben, siehe Seite 150 oben und Seite 160).

97

Als tägliches Ritual reiben Sie den ganzen Körper mit etwas küh-lendem Kokosöl oder Sonnenblumenöl ein. Bei der Kleidung be-vorzugen Sie leichte und kühlende Stoffe; „heiße" Farben, wie knal-liges Rot oder Orange, sollten Sie ebenso meiden wie Schwarz, das die Hitze regelrecht aufsaugt. Ketten aus echten Perlen, Jade und Silberschmuck haben eine kühlende Wirkung.

Vor dem Aufenthalt in der prallen Sonne warnen bereits die al-ten Weisen in den überlieferten Schriften und raten statt dessen, möglichst viel Zeit im Schatten zu verbringen. Besonders wohltu-end ist eine erfrischende Umgebung, ein Garten oder Park, in dem kaltes Wasser fließt. Suchen Sie, wann immer möglich, die Nähe eines Flusses oder Sees auf. Die Texte empfehlen auch den Aufent-halt im Wald, wo hohe Bäume die Sonnenstrahlen abfangen.

Steigen Sie zwischendurch ruhig mehrmals am Tag unter die kühle Dusche. Auch eine Runde im Schwimmbecken oder in einem See oder ein kühles Fußbad wirken Wunder. Wenn Sie sich im Freien aufhalten, tragen Sie stets eine leichte Kopfbedeckung. Die Hitze raubt ohnehin viel Energie. Daher wird auch ein kurzes Nicker-chen in einem kühlen dunklen Raum empfohlen. Hängen Sie zu Hause große, mit süß duftenden Aromen besprühte Stofftücher auf und sorgen so für eine frische Atmosphäre. Die beste Zeit für Sport ist der frühe Morgen und am späten Abend, wenn die Sonne mildes Licht schickt.

Machen Sie vor dem Einschlafen noch einen Spaziergang. Mond-licht kühlt und beruhigt Körper und Geist. In Indien wird dafür traditionell weiße Kleidung empfohlen. Anschließend reiben Sie Ihren ganzen Körper mit kühlender Sandelholzpaste ein, verteilen Sie auch einige Tropfen Sandelholzöl auf dem Kopfkissen. Falls Sie einen Garten oder großen Balkon haben, schlafen Sie draußen im Mondlicht. Die alten Schriften werden hier romantisch mit ihrer Empfehlung, auf einem weichen, mit Blütenblättern belegten Bett zu ruhen. Sexualität schwächt den Körper im Sommer und sollte daher reduziert werden. Die beste Zeit ist noch vor 22 Uhr, bevor die hitzige Pitta-Zeit anfängt. Als schöne Alternative werden wohl-tuende Berührungen von zarten, mit Sandelholzwasser gekühlten Händen empfohlen.

Spätherbst und Winter: die Vata-Zeit

Die Kälte und Trockenheit des Herbstes weckt die Energien von Vata, auf dessen Regulierung Sie nun besonders achten sollten. Warm, saftig und nährend ist die Nahrung, und auch Fett kann der Körper besser als sonst verarbeiten. Möglicherweise haben Sie besonders guten Appetit, denn das Verdauungsfeuer ist nun ziemlich stark, da wir viel Wärme benötigen. Sie sollten jetzt sogar mehr essen, daher ist der Winter als Fastenzeit nicht geeignet!

Den absoluten Vorzug bekommt süßes, saures und salziges Essen. Vermeiden Sie besser bittere, herbe und scharfe Nahrungsmittel. Auch kaltes Essen, Salate und viel rohes Obst sind nicht bekömmlich. Getreide- und Mehlspeisen schmecken jetzt gut, auch Milchprodukte, besonders Vollmilch, ist gut verträglich. Optimal ist Wurzelgemüse. Achten Sie immer darauf, genügend warmes Wasser oder Tee mit wärmenden Kräutern zu sich zu nehmen.

Da es draußen spät hell wird, können Sie etwas länger schlafen als üblich. Nach dem Aufstehen reiben Sie Ihren ganzen Körper mit erwärmtem Sesamöl ein und lassen es, wenn möglich, vor dem Duschen eine halbe Stunde einwirken.

Wundervoll ist ein Spaziergang bei Sonnenschein und klarem Himmel. Setzen Sie sich aber nicht übermäßig Kälte, Regen und Schnee aus. Tragen Sie draußen stets einen Schal und vor allem eine Kopfbedeckung, denn über den Kopf verliert der Mensch besonders viel Wärme. Sportliche Aktivitäten sind ideal, auch regelmäßige Besuche in der Sauna wärmen und entschlacken. Tragen Sie bevorzugt Kleidung in wärmenden Farben.

Wenn es draußen dunkel wird, ist der Kontakt zu nahestehenden Menschen Balsam für die Seele, um Gefühle der Einsamkeit und Depression zu vermeiden. Lange Winterabende bieten sich an für gemütliche Runden mit der Familie und guten Freunden. Die Schriften empfehlen für den Winter, eine „gut geformte gesunde Frau umarmen, danach sollen sie sich hinlegen, mit starker Lust". Geschlechtsverkehr wird für den Winter also nach Lust und Laune empfohlen, denn er wirkt erwärmend und hellt die Stimmung auf.

Anleitungen zur Selbstbehandlung

Massagen mit Öl

Ölmassagen sind im Ayurveda ein fester Bestandteil der täglichen Körperpflege. Bereits vor 2000 Jahren wurden in der *Charaka Samhita* die Qualitäten einer Ölmassage wie folgt beschrieben: „Der Körper wird durch die tägliche Ölmassage fest, geschmeidig, frei von Störungen des Vata-Doha und widerstandsfähig gegenüber Belastung und Bewegung. Die Haut fühlt sich angenehm an, die Körperteile sehen gut aus. Stärke und Anmut nehmen zu, und das Alter hat keine so große Macht."

Die alten Schriften nennen *Sesamöl* als optimales Massageöl, denn es beruhigt die drei Doshas und unterstützt die Entschlackung, weil es alle sieben Gewebeschichten durchdringt. Bei stark überhitztem Pitta sollte allerdings Sonnenblumenöl oder Kokosöl eingesetzt werden. Verwenden Sie grundsätzlich nur hochwertige kaltgepreßte Öle aus dem Bioladen oder Reformhaus.

Die optimale Wirkung der Massage wird morgens gleich nach dem Aufstehen erreicht. Falls Ihnen das aus Zeitgründen nicht möglich ist, empfiehlt sich am Morgen eine *Kurzmassage,* wie weiter unten beschrieben. Für die ausgiebige Ganzkörpermassage sollten Sie genügend Muße mitbringen. Stets sollten Sie erst nach der Massage duschen. Achten Sie darauf, daß der Raum warm und sauber ist und äußere Störfaktoren, wie laute Geräusche, möglichst ausgeschaltet werden.

Die Ganzkörpermassage

100

Nehmen Sie 6 bis 9 Eßlöffel Öl, und erwärmen Sie die Ölschale in einem Wasserbad. Ölen Sie Ihren ganzen Körper im Laufe dieser Behandlung gut ein und lassen Sie keine Körperstelle aus. Denken

Sie dabei auch an die „kleinen Teile", wie die Zwischenräume von Fingern und Zehen und die Ohren. Entlang der Gliedmaßen reiben Sie mit Druck in Längsrichtung, die Gelenke werden ausgiebig kreisförmig massiert. Dabei ist der Druck immer so stark, wie Sie dies angenehm finden.

Vor Beginn der Massage setzen Sie sich einige Minuten in Ruhe hin, wobei Sie die Augen schließen können.

Fangen Sie am Kopf an und massieren Sie sanft mit etwas Öl auf den Handtellern den gesamten Schädelbereich damit ein. Massieren Sie vorsichtig Gesicht und Ohren, wobei das Reiben von Schläfen und Ohren besonders angenehm ist. Streichen Sie entlang der Kehle vorsichtig auf und ab. Kräftigen Druck verträgt die Nackenpartie.

Nun kreisen Sie großflächig und behutsam im Uhrzeigersinn über Ihren Bauch, um die Darmperistaltik zu unterstützen. Reiben Sie sanft über das Brustbein. Die Schultern werden kräftig massiert. Dabei bearbeiten Sie mit den Fingerkuppen kraftvoll die Muskulatur.

Auch die Arme können kräftig und ausgiebig bearbeitet werden. Streichen Sie mit langen Hin- und Herbewegungen über Ober- und Unterarme, auch gegen die Richtung der feinen Härchen (nährt die Haarfolikel). Die Ellbogen und Handgelenke werden in Kreisbewegungen eingerieben.

Mit kräftigem Kreisen werden Hüfte und Gesäß massiert.

Bearbeiten Sie auch Ihren Rücken soweit wie möglich. Bitten Sie eventuell Ihren Partner, den Rücken besonders beiderseits der Wirbelsäule großflächig zu massieren.

Wie schon die Arme, können auch die Beine mit kräftigen Längsbewegungen massiert werden. Die Kniegelenke und Knöchel werden in sanften kreisenden Bewegungen massiert, die Kniekehlen sorgfältig ausgestrichen.

Nehmen Sie sich Zeit für die Massage Ihrer Füße. Behandeln Sie die Fußsohlen mit der flachen Hand oder mit dem Daumen. Rubbeln Sie ausgiebig die Zwischenräume der Zehen, und ziehen Sie die einzelnen Zehen mit leichtem Zug nach vorn.

Zum Abschluß streichen Sie Ihren ganzen Körper vom Scheitel bis hinab zu den Füßen mehrmals in langen gleichmäßigen Bewegungen aus.

Nach der Massage halten Sie sich gut warm und entspannen sich. Lassen Sie das aufgetragene Öl mindestens 20 Minuten einwirken. Anschließend nehmen Sie ein warmes Bad oder duschen Sie lauwarm. Trocknen Sie sich behutsam ab, so daß ein dünner Öl-film auf der Haut bleibt. Das verbleibende Öl reguliert Vata und wärmt die Muskulatur.

Als hautschonender Ersatz für Seife eignet sich wunderbar Ki-chererbsenmehl (in Asienläden als „Graham"- oder „Besan"-Mehl erhältlich). Rühren Sie das Mehl mit etwas Wasser zu einem dünn-flüssigen Brei, geben Sie eventuell eine Messerspitze Kurkuma hinzu und tragen Sie die Paste mit reibenden Bewegungen großflächig auf den Körper auf. Diese Art der Reinigung schenkt eine wun-dervolle weiche Haut und nährt das Gewebe.

Bitte beachten Sie, daß Kurkuma Stoffe verfärbt.

Die Kurzmassage

Für den Alltag ist den meisten Menschen eine Ganzkörpermassa-ge zu aufwendig. Dagegen kostet eine Kurzmassage nach dem Auf-stehen nur einige Minuten Zeit und kann deshalb als tägliches Ritual mühelos durchgeführt werden.

Bei der Kurzmassage liegt der Schwerpunkt auf denjenigen Kör-perbereichen, deren Behandlung der Harmonisierung des ganzen Körpers zugute kommt.

Beginnen Sie mit einer kleinen Kopfmassage, wobei Sie das Öl wie beim Haarewaschen in die Kopfhaut einmassieren. Falls Sie danach die Haare nicht waschen möchten, reiben Sie lediglich et-was Öl auf die Schläfenpartien.

Massieren Sie ausgiebig Ihre Ohren, da hier besonders viele Marma-Punkte lokalisiert sind. Dabei halten Sie Ihre Ohren mit Daumen und Zeigefinger und bearbeiten mit den Daumen die Außenseiten, mit den Zeigefingern die Innenseiten der Ohrmu-scheln.

Reiben Sie nun sanft im Uhrzeigersinn über Ihren gesamten Bauchbereich. Widmen Sie sich dann noch einen Moment Ihren Füßen, da alle Körperregionen in ihnen abgebildet sind.

Anschließend setzen Sie sich einige Minuten entspannt hin. Ach-ten Sie auf einen friedvollen Geist und regelmäßiges Atmen, bevor Sie eine lauwarme Dusche nehmen.

Die Kopfmassage

Einige der wichtigsten Marma-Punkte sind im Kopf lokalisiert. Durch ihre Behandlung werden alle Körperfunktionen reguliert und die Nerven beruhigt, was einen frischen Körper und Geist schenkt. Zugleich nährt und kräftigt das Öl die Kopfhaut und unterstützt einen gesunden Haarwuchs. Als Basis dient – je nach Konstitution und Jahreszeit – wärmendes Sesamöl oder kühlendes Kokosöl. Das Öl soll nach der Behandlung mindestens eine Stunde auf der Kopfhaut einwirken. Anschließend muß der Kopf gewaschen werden, andernfalls kann überschüssiges Öl Kopfschmerzen verursachen.

Verteilen Sie das Öl mit dem Handflächen vom Haaransatz ausgehend auf dem Kopf. Die Behandlung beginnt bei drei zentralen Marma-Punkten (siehe Abbildung), die auf einer Linie entlang des Mittelscheitels liegen.

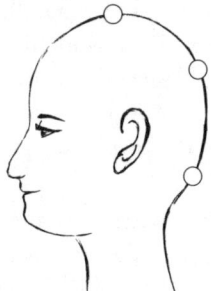

Der erste Punkt ist *Brahma Randhra,* das „Tor von Brahma". Es ist jener weiche Punkt des Kopfes, durch den die Seele nach dem Tode den Körper verläßt. Geben Sie etwas Öl auf Ihren Mittelfinger und massieren Sie behutsam 30 kleine Kreise im Uhrzeigersinn.

Der nächste Marma-Punkt, *Shikha,* befindet sich direkt auf der Krone des Kopfes und ist der höchste Punkt des Scheitels. Geben Sie wieder etwas Öl auf Ihren Mittelfinger und massieren Sie an dieser Stelle ebenfalls 30mal im Uhrzeigersinn.

Der drittwichtigste Punkt am Kopf ist die *Medulla oblongata,* also jene Stelle am unteren Hinterkopf, wo der Schädel in die Halswirbelsäule übergeht. Verfahren Sie wie vorher und behandeln Sie auch diesen Punkt mit sanften Kreisen.

103

Nun lockern Sie die Kopfhaut, indem Sie sie wie beim Haarewaschen mit den Fingerkuppen kräftig massieren. Beginnen Sie dabei am Haaransatz und rubbeln bis zum Hinterkopf durch. Massieren Sie kräftig entlang der Kante des Schädelknochens zu beiden Ohren hin.

Plazieren Sie nun Ihre Hände beiderseits der Ohren. Fahren Sie mit „weichen Krallenfingern" über die Kopfhaut aufwärts bis zum Scheitel, wo die Haare mit einem leichten Ziehen nach oben gezogen werden. Entsprechend gehen Sie von Stirn und Hinterkopf aus und schieben die Hände bis zum Scheitel zusammen.

Von denselben Stellen aus werden noch einmal mit kräftigem Druck Zickzack-Bewegungen über den Kopf ausgeführt.

Mit den Daumen massieren Sie nun in kräftigen Kreisbewegungen die Knochenerhebungen hinter den Ohren.

Dann fahren Sie mit allen Fingern in kleinen Kreisbewegungen kräftig vom vorderen Haaransatz aus über die Mittellinie bis zur Rückseite des Kopfes. Wiederholen Sie diese Griffe mehrmals.

Zum Schluß umfassen Sie Ihren Kopf mit beiden Händen. Blicken Sie gerade nach vorne und lassen Sie die Entspannung nachwirken.

Die Fußmassage

Die beste Zeit für eine Fußmassage ist am frühen Morgen und vor dem Schlafengehen. An den Füßen befinden sich viele Marma-Punkte und Reflexzonen. Durch ihre Behandlung lösen sich Spannungen auf, und das Nervensystem kann sich regenerieren. Besonders vor dem Zubettgehen sorgt eine Fußmassage für Entspannung und einen erholsamen Schlaf.

Vor der Massage schließen Sie kurz die Augen und achten auf eine gleichmäßige Atmung.

Verteilen Sie mit der Handfläche etwas Sesamöl auf Füße und Waden, und reiben Sie dieses sanft in den ganzen Bereich ein. Lassen Sie sich dabei von Ihrer Intuition führen, an welchen Stellen die Berührung besonders angenehm und entspannend ist.

Die Innen- und Außenseiten der Knöchel umkreisen Sie ausgiebig mit sanften Bewegungen. Zwicken Sie mit leichtem Druck von Daumen und Zeigefinger die Achillessehne entlang bis hinunter zur Ferse.

Bearbeiten Sie nun den Fußrücken, also die Oberseite der Füße. Sie können, um etwas Druck zu erreichen, mit dem Daumen massieren, aber auch mit mehreren Fingern gleichzeitig. Vergleichen Sie mit Hilfe der untenstehenden Abbildung die Lokalisierung der Reflexzonen. Drücken Sie vorsichtig die einzelnen Regionen, wobei Sie an den Zehen, also bei der Entsprechung des Kopfbereichs, beginnen und sich bis zu den Fersen, der Entsprechung des Darmbereichs, vorarbeiten.

Zum Abschluß der Massage streichen Sie Ihre Füße mehrmals von den Waden bis zu den Zehen in einer langen Bewegung aus. Reiben Sie noch vorhandene Ölreste mit einem trockenen Tuch ab und verweilen für einen Moment in der entspannten Atmosphäre.

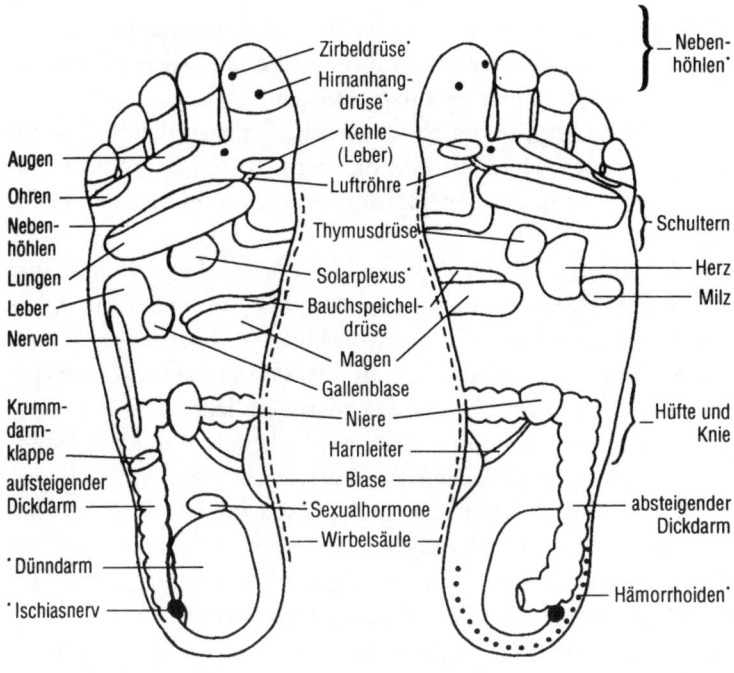

* auf den anderen Fuß gespiegelt

105

Fußreflexzonen

Basti –
der Einlauf mit Öl

Im Ayurveda werden häufig Darmeinläufe mit erwärmtem Öl *(Anuvasana Basti)* vorgenommen. Sie gelten als nährende Therapie, um Vata zu harmonisieren und Beschwerden, die durch Vata ausgelöst wurden, zu lindern. Dazu gehören besonders Störungen des Nervensystems mit Symptomen wie Schlaflosigkeit, Ängstlichkeit, Nervosität, Blähungen, aber auch Rückenschmerzen und Ischias, Arthritis und Nierensteine.

Falls solche Beschwerden bereits vorliegen, werden Einläufe an 6 bis 9 aufeinanderfolgenden Tagen durchgeführt, und zwar etwa 2 Stunden nach dem Mittag- oder Abendessen. Bei ausgeprägter Vata-Konstitution kann während des ganzen Jahres einmal wöchentlich ein Einlauf vorgenommen werden. Sie können einen solchen Einlauf relativ einfach selbst durchführen, aber natürlich können Sie auch jemanden um Unterstützung bitten.

Die Umgebung, in der Sie den Einlauf vornehmen, sollte sauber, warm und angenehm sein. Entspannen Sie sich einige Minuten, bevor Sie mit der Behandlung beginnen, und machen Sie Ihr Gesäß frei.

Nehmen Sie eine Einlaufspritze (in der Apotheke erhältlich), und ziehen Sie diese mit 50 ml erwärmtem Sesamöl und 25 ml Ghee auf. Nun führen Sie die Kanüle vorsichtig in den After ein. Drücken Sie langsam und vorsichtig auf den Gummiballon, bis das gesamte Öl-Ghee-Gemisch den Dickdarm erreicht hat.

Ziehen Sie nun die Spritze sanft wieder heraus, und legen Sie Ihr rechtes Knie in eine bequeme Position zurück. Legen Sie ein Kissen unter Ihre Hüfte, damit sich das Öl besser im Dickdarm verteilt, und massieren Sie den Darmbereich leicht gegen den Uhrzeigersinn.

Bleiben Sie etwa 10 Minuten liegen und versuchen Sie, das Öl im Körper zu halten. Wenn der Druck zu stark wird, begeben Sie sich auf die Toilette. Möglicherweise wird überhaupt keine Flüssigkeit ausgeschieden. In diesem Fall war der Darm stark ausgetrocknet und das gesamte Öl wurde aufgesogen. Legen Sie dennoch nach der Behandlung eine Einlage in Ihre Unterwäsche, um möglicherweise austretendes Öl aufzusaugen.

Diese Selbstbehandlung sollten Sie nicht durchführen, wenn Sie unter akuten Beschwerden leiden, zum Beispiel bei einer starken Erkältung, hohem Fieber und Durchfällen, sowie bei schwachem Agni und Diabetes. Auch für Kinder und alte, ausgezehrte Menschen ist die Einlauftherapie ungeeignet.

Nasya –
die Reinigung der Nasennebenhöhlen

Diese Reinigung gehört zur regelmäßigen morgendlichen Körperpflege und ist vor allem auch bei den typischen Kapha-Symptomen der Verschleimung anzuwenden.

Lösen Sie eine Messerspitze Salz in einem Becher lauwarmem Wasser auf. Nehmen Sie etwas Wasser in eine Handfläche und ziehen es mit einem kräftigen Schniefen durch ein Nasenloch hoch, während das andere Nasenloch mit dem Finger verschlossen wird. Anschließend verfahren Sie genauso mit dem anderen Nasenloch.

Einfach in der Handhabung und wirksam ist die Verwendung einer Nasendusche (in der Apotheke erhältlich). Im Kurzverfahren, wenn die Nase relativ frei ist, nehmen Sie beim Gesichtwaschen einfach eine oder zwei Handvoll Wasser direkt aus dem Hahn und ziehen es gleichzeitig durch beide Nasenlöcher hoch. Nach kurzer Einwirkzeit läßt sich der Schleim leicht ausschneuzen. Meist niest man danach, oder die Nase beginnt zu laufen. Das ist erwünscht, weil es den Reinigungsprozeß unterstützt.

Diese Reinigung soll nicht bei chronischen Entzündungen der Nasennebenhöhlen vorgenommen werden.

IV.
Die sieben Energietypen des Ayurveda

Vata – der Schmetterling

Der Vata-Energietyp entspricht der Wesensnatur des Schmetterlings. Lebensfroh flattert er von einer Blüte zur nächsten und erfreut sich seines Lebens. Scheinbar mühelos bewegt er sich durch die Welt. Ebenso leicht fliegt ihm alles zu – auch die Sympathien anderer. Sein Zuhause sind die Sphären der Phantasie und der Träume, wo er sich zu geistigen Höhenflügen aufschwingt.

Vata im Zustand der Harmonie

Vata mit seinen subtilen Elementen Luft und Äther reagiert auf die leiseste Bewegung im Körper. Mit Leichtigkeit trägt es alle Eindrücke und jegliche Substanz in die richtige Richtung an den passenden Platz. Ständig in Bewegung, ermöglicht es Flexibilität im Körper wie im Geist. Dieses Dosha ist die Königin der Naturkräfte und lenkt mit seiner Mobilität die unbeweglicheren Elemente Wasser, Feuer und Erde.

Die körperlichen Anlagen des Vata-Energietyps

Die Vata-Konstitution zeigt sich in einem schlanken Körperbau, der von klein und zierlich bis zu hochgewachsen und schlaksig reichen kann. In der Regel besitzt Vata nur geringe Fettreserven. Daher sind Muskeln, Adern und Knochen deutlich zu erkennen. Besonders auf dem Handrücken sind die Venen auffällig stark sichtbar, auch der Adamsapfel tritt deutlich hervor. Die ganze Wesensnatur der Vata-Konstitution ist von Leichtigkeit geprägt, daher auch der zarte Knochenbau und die schwach ausgebildeten Muskeln. Weil ihr die natürliche „Schmierung" durch Kapha fehlt, sind die Gelenke nicht sehr geschmeidig und auch keine wirkungsvollen Stoßdämpfer, sondern knacken und knirschen geräuschvoll.

Der Vata-Typ ist seinem Wesen nach im ständigen Wandel begriffen und nimmt daher schnell an Gewicht ab, aber auch wieder zu. Der Körper kann sehr zart, fast schon ätherisch erscheinen. Aber man sollte sich nicht täuschen lassen, denn eine Vata-Konstitution kann sich auch unter einer beachtlichen Leibesfülle verbergen, da Vata unbewußt Erdung sucht. Doch verraten die langen schmalen Hände auch dann ihre wahre Wesensnatur. Das Wort *Vata* hat seinen Ursprung in „sich bewegen", und tatsächlich erkennt man Vata an ständiger unruhiger Bewegung: Der Gang ist unschlüssig, die Bewegungen sind sprunghaft und ungenügend koordiniert, die Hände immer beschäftigt.

Das Element Wind verursacht Trockenheit im ganzen Körper. Die Haut ist trocken, rauh, manchmal rissig, der Teint eher dunkel. Ebenso trocken sind die Haare, außerdem glanzlos, häufig schütter und dünn mit Neigung zu Spliß und Schuppenbildung. Spröde und trocken sind auch die Nägel, rissig sind die Fersen. Die Stimme ist oft dünn, heiser und leise.

Die Gesichtszüge wirken hager, kantig bis asketisch. Die schmalen Lippen sind trocken, spröde und rissig, besonders trocken sind auch die Wangenpartien. Irgendwie wirken die Gesichtszüge asymmetrisch. Unruhig, unregelmäßig sind auch die Augenbrauen und die Zähne geformt. Durch die Trockenheit der Haut liegen die kleinen Augen tief und zumeist glanzlos in den Augenhöhlen und versuchen durch häufiges Blinzeln die empfindliche Bindehaut zu befeuchten. Bereits der flinke aktive Blick verrät die innere Unruhe von Vata.

Die schlechte Durchblutung sorgt für fast ständig kalte Hände und Füße. Daher sind warme Pullover und Socken zu jeder Jahreszeit in greifbarer Nähe. Mit einer Vata-Konstitution schwitzt man auch kaum. Die allgegenwärtige Trockenheit reduziert auch die Ausscheidungen; minimal ist daher die Menge an Urin und Stuhlgang, der häufig trocken und hart ist und bei der Entleerung Schmerzen bereitet.

Hier finden wir unter allen Doshas die unregelmäßigste und schwächste Verdauung. Weil durch den unregelmäßigen Appetit manchmal zuviel gegessen wird und dann wieder ganze Mahlzeiten ausgelassen werden, arbeitet auch das Verdauungsfeuer nicht gleichmäßig und somit nicht effektiv. Das ohnehin schwache Agni hat durch unregelmäßiges Essen noch mehr zu kämpfen – und die Mahlzeiten können nicht vollständig verarbeitet werden.

Bei Vata ist vorwiegend der Sympathikus aktiv, jener Teil des Nervensystems also, der unter anderem den Organismus in Streßsituationen mit den entsprechenden Mechanismen reagieren läßt. Er regt die Nebennieren an, produziert Streßhormone, beschleunigt den Herzschlag sowie den Stoffwechsel. Ständige körperliche und seelische Anspannung läßt den Sympathikus dauernd aktiv sein, und langfristig beschleunigt er dadurch den Abbau von Geweben, wie dies bei Vata der Fall ist.

Die geistigen Anlagen des Vata-Energietyps

Traumtänzerin nennen wir wohlgesonnen eine Person, deren Motto die Lebenslust ist und die nach der Devise „Don't worry, be happy" die Dinge nicht allzu genau nimmt. Lieber genießt sie heute das Leben als auf morgen zu warten. Eher den Kopf im Himmel als die Füße auf der Erde, spaziert oder noch lieber tanzt sie durch das Leben – wenn möglich, auf mehreren Hochzeiten gleichzeitig. In jeder Hinsicht wird der Vata-Typ sich am liebsten ein paar Hintertürchen offenhalten, denn er mag sich nicht gerne festlegen, weil er sich schnell in seinem ausgeprägten Freiheitsbedürfnis eingeschränkt fühlt.

Gleich dem Schmetterling fliegt Vata fasziniert von einer Blume zur nächsten; überall entdeckt es betörende Farben, Formen und

Gerüche. Doch lockt die nächste Blüte bereits unwiderstehlich, und daher ist es in ständiger Bewegung, will nirgendwo lange bleiben. Dementsprechend ist der Vata-Energietyp ein ausgesprochener Wandervogel. Fasziniert von neuen Menschen und der Exotik fremder Länder, packt er jede Gelegenheit beim Schopfe, um seine Nase in den Wind der weiten Welt zu halten. Still sitzen ist für den Schmetterling eine Strafe, und immer findet er gute Gründe, um den Wohnort, den Beruf oder die Beziehung zu wechseln, damit Abwechslung in sein Leben kommt.

Sein stets bewegter Geist trägt den Vata-Typ in Sphären von Phantasie und Vision, die andere Wesensnaturen in Staunen versetzen mögen. Von diesen Höhenflügen kehrt er zurück mit immer neuen Ideen, die ihn zutiefst faszinieren. Für deren Verwirklichung wird er aber letztlich keine Zeit und auch keine Geduld haben – außerdem stößt eine Vision zehn weitere an, die er als nächstes durchdenken muß. Er ist ein Feuerwerk an Kreativität. Seine Visionen können ebenso völlig ausgeflippt sein, wie sie Meisterwerke an Genialität sein mögen. Entsprechend verkörpert der Vata-Typ bestimmte Klischees: der geniale Erfinder, der zerstreute Professor, ein hochbegabter Musiker, Maler, Schriftsteller, Fotograf, der Freidenker per se – Vata ist überall da, wo Kreativität, Inspiration und Phantasie im Spiel sind, wo Weltbilder weit und vielschichtig sind.

Die Affinität des Vata-Typs zum Nicht-Materiellen macht ihn zu einem Feingeist, der mühelos Grenzen überschreitet, ob diese nun gegenständlicher oder geistiger Natur sind. Mit wunderbarer Sensibilität, die selbst feinste Schwingungen wahrnimmt, flattert er durch die Welten. Manchen verleiht sie hellseherische Fähigkeiten, sie können die Aura anderer wahrnehmen und wirken als Medium. Ihre fein justierten Antennen stehen ständig auf Empfang: Im wahrsten Sinne des Wortes hören sie „das Gras wachsen" und spüren sofort, wenn eine Situation unstimmig ist. Daher verrät sich Vata oft schon am Telefon mit dem typischen Begrüßungssatz: „Störe ich gerade?"

Dieser Feinsinn verleiht Vata die Fähigkeit, Mitgefühl im ursprünglichen Sinne zu empfinden. Wenngleich ihre Vielschichtigkeit und Flatterhaftigkeit den Eindruck erwecken könnten, eine solche Person sei oberflächlich oder leichtfertig, so täuscht das.

113

Darunter verbirgt sich ein tiefsinniger Mensch mit einem sensiblen Gespür für andere Menschen und Situationen. Selbst in Extremen zu Hause, kann sich die Vata-Natur in ziemlich alle Denkstrukturen und Handlungen einfühlen, hat ein aufmerksames und verständnisvolles Ohr für die Sorgen anderer, wie ungewöhnlich diese auch sein mögen.

Im Übertreten konventioneller Grenzen liegt ihr großartiger Beitrag zur menschlichen Entwicklung. Immer sind es Einzelne, die Schranken niederreißen, ihren Blick über Begrenzungen hinaus schweifen lassen und so Veränderungen des Bestehenden überhaupt erst möglich machen. Vata ist ein solcher Visionär: Mit unverdrossenem Optimismus entwirft er Zukunftsprojekte, ohne die vernünftige Frage nach Machbarkeit zu stellen. Statt dessen lauscht Vata seinem Herz, das ihn in seiner Sehnsucht nach Erfüllung immer weiter trägt.

Jene Visionen von einer besseren Welt machen Vata zum sympathischen Utopisten, der immer auf der horizontalen Ebene von Gleichheit, Brüderlichkeit und Gerechtigkeit denkt. Ungerechtigkeit wird ebenso abgelehnt wie hierarchische Strukturen, Autoritäten und Vorgesetzte. So ungern ein Vata-Typ Befehle erhält und sich in feste Schemata einfügt, mag er auch selbst anderen keine Anweisungen erteilen. Sollte eine seiner Ideen also Realität werden, würde er gewiß nicht die Leitung dabei übernehmen; vielmehr werden alle Beteiligten gleichberechtigt mitmachen – jeder nach Lust, Laune und individuellen Fähigkeiten.

Ihr empfindliches Gespür für Fairneß macht die Vata-Natur zur ehrenamtlichen Helferin bei Organisationen für Umwelt und Menschenrechte, den Kampf für die Integration von Ausländern oder den Schutz aussterbender Tierarten. Dabei stört es sie nicht weiter, daß sie für ihre Arbeit nicht bezahlt wird. Hauptsache, sie kann ihre Visionen soweit wie möglich leben! Traumtänzerin, die sie nun einmal ist, legt Vata wenig Wert auf materiellen Besitz, schließlich haben auch Luft und Äther kaum Substanz. Das Anhäufen von Besitz, Versicherungen und Sparbücher oder gar ein Job auf Lebenszeit lösen eher Unbehagen bei ihr aus. Ebensowenig braucht sie Ehre und Prestige, um glücklich zu sein.

Falls doch einmal Geld ins Haus kommt, wird sie es mit vollen Händen wieder ausgeben. Vielleicht kauft sie in der Stadt allerlei

Krimskrams oder ersteht Nippes auf dem Flohmarkt. Vielleicht feiert sie auch mit ihren vielen Freunden ein Fest, zu dem selbstverständlich auch Fremde willkommen sind. Oder aber sie überweist eine größere Summe an eine Hilfsorganisation für Menschen in Not. Wie auch immer, die häufigen finanziellen Engpässe der Vata-Natur stören weniger sie selbst als die Menschen, mit denen sie zusammenlebt.

Der Vata-Energietyp liebt Kontakte zu vielen Menschen – je ungewöhnlicher und farbiger, um so lieber wird er mit ihnen Gedanken austauschen und Projekte schmieden. Zugleich schart er als brillanter Unterhalter faszinierte Zuhörer um seine Person. Mit geballtem Charme, viel Witz und einem vielseitigen Allgemeinwissen gestaltet er Gespräche kurzweilig und unterhaltsam. Momente der Unsicherheit werden augenzwinkernd mit einer kuriosen Anekdote aufgelockert. Wenn er Lust bekommt, nimmt er sein Publikum schließlich mit in seine Welten der Phantasie und Vision.

Vata erhöhende Faktoren

Im Lebenszyklus steigt Vata mit fortgeschrittenen Alter an, wenn die Pitta-Zeit der Aktivitäten ausklingt und der Mensch sich mehr den geistigen Aspekten des Lebens zuwenden sollte. Außerdem erhöht jedes kalte und trockene Klima das Vata-Dosha; im Jahreslauf geschieht dies im Winter, vor allem zwischen Oktober und Februar. Im Verlauf des Tages ist Vata am höchsten in der Nacht zwischen 2 und 6 Uhr, tagsüber entsprechend zwischen 14 und 18 Uhr, also rund zwei Stunden nach dem Essen. Dann ist ein Energietief erreicht, es stellt sich Heißhunger auf Süßes ein.

Von allen Doshas gerät die leichte Traumtänzerin am ehesten aus der Balance. Übermäßige Belastung, sei es durch zuviel körperliche Anstrengung oder auf geistiger Ebene durch zuviel Denken und Grübeln, irritieren sie schnell. Schon Kleinigkeiten werfen sie aus dem Gleichgewicht, vor allem überraschende Ereignisse und Situationen, die unberechenbar sind. Besonders empfindlich reagiert sie auf extreme Gefühle, wie Kummer, Sorgen, Ängste, Traurigkeit. Spontan reagiert die Vata-Natur darauf mit Streß. Ein-

115

mal außer Balance, wird dann die ganze Palette an nervösen Beschwerden in Gang gesetzt. Jede Krankheit, durch welche Energien sie auch verursacht wird, zieht automatisch Vata nach sich. Daher treten Vata bedingte Symptome immer auch mit anderen Krankheiten auf, besonders wenn diese chronisch sind. Um so drastischer sind die Auswirkungen, wenn es zu massiven Eingriffen in den Körper kommt. Nach jeder Operation steigt Vata extrem an. So geht auch jene typische Vergeßlichkeit nach Operationen auf das Konto eines überhöhten Vata-Dosha.

Reize verursachen Unruhe und irritieren das dünne Nervenkostüm der Vata-Konstitution. Ohnehin sehr empfindlich für alle Geräusche, verschlimmern Lärm und laute Musik dies noch mehr. Auch zuviel Ablenkung wirkt irritierend, etwa langes Fernsehen, besonders das ziellose Zappen zwischen den Kanälen. Schädlich ist auch der lange Aufenthalt vor dem Computer, im Elektrosmog und in einer künstlichen Atmosphäre ohne Fenster, etwa in einem Kaufhaus.

Zusätzlich verschlimmernd wirken Wind oder „windige Faktoren", wie Zugluft oder ein Ventilator, sowie auch Kälte, zum Beispiel in Form einer Klimaanlage. Jede Art von schneller Fortbewegung, besonders Fliegen, irritiert das sensible Gleichgewicht der Vata-Natur; nach Flugreisen gönnt sie sich möglichst viel Ruhe. Einsamkeit macht sie ebenfalls krank, viele alte Menschen leiden darunter. Ohne Familienanschluß und körperliche Kontakte nimmt Vata, das im Alter ohnehin erhöht ist, um so mehr zu.

Was die Nahrung betrifft, steigern Lebensmittel von Vata-Qualität das Dosha im Körper, also besonders kaltes, trockenes und zu leichtes Essen. Vata ist unzufrieden, wenn die Mahlzeit einen zu geringen Nährwert hat. Auch durch Hunger oder eine zu geringe Flüssigkeitsaufnahme wird Vata erhöht. Gerade ältere Menschen trinken häufig viel zu wenig, und dann auch manchmal nur Kaffee, der zusätzlich austrocknend wirkt. Viele alterstypische organische Störungen lassen sich allein durch mehr Flüssigkeitsaufnahme beheben.

Vata im Zustand der Verwirrung

Verstärkt sich der Wind zum Orkan, hat er ein leichtes Spiel mit dem zarten Schmetterling. Der Sturm wirbelt ihn in alle Richtungen, da ist kein fester Boden mehr unter den Füßen zum Ausruhen. Auf allen Ebenen breiten sich Leere, Haltlosigkeit und Instabilität aus. Als leichteste der Wesensnaturen verliert Vata am schnellsten das Gleichgewicht und braucht daher spezielle Beachtung.

Körperliche Herausforderungen für den Vata-Energietyp

Da die Vata-Energie in allen Bereichen unstet und sprunghaft ist, sind auch ihre Krankheiten schwer greifbar. Schnell und akut entwickeln sich Unstimmigkeiten in Körper und Geist, die ebenso schnell abklingen, wie sie gekommen sind. Die Schmerzen sind schneidend und heftig, treten hier und dort auf und wandern im Körper umher. Auch im Krankheitszustand entwickelt sich nur wenig Fieber, die Schweißmenge ist gering.

Der empfindlichste Bereich liegt im Becken, besonders im Dickdarm, wo Vata seinen Hauptsitz hat. In diesem Zusammenhang entwickeln sich viele Probleme mit der Verdauung. Schlecht verdaute Nahrung in Verbindung mit Trockenheit verursacht Schmerzen beim Stuhlgang, eine häufige Folge davon ist chronische Verstopfung. Eine andere Auswirkung der schlechten Verdauung sind Mangelerscheinungen, denn der Dickdarm kann Nährstoffe, Mineralien und Vitamine aus dem verarbeiteten Essen schlecht aufnehmen, so daß der ohnehin zarte Körper noch mehr auszehrt. Gleichzeitig wandern nicht entleerte Abfälle durch die Schleimhaut des Darmes und lagern sich als Schlacken *(Ama)* in allen Körpergeweben ab, was wiederum andere Erkrankungen verursacht. Vata bemerkt am schmerzhaft aufgeblähten Bauch und vielen Winden, daß die Verdauung nicht stimmt.

Ein spezielles Problem der weiblichen Vata-Konstitution liegt ebenfalls im Beckenbereich: das prämenstruelle Syndrom. Ein gestörtes Vata-Dosha ist die Hauptursache dafür, wenn eine Frau vor ihrer

117

Periode unter typischen Unterleibskrämpfen und Schmerzen im unteren Rücken und Unterbauch leidet. Außerdem ist sie in dieser Phase besonders ängstlich und nervös, ohne einen konkreten Grund dafür nennen zu können. Die ayurvedische Hausapotheke kennt ein wirksames Mittel mit Sesamsamen, das sie bei diesen Beschwerden ausprobieren kann (Rezept siehe unter „Vorschläge zur Selbstbehandlung", Seite 120). Weht der Wind zu heftig, bläst er Sperma und Eizellen regelrecht voneinander weg. Überhöhtes Vata kann so zu Unfruchtbarkeit führen und Fehlgeburten auslösen.

Ebenfalls im Bereich des unteren Rückens manifestiert sich eine andere häufige Erkrankung, der Hexenschuß und ein verklemmter oder entzündeter Ischiasnerv.

Empfindlich und entsprechend anfällig sind auch alle Gelenke, besonders im fortgeschrittenen Alter: Aufgrund von schlechter Durchblutung gelangen die Nährstoffe nicht bis zu den Gelenken. Dazu kommt die schlechte Schmierung, weshalb die Gelenke schmerzen und versteifen: Arthritis, Arthrose, Gicht und Rheuma können sich entwickeln. Die emotionalen Probleme der Vata-Natur lagern sich im gesamten Rückenbereich ab. Daher hat sie ständig Probleme mit einer verspannten Muskulatur in der Nackenregion und besonders im unteren Rückenbereich, wo Ängste sich vorwiegend festsetzen.

Von Natur aus ist die Vata-Konstitution sensibel gegenüber Kälte, Rauheit und Trockenheit. Weht der Wind zu heftig, vertrocknet auch der letzte Tropfen Flüssigkeit. Der Körper schmort regelrecht zusammen; die Haut ist runzelig und eingefallen, besonders am Handrücken, wo sie beim Wegziehen als Falte stehenbleibt. Der Mensch zehrt richtiggehend aus und altert vorzeitig, denn alle Reserven an Energie werden frühzeitig verbraucht. Überhöhtes Vata führt daher in einen Zustand ständiger Schwäche.

Der zweite Hauptsitz von Vata liegt im hochempfindlichen Nervensystem, für dessen reibungslose Funktion es zuständig ist. Schnell aus dem Gleichgewicht geraten, beeinflußt schon eine geringe Erhöhung von Vata das Nervensystem. Leichtere Störungen treten auf als übertriebene Unruhe, Ängstlichkeit, Furcht und vor allem ständige Nervosität. Ein echtes Problem ist die chronische Schlaflosigkeit, unter der praktisch jeder Mensch mit einem erhöhtem Vata-Dosha zu leiden hat. Besonders in Streßsituationen liegt er nachts stundenlang wach, was langfristig zu einem ernsten gesundheitlichen Problem wird.

Störungen des Vata-Dosha entwickeln sich auch zu depressiven Verstimmungen, die mit einem Gefühl von geistiger Leere und extremer Erschöpfung einhergehen. Je mehr und länger das Vata-Dosha aus seiner natürlichen Bahn geworfen ist, desto tiefer wird der Nervenbereich angegriffen. Letztlich sind alle Krankheiten, die im neurologischen Bereich liegen, auf ein irritiertes Vata zurückzuführen, wie beispielsweise gestörte Sinneswahrnehmungen, Überempfindlichkeit oder Empfindungslosigkeit einzelner Körperstellen und im Extremfall geistige Verwirrung. Aber auch das Fehlen der Lebenskraft und Lebensfreude gehören dazu sowie Störungen im Bereich der Motorik: unkoordinierte Bewegungen, Lähmungen, Zittern, Zuckungen und Spasmen, Multiple Sklerose und Morbus Parkinson.

Vorschläge zur Selbstbehandlung

Verstopfung: Sanft und hilfreich ist die folgende Mischung: 2 Teelöffel Ghee in eine Tasse heiße Milch einrühren und vor dem Schlafengehen trinken. Damit wird der Darm sanft eingeölt. – Probieren kann man auch das folgende Hausmittel mit Leinsamen: Einen Eßlöffel Leinsamen in einer Tasse Wasser kochen und alles zusammen trinken. – Bei Verstopfung empfehlen sich viele Ballaststoffe in der Nahrung, wie frisches Obst und Vollkorngetreide; besonders gut sind rohe Äpfel dafür.

Unruhe: Allgemein sollte man bei Unruhe viel Ingwertee trinken und sich eine Fußmassage mit Öl gönnen. Empfehlenswert ist auch die regelmäßige Einnahme von *Ashvagandha (Withania somnifera),* einer im Ayurveda besonders für Vata-Erkrankungen häufig gebrauchten Pflanze. Ashvagandha hat einen ähnlichen Stellenwert wie Ginseng: Es regeneriert ausgezehrte Gewebe, stärkt die Abwehr, kräftigt Nerven und Blut und wirkt bei Ängstlichkeit und Herzstörungen.

Einläufe mit Sesamöl eignen sich für alle Beschwerden, die durch überhöhtes Vata entstehen. Eine Selbstbehandlung mit dem Klistier kann leicht zu Hause durchgeführt werden. Dazu verwendet man 50 ml Sesamöl und 25 ml Ghee.

119

Prämenstruelles Syndrom: Ein ayurvedisches Rezept bei für Vata typischen Beschwerden vor und während der Periode ist das folgende: 200 g schwarze Sesamsamen in einer Pfanne trocken anrösten, 100 g Jaggery (Ursüße) hinzufügen und alles mahlen; etwas heißes Wasser dazugeben, damit es klebrig wird. Nun die Masse zu ca. 3 cm großen Kügelchen rollen und während eines Periodenzyklus zur Schlafenszeit einnehmen. Es sollte allerdings nicht während der Periode selbst angewendet werden oder wenn die Blutungen insgesamt zu heftig sind.

Auch die Wurzeln der *Bala*-Pflanze *(Sida cordifolia)* werden häufig bei einem irritierten Vata-Dosha eingesetzt. Bala ist ein wunderbares Stärkungsmittel, vor allem bei Auszehrung. Außerdem findet es bei Rheuma und nervlichen Erkrankungen Anwendung und tötet Bakterien, Viren und Pilze ab.

Geistige Herausforderungen für den Vata-Energietyp

Nimmt Vata überhand, weitet sich die sanfte Brise zum Sturm aus. Kurzerhand reißt er die Türe auf und fegt die Lebensfreude der ehemals fröhlichen Traumtänzerin hinweg. Alle Schattengeister des Nicht-Materiellen verschaffen sich nun ungebeten Zutritt, breiten sich aus und übernehmen die Herrschaft über die ohnehin sensible Vata-Konstitution. Gerade weil sie nicht greifbar sind, zermürben sie um so mehr, diese Geister der Unruhe, Nervosität und Unsicherheit. Besonders schlimm sind die kleinen und großen Ängste, die sich nun im Raum innerer Leere ausbreiten. Ohne Substanz, sucht sie Halt und Stabilität. Rastlos tänzelt sie umher, verliert sich in Beziehungen, Aktivitäten, Spiel, Spaß, Spannung und tausenderlei Interessen. Ständig beschäftigt, bleibt nur wenig Zeit für Schlaf, aber trotzdem jammert sie über Langeweile, weil ihr genug nicht genug ist. Informationen und Erlebnisse werden ungefiltert aufgenommen, aber nicht bewußt verarbeitet, da das Interesse nicht sehr tief geht. Deshalb ist auch das Kurzzeitgedächtnis schlecht.

Die Spirale der Aktivitäten dreht sich immer schneller, doch ohne festen zuverlässigen Boden unter den Füßen wird die Suche ohne Ziel bleiben. Die fortwährend neuen Aktivitäten werden von ihr gebraucht, um sich selbst zu spüren. In diesem Kampf gegen Windmühlen wird ihr nichts und niemand – auch sie selbst nicht – jemals ganz genügen. Zwar erscheinen all diese Aktivitäten wie oberflächliche Ablenkungen, doch drücken sie eigentlich ihre Sehnsucht nach Verschmelzung aus – der Verschmelzung mit etwas Materiellem, an dem sie sich festhalten kann.

So klammert sich die Vata-Natur auch an Menschen, bei denen sie Verständnis und Geborgenheit zu finden hofft. Doch wird eine Beziehung diese Sehnsucht kaum erfüllen können, sondern ihr höchstens Glücksgefühle in einem tiefen Gespräch, einer innigen Liebesnacht geben. Aber schon bald kehrt dieses leere Gefühl von verzweifelter Einsamkeit zurück. In immer neue Freundschaften und Affären wird sie ihr Sehnen legen, nie aber letzte Erfüllung darin finden. Vielleicht gerät diese ursprüngliche Suche irgendwann in Vergessenheit, dann bleibt eine einsame, haltlose und entschwebte Seele zurück.

Dieser extreme Input zeigt seine Folgen: Der Vata-Energietyp fühlt sich ständig gestreßt, erschöpft und ausgelaugt. Seine Feinfühligkeit wird ihm dann zum seelischen Problem. Jedes Geräusch, ein strenger Geruch, jede Kleinigkeit geht ihm sprichwörtlich auf den Geist. Höchst empfindlich reagiert er auf sämtliche Sinneseindrücke, und in seiner unscharfen Wahrnehmung wächst die Maus leicht zum Elefanten. Die Grenze zwischen Wirklichkeit und Vision verwischt, und er macht Dinge zu seinem persönlichen Thema, mit denen er tatsächlich nichts zu tun hat. In schlaflosen Nächten grübelt er dann darüber nach, was andere gesagt oder ihm angetan haben. Was Pitta mit einem schnippischen Satz oder Kapha mit stoischer Gelassenheit wegsteckt, verletzt den zart besaiteten Schmetterling übermäßig.

Je mehr die Vata-Natur sprichwörtlich „durch den Wind" ist, um so vergeßlicher und zerstreuter wird sie. Ständig werden Sachen verlegt oder gehen verloren, permanent sucht sie Schlüssel, Geldbeutel, ihr Handy. Denken und Tun sind nicht mehr koordiniert. Sie fängt neue Dinge an, bringt sie aber nicht zu Ende, treibt statt dessen rastlos weiter, hungrig nach jedem Reiz. Was gestern galt, ist heute uninteressant. Stimmungen verändern sich wie das Fähnchen im Wind – von himmelhoch jauchzend bis zu Tode betrübt. Unverbindlich und zwiespältig bleiben Entscheidungen, die einmal getroffen, sofort wieder in Frage gestellt werden. So verspricht sie viel und hält letzten Endes wenig, andere nennen sie unzuverlässig.

Fast zwanghaft kann diese Sehnsucht nach Verständnis sein, der Wunsch, daß andere sie in ihrer ganzen Kompliziertheit begreifen und akzeptieren mögen. Daher rührt oft auch ihre Geschwätzigkeit. Manch eine Vata-Natur hat sogar den Ruf der geborenen Quasselstrippe, die lange Schachtelsätze bildet, in ihrer Verwirrung aber nicht zu Ende bringt. Im Extremfall weitet sich diese Suche nach Halt zu einer Sucht aus – mit einer typischen Konsequenz: der Drogenabhängigkeit. Durch Drogen übernimmt ein anderer Geist die Kontrolle, man ist nicht mehr Chef im eigenen Haus. Aus ayurvedischer Sicht ist das Klischee des hochbegabten Künstlers, der bei zuviel Kaffee, Zigaretten, Alkohol und anderen Rauschmitteln die ganze Nacht durcharbeitet, eine typische Figur von entgleistem Vata.

Schattengeister gaukeln ihr schlimme Szenarien vor, lassen sie zur Pessimistin werden. Daher fehlt es am rechten Mut, all den wundervollen Ideen Taten folgen zu lassen. „Was wäre wenn"-Fragen mitsamt ihren theoretisch unangenehmen Konsequenzen überrollen sie, bis auch der letzte Funken Courage sie verläßt und sie lieber in Traumwelten entflieht.

Der Ruf der Seele

Die Erfüllung, nach der ein Vata-Typ so rastlos sucht, wird er auf der Jagd nach tausenderlei Faszinationen nie finden. Unruhe bringt keinen Frieden, nur mehr Verwirrung. Im Moment ankommen und das Glück des Augenblicks leben sollte das Ziel des Schmetterlings sein. Wenn er die Sehnsüchte seines Herzens aufspürt und sich von ihnen leiten läßt, findet er den einzig möglichen Weg zum Frieden. Verbindung mit der inneren Stimme gibt dem Schmetterling Sicherheit, die rechten Entscheidungen zu treffen.

In Zeiten von überhöhter Vata-Energie verleiten Schattengeister ihn jedoch auf Holzwege, rutscht er in Ängste, die ihm sein Selbstwertgefühl nehmen. Die Wesensnatur von Vata traut sich keine

122

realen Handlungen mehr zu, lieber gleitet sie ab in die Welt der Phantasie. Angst ist ein komplexes Phänomen mit zahllosen Ursachen, das jeder irgendwie kennt – Menschen mit einem überhöhtem Vata-Dosha aber besonders: Ängstlichkeiten gehören zu ihren ständigen Begleitern.

Ursprünglich ist Angst ein Zustand, der in einer Gefahrensituation unser Überleben sichert, indem kurzfristig das Streßhormon Adrenalin ausgeschüttet wird und wir Hals über Kopf davonstürzen, wenn der Tiger in vollem Tempo auf uns zukommt. Es gibt in unserem Alltag auch andere gute Gründe, um Ängste zu entwickeln, denn schließlich sind wir genügend privaten und globalen Konflikten ausgesetzt. Eine Vata-Konstitution befindet sich aber in einem Zustand von andauernder Nervosität, die sich bis zu Panikattacken ausweiten kann. Solche Ängste sind subtil, wie ein Schatten kaum wahrnehmbar. Vor allem machen sie krank. Deshalb soll die Vata-Natur genau überprüfen, ob solche Ängste reale Gründe haben. Natürlich weiß unser Hormonsystem nicht, ob dieser durch Ängste ausgelöste Streß durch den Tiger verursacht wird oder Ergebnis eines überspannten Geistes ist. Anspannung entsteht dabei jedenfalls überall im Körper bis in jede Zelle und verursacht alle möglichen Krankheiten.

Außerdem wirken Schattenängste lähmend und verhindern deshalb die Verwirklichung von Zielen. Sobald ein erster zaghafter Schritt getan ist, kommen ihr alle möglichen theoretischen Risiken und Schattentiger in den Sinn; zugleich findet sie stets auch andere Möglichkeiten und Wege verlockend. Also hält sie inne, wechselt wieder die Richtung. Einleuchtende Erklärungen für die ständige Änderung der Meinung und Gangart findet sie genug. Entsprechend wird hier und da probiert, letztlich aber nichts realisiert.

Ihr ewiges Hadern nimmt der Vata-Natur eine grundlegende Erfahrung der reifen Persönlichkeit, nämlich die Qualität der Beständigkeit. Wer seinen Weg in allen Höhen und Tiefen durchwandert und auch vor schwierigen Passagen nicht zurückschreckt, findet seine wahre Kraft. Sobald er jene angstauslösende Schwelle überschreitet, kann er voller Mut der Faszination der Wirklichkeit begegnen.

Letztlich ruft die Wesensnatur von Vata ihre Ängste selbst herbei, wobei eine reale Situation lediglich zu ihrer äußeren Projekti-

123

on dient. Dies zu verstehen ist der Ansatz für ihre Persönlichkeitsarbeit. Ihre Aufgabe heißt daher, solchen unnötigen seelischen Ballast abzuwerfen, wirkliche Probleme aber tatkräftig anzupakken. Auf diese Weise wird ihr Leben übersichtlicher, und die Nerven können sich entspannen.

Besonders Frauen mit einer Vata-Konstitution wagen häufig nicht, das ganze Potential ihrer angeborenen Wesensnatur zu leben. Um keine Schuldgefühle zu entwickeln, geht diese zartbesaitete Seele meistens den konventionellen Weg, der von ihr erwartet wird. Solange sie stets freundlich bleibt und den Regeln anderer folgt, wird sie an den ersten Hindernissen scheitern. Wenn sie aber dem Ruf ihrer Seele folgt, allen Mut und praktische Dynamik zusammennimmt und sich auf ihren eigenen Weg begibt, verleiht ihr die Schmetterlingsnatur Flügel auf der Spur zu ihren Wurzeln.

Wege zur Regulierung des Vata-Dosha

Allgemeine Empfehlungen

Ruhe und Struktur sind die beiden wichtigsten Faktoren für eine Vata-Konstitution, um ihr aufregendes und abwechslungsreiches Leben in eine harmonische Form zu bringen. *Ruhe* findet sie vor allem durch ausgiebigen Schlaf. Ihr Körper und Geist benötigen lange Phasen, um bis auf die Zellebene zu regenerieren. Deshalb sollte sie sich genug Schlaf gönnen, bis sie frisch und ausgeruht ist. Konkret heißt das, abends rechtzeitig ins Bett zu gehen. Auch im Verlauf des Tages sollte sie immer wieder Pausen einlegen, so empfiehlt sich nach dem Mittagessen ein kurzes Nickerchen.

Bei *Problemen mit dem Einschlafen* geben die ayurvedischen Ärzte folgende Empfehlungen: Eine kurze Meditation ist hilfreich, um den Streß, der während des Tages aufgebaut wurde, abzulegen und innerlich Ruhe zu finden. Es sollte darauf geachtet werden, daß im Schlafzimmer keine störenden Geräusche auftreten; auch ein Fernseher ist hier fehl am Platz. Vor dem Schlafengehen wird noch einmal frisch gelüftet.

Eine Massage an Kopf und Füßen mit etwas warmem Sesamöl beruhigt die Nerven und unterstützt einen guten Schlaf. Als regelmäßiger Schlaftrunk empfiehlt sich ein Glas warme Milch mit einen Eßlöffel Mandelpulver, etwas Kardamom und Jaggery (Ursüße). *Brahmi-Ghee* ist ein ayurvedisches Tonikum, das bei Problemen mit Schlaflosigkeit regelmäßig eingenommen wird. Zwei Eßlöffel in warme Milch auflösen und abends einnehmen.

Ein regelmäßiger Tagesablauf und geregelte warme Mahlzeiten können *Struktur* in den Alltag einer Vata-Natur bringen. Gerade weil sie viel individuelle Freiheit benötigt und ihre kreative Ader sich durch Spontaneität entfaltet, hilft ein gewisser Rahmen, der sie „zusammenhält". In den Kapiteln „Das richtige Verhalten nach der Tageszeit bzw. der Jahreszeit" (siehe Seite 90 f. bzw. 96 f.) finden sich dazu allgemeine Richtlinien.

Besonders die Entspannungsphase nach der Arbeit ist für die Vata-Konstitution wichtig, damit sie eine klare Trennung zwischen Anforderung und Ruhe herstellt. Sie kann „umschalten" durch einen Spaziergang, beruhigende Musik oder ein Bad. Einer Vata-Natur wird es zunächst schwerfallen, halbwegs regelmäßige Zeiten zum Schlafen und Essen einzuhalten. Durch die Erfüllung dieser beiden menschlichen Grundbedürfnisse wird sie ihre Arbeiten jedoch mit viel mehr Kraft und Vitalität erledigen können.

Zugleich benötigt eine von Vata dominierte Wesensnatur zu ihrer Harmonisierung die beiden anderen universellen Energien: Feuer, das ihr Ehrgeiz und die Dynamik des Vulkans verleiht, sowie die Kräfte des Sees, die ihr Ruhe, Vertrauen und Gelassenheit schenken. Nur in dieser Verbindung kann sie ihr vielseitiges Potential ausschöpfen und verwirklichen.

So sehr sie engen Austausch mit anderen Menschen für ihr seelisches Wohlbefinden braucht, sollte die Vata-Natur zwischendurch Zeiten des Schweigens einlegen. Nicht zu sprechen läßt ihre ständigen Gedankenströme abebben. Ideal für sie ist, sich an einen einsamen Ort im Freien zurückzuziehen, wo sie alleine und in Stille mit den Kräften der Natur kommunizieren kann. Generell sollte sie sich möglichst viel in der Natur aufhalten; hier kann sie Erdung und Ruhe finden und wird, den Boden unter ihren Füßen,

Vertrauen finden. Zu einer guten Erdung trägt auch bei, wenn sie möglichst häufig auf dem Boden sitzt oder dort zum Schlafen ihre Matratze ausrollt.

Vata wird durch jede Denktätigkeit erhöht. Daher sollte der Vata-Typ darauf achten, seinen Geist nicht zum Herrscher werden zu lassen, sondern ihn als Diener nur dann erscheinen zu lassen, wenn er ihn benötigt. Dafür schaltet er die ewige Gedankenmühle zumindest hin und wieder ab und gönnt sich statt dessen viel Ruhe. Auch allen nährenden Eindrücken und Tätigkeiten sollte er sich widmen.

Die Vata-Konstitution darf sich der ihr innewohnenden Sinnlichkeit bewußt werden und diese nach außen hin entfalten. Harmonische weiche Farben und Formen, verführerische Düfte und jede Begegnung mit ästhetischen Dingen wirken beruhigend auf sie. Parfums von schwerer erdiger Qualität bauen das Kapha-Element in ihrer Wesensnatur auf; ideal für sie sind schwere, süße, aber gleichzeitig auch zarte Nuancen, wie Sandelholz, Basilikum, Weihrauch oder Zimt.

Ernährung

Auch wenn es der Vata-Konstitution schwerfällt, regelmäßig ans Essen zu denken, sind mindestens drei Mahlzeiten für sie wichtig, um Leib und Seele zusammenzuhalten. Auf leeren Magen reagiert sie mit einem Energietief und schlechter Laune. Gerade weil Luft und Äther so leicht auf Veränderungen ansprechen, ist richtiges Essen ein wichtiger Bestandteil für ihre Harmonisierung.

Für jeden Menschen ist eine möglichst ruhige und freundliche Umgebung beim Essen wichtig, für den Vata-Energietyp aber ganz besonders. Er sollte bequem sitzen und alle Aktivitäten, etwa Fernsehen, Zeitung lesen oder Schaufenster bummeln, vermeiden. Da er zum Schlingen neigt, sollte er bewußt gut kauen und nicht zu schnell, aber auch nicht allzu langsam essen. Das Essen sollte immer warm, nahrhaft und reichlich sein, größtenteils sind die Lebensmittel gekocht oder gedünstet.

126

Da der Vata-Typ sich über Nahrung entspannt, kräftigt und erdet, darf das Essen durch schwere, saftige und nahrhafte Speisen ruhig „erdverbunden" sein. Bevorzugt werden süße, saure und salzige Lebensmittel. Zum Ausgleich der Trockenheit wird innerlich und äußerlich ausreichend Öl zum „Schmieren" benötigt; entsprechend großzügig kann das Essen geölt werden, am besten mit Sesamöl, Ghee oder Sonnenblumenöl.

Die wichtigste Mahlzeit zur Regulierung von Vata ist das Abendessen. Hier empfehlen sich nährende, warme, ölige und leichtverdauliche Gerichte, wie Suppen mit Nudeln, Reis und Wurzelgemüse. Auch Vollmilch oder Getreidebrei mit gedünsteten süßen Früchten und wärmenden Gewürzen sind bei einer Vata-Konstitution geeignet.

Wegen ihres schwachen Agni bereitet die Verdauung von Fleisch Schwierigkeiten. Der Fleischkonsum ist daher möglichst zu reduzieren, kleine Mengen an Fisch oder Geflügel kann sie als Suppe oder mit viel Soße essen. Vegetarische Kost wird am besten vertragen. Doch sind Bohnen, Kohl, Rohkost und viel Brot zu vermeiden, da sie leicht Blähungen verursachen.

Die Vata-Konstitution darf essen, solange es ihr schmeckt und bis ein wohliges Gefühl der Zufriedenheit entsteht. Die Vorratskammer ist möglichst immer gut gefüllt. Ohnehin wird sie keine Gewichtsprobleme bekommen, solange sie nicht zu viel und grundlegend falsch ißt. Wie immer gilt die Faustregel, daß ein Drittel des Magens für die Verdauung leer bleibt. Zwischen den Mahlzeiten sind Kleinigkeiten erlaubt. Ideale Snacks sind süße, reife Früchte, pürierte Gemüsesuppe oder ein Vollwert-Kuchen. Ein kleines Stück Ingwer vor den Mahlzeiten regt den Appetit an und fördert die Verdauung.

Was zu vermeiden ist:

Eine häufige Ursache für ein irritiertes Vata-Dosha sind schwerverdauliche Speisen, Fast Food sowie Gerichte mit Nahrungsmittelzusätzen und Konservierungsstoffen. Obwohl die Vata-Konstitution große Schüsseln Salat liebt, verzichtet sie besser darauf, da Rohkost und kaltes Essen Vata generell steigern. Bittere und herbe (zusammenziehende) Lebensmittel und Kräuter erhöhen das Luft-Element und fördern Blähungen. Abgeraten wird auch vor zuviel scharfen Gewürzen.

127

Während der Vata-Zeit im Winter sollten diese Essensregeln besonders beachtet werden.

Empfohlene Getränke

Die Vata-Konstitution sollte möglichst viel warme Getränke zu sich nehmen. Das Element Luft hat eine austrocknende Wirkung, daher hat sie ständig Probleme mit übermäßiger Trockenheit. Die Crux dabei ist, daß gerade eine Vata-Konstitution immer wenig Durst hat und dieser also kein zuverlässiger Anzeiger für die wirklichen Bedürfnisse ihres Körpers ist. Sie muß daher bewußt darauf achten, regelmäßig und genug zu trinken. Am besten, sie hat immer eine Thermosflasche abgekochtes Wasser oder Kräutertee bei sich.

Im Laufe der Zeit, wenn sie allgemein mehr Zugang zu ihren inneren Bedürfnissen entwickelt, wird die Vata-Natur auch ein intuitives Gefühl für ihren Hunger und Durst bekommen. Optimal sind wärmende und ölige Kräutertees oder lauwarmes abgekochtes Wasser. Ihre Getränke sollten möglichst immer warm sein, da Kaltes das Verdauungsfeuer noch mehr schwächt. Auch im Sommer sollten die Getränke mindestens Zimmertemperatur haben und niemals direkt aus dem Kühlschrank kommen. Eiswürfel in Getränken sind ebenfalls tabu. Ingwerwasser eignet sich für die Vata-Konstitution als ideales Getränk während des ganzen Jahres.

Spezielle Teemischung zur Regulierung von Vata: Ajowan-Kümmel 20 g; Basilikum (Samen oder Blätter) 30 g; Kardamom 30 g; Zimt 30 g; Kreuzkümmel 40 g; Ingwer 30 g; Süßholz 20 g. Die Wirkung wird noch besser, wenn ein Teelöffel Ghee hinzugefügt wird. Dies ist für alle Konstitutionen ein gutes Getränk im Spätherbst (Rezept: Ayurveda-Praxis Nürnberg).

Was möglichst zu vermeiden ist: Stimulierende Getränke, wie Coca Cola, Kaffee oder schwarzer Tee, putschen das Nervensystem zu stark auf. Auch kalte Getränke, besonders kalte Milch, sowie kohlensäurehaltige Getränke sollten vermieden werden.

Empfohlene Lebensmittel

Getreide und Hülsenfrüchte
- ideal: Basmati-Reis, Weizen (Nudeln), Dinkel
- in Maßen: Mais, Hirse, Gerste, Buchweizen, Amaranth, Roggen, Vollkornbrot; Mung-Dhal, Urid-Dhal; Sojaprodukte: Sojamilch, Sojawürstchen, Tofu

– vermeiden: Vollreis, Bohnen, Müsli, Linsen

Gemüse

– allgemein: Das Gemüse soll viel Wasser enthalten und generell gekocht oder in Öl gedünstet werden, damit es schwerer wird; falls roh verzehrt, viel Öl verwenden

– ideal: Süßkartoffeln, Karotten, Zucchini, Wurzelgemüse, Fenchel, Artischocke, Rote Bete, Petersilie, gekochte Zwiebeln und gekochter Knoblauch, Blattgemüse, grüne Bohnen

– in Maßen: Paprika, Rettich, Gurken, Tomaten, Peperoni, Lauch, Auberginen, Kopfsalat, Kürbis, Spargel, Spinat (gekocht)

– vermeiden: Blumenkohl, Rosenkohl (ist mit blähungswidrigen Gewürzen gekocht und in kleinen Mengen empfehlenswert), Kartoffeln, Kohlrabi, Pilze, Meerrettich, Sellerie

Früchte

– ideal: alle süßen und reifen Früchte, wie Weintrauben, süße Orangen, Honigmelonen, Pflaumen, Datteln, Feigen, Kokosnuß, Himbeeren; saure Früchte mit Vitamin C (für körperliche und seelische Abwehr): Orangen, Zitronen, Grapefruit, Ananas

– in Maßen: Pfirsiche, Kirschen und Erdbeeren, Wassermelonen, süße Äpfel, Bananen, Birnen

– vermeiden: Granatapfel, Trockenfrüchte (sind in Maßen empfehlenswert, wenn sie vor dem Verzehr gut eingeweicht wurden), rohe Äpfel

– Generell empfiehlt es sich, das Obst leicht zu dünsten

Kräuter und Gewürze

– ideal: die meisten Gewürze, besonders wenn sie blähungswidrig und appetitanregend sind; Salz, Kümmel, Bohnenkraut, Liebstöckel, Rosmarin, Thymian, Majoran, Basilikum, Zimt, Muskatnuß, Nelken, Süßholz, Zitronengras, Kardamom, Koriander, Asafoetida, Safran, Kurkuma

– vermeiden: keine trockenen, wenig scharfe und bittere Gewürze, wie Pfeffer, Cayennepfeffer, Chili

Milchprodukte

– allgemein: Die meisten Milchprodukte sind empfehlenswert, sie gehören zur Kategorie „süß"

– ideal: Sahne, Buttermilch, Frischkäse, Butter, Ghee, Kefir, saure Sahne, Quark

– in Maßen: Joghurt, Hartkäse (zuviel davon blockiert die Energiekanäle), Speiseeis

Nüsse

– alle Nüsse harmonisieren Vata mit Ausnahme von Erdnüssen, die nur in Maßen empfehlenswert sind

Vata-Fasten

Grundsätzlich wird Vata-Naturen vom Fasten abgeraten. Ihre Konstitution ist nicht besonders stabil, was beim Fasten Kopfschmerzen und Übelkeit verursachen kann. In Ausnahmefällen, wenn Agni sehr schwach ist, empfehlen ayurvedische Ärzte zur Regulierung eine fünftägige Diät. Diese besteht aus sehr leichtem und warmem Essen, wie es auch im Anschluß an eine Panchakarma-Kur empfohlen wird. Da es keine Nulldiät ist, wird sie auch von der Vata-Konstitution gut vertragen. Wie ein Feuerfunke, der, mit Gras gefüttert, allmählich größer wird und schließlich alles verbrennen kann, entfacht diese Diät wieder das innere Feuer.

1. Tag, mittags und abends: dünne Reissuppe
2. Tag, mittags und abends: dicke Reissuppe
3. Tag, mittags und abends: Gemüsesuppe
4. Tag, mittags und abends: Gemüsesuppe mit Ghee
5. Tag, mittags und abends: schwere Suppe, wie Eintopf oder Fleischsuppe
ab dem 6. Tag: wieder reguläres Essen.

Während der Kur wird grundsätzlich nur flüssiges und warmes Essen verzehrt. Gewürze und Salz werden nur sparsam verwendet, als Fett nimmt man ausschließlich Ghee. Brot und Milchprodukte belasten den Organismus zu stark und sind daher nicht empfehlenswert. Als Getränke eignen sich Tees mit Kreuzkümmel oder Ingwer.

130 *Khichadi* ist ein Gericht, das die Regulierung von Agni unterstützt. Es ist ebenfalls leicht und wird in Indien als Diät während der Panchakarma-Kur gegeben. Eine Vata-Konstitution kann es zwischendurch essen oder – wie oben beschrieben – über mehrere

Tage zur Entschlackung einnehmen. Insgesamt wird während dieser Tage leichtes Essen verzehrt.

Rezept für Khichadi: 1 Tasse Basmati-Reis, $^1/_2$ Tasse Mung-Bohnen, 4-6 Tassen Wasser, 2 Teelöffel Ghee, 1 Prise gemahlener Kreuzkümmel, 1 Prise gemahlener Koriander, 1 Prise Gelbwurzel, 1 Teelöffel Ingwer, 1 Prise Salz (alternativ können auch andere Gewürze, wie Asafoetida, Kümmel oder Kardamom, zur geschmacklichen Abwechslung verwendet werden). Reis und die Mung-Bohnen mindestens eine Stunde lang einweichen. Zwei Teelöffel Ghee erhitzen und die Gewürze darin leicht anrösten. Reis und Mung-Bohnen hinzugeben und kurz anrösten. Mit Wasser aufgießen. Zugedeckt solange kochen lassen, bis alles sehr weich ist. Der Eintopf sollte eine geschmeidige Konsistenz wie Suppe haben. Am Schluß das Salz hinzufügen.

Weitere Vorschläge zur Selbstbehandlung

Pflege für den Darm: Probleme mit Verstopfung sind ein Symptom von übermäßiger Trockenheit. Regulierend für den ganzen Verdauungsbereich sind süße Kräuter, wie Kümmel, Rosmarin, Fenchel, Anis, und das Immunsystem stärkende Basilikum. Falls das Problem akut ist und schnell Abhilfe geschaffen werden soll, ist Leinsamen ideal, der den Darm befeuchtet und ihn geschmeidig macht. Gut sind auch Flohsamenhülsen aus der Apotheke. – *Asafoetida* (Stinkasant), ein wunderbares Mittel, reinigt den Darm und sollte bei jedem gekochten Gericht mit dabei sein, wegen des intensiven Geschmacks aber nur in kleinen Mengen. – Bei vielen pflanzlichen Abführmitteln ist Vorsicht angeraten, da sie Bitterstoffe enthalten, die das Vata-Dosha weiter erhöhen.

Zur Kräftigung bei Auszehrung: Hier ist *Chyavan Prash* das Mittel der Wahl. Chyavan Prash ist eines der ältesten Verjüngungsmittel des Ayurveda. Es stärkt den Organismus und regeneriert bei Erschöpfung und Auszehrung. Diese Kräutermixtur auf der Basis der Amla-Frucht enthält alle Geschmacksrichtungen außer der salzigen, viel Vitamin C sowie Mineralien.

131

Meditation

Für die Vata-Natur empfehlen sich täglich mindestens zwei Meditationssitzungen, morgens und abends. Während des Tages sollte sie zwischendurch öfter die Arbeit beiseite legen, um abzuschalten. Für den Vata-Energietyp ist es besonders wichtig, daß sein immer bewegter Geist zur Ruhe kommt und er seine Mitte findet. Falls ihm der Schneidersitz auf der Erde zu unbequem ist und er auf einem Stuhl sitzen möchte, sollte die Wirbelsäule auch dann immer ganz gerade ausgerichtet sein. Beide Beine sollten fest auf dem Boden stehen und nicht übereinandergeschlagen werden.

Die folgende, für eine Vata-Natur passende Übung ist zwar vom äußerlichen Ablauf her einfach, aber sehr wirkungsvoll zur Beruhigung des Gedankenstroms. Das Wichtigste bei dieser Meditation ist, daß sie während dieser Phase in ihrer eigenen Mitte zur Ruhe kommen und Frieden finden kann, wodurch die Suche im außen überflüssig wird. Das Objekt der Betrachtung liegt lediglich im Heben und Senken des Bauches während der Atmung.

Atemmeditation

Schließen Sie die Augen und entspannen Sie vollständig. Atmen Sie die Luft ruhig und tief ein, wenn möglich bis zum Nabel hinunter. Tiefe Bauchatmung kann für eine Vata-Natur, die normal sehr oberflächlich atmet, schwierig sein. Wichtiger bei der Bauchatmung ist aber, daß der Atem sehr entspannt und natürlich fließt und keinerlei Kontrolle oder Verkrampfung in dieser Bewegung liegt.

Beobachten Sie während der Atmung Ihren Bauch. Er hebt und senkt sich wie eine Welle, die entsteht, aber schon im nächsten Augenblick wieder vergeht. Auftretende Gedanken senden Sie mit der nächsten Ausatmung freundlich und sanft nach draußen. Wichtig ist allein das Heben und Senken des Bauches. Mit der Bewegung der Bauchdecke realisieren Sie, daß es letztlich nichts zum Festhalten gibt, die alleinige Sicherheit in dieser ständigen Veränderung liegt. Nehmen Sie, wenn die Übung abgeschlossen ist, dieses stille Wissen mit zurück in den Alltag.

Noch ein Tip zur Atmung: Die Atmung des Vata-Typs ist wie die ganze Konstitution von Nervosität und Unruhe geprägt. Meist wird die Luft nur oberflächlich bis in den oberen Lungenteil eingesaugt. Eine bewußte Atmung kann viel zur Harmonisierung beitragen. Wenn die Atemluft möglichst ruhig und gleichmäßig bis hinab in den Bauchraum gelenkt wird, findet die Vata-Konstitution Erdung und Stabilisierung. Doch sollte der Atemfluß trotzdem entspannt und natürlich sein. Eine Atemtherapie kann hilfreich sein.

Übung zur Harmonisierung der Muskeln

Die folgende Übung können Sie tagsüber ausüben, wenn Sie infolge von Streß und Unruhe ein energetisches Tief haben. Hierbei werden bewußt die einzelnen Muskelpartien entspannt, wodurch der gesamte Körper harmonisiert wird. Auch der Geist findet zur Ruhe zurück. Möglicherweise überkommt Sie während der Übung das Bedürfnis einzuschlafen. Geben Sie diesem Impuls ruhig nach! Gerade Vata-Menschen tut ein kleines Nickerchen gut. Anschließend lenken Sie Ihre Gedanken wieder zu Ihren Muskeln zurück und fahren mit der Übung fort.

Legen Sie sich auf den Rücken, wobei Ihre Arme entspannt an den Seiten liegen. Atmen Sie einige Male ruhig und gleichmäßig ein und aus, damit Sie im Hier und Jetzt des Augenblicks ankommen.

Verbinden Sie beim Atmen nun Ihre Gedanken mit Ihren Muskeln. Jedes Ein- und Ausatmen wird mit einer Muskelgruppe verknüpft, wobei Sie an den Zehen beginnen und durch den ganzen Körper hoch bis zu Ihrem Kopf wandern. Sie atmen während der gesamten Übung normal und natürlich.

Einatmung: Spannen Sie während des Einatmens die Muskelgruppe langsam und konstant an. Lassen Sie dabei die Muskeln von Ihrem Atem berühren. Verbinden Sie all die Spannungen, die darin liegen, mit dem Atem. Halten Sie die Spannung für eine kurze Weile.

Ausatmung: Beim Ausatmen entspannen Sie die Muskeln langsam und gleichmäßig wieder. Dabei atmen Sie all die Spannungen, die darin liegen, sanft und bewußt aus.

133

Abfolge: Zehen einziehen – Zehen spreizen – Waden – Kniemuskulatur – Oberschenkel – Unterbauch – Magen – Brustkorb – Gesäß – mittlerer Rücken – Schulterblätter – Finger – Hände spreizen – Unterarme – Oberarme – Halsmuskulatur – Gesicht – Kopfhaut. Besondere Aufmerksamkeit legen Sie auf das Gesicht: Mund öffnen – Nase rümpfen – mit den Augen zwinkern – Stirn runzeln – Kopfhaut anspannen.

Haben Sie einmal keine Zeit für die gesamte Körperübung, führen Sie nur ausgiebig die Entspannung für das Gesicht durch.

Die Behandlung der Marma-Punkte

Klarer Geist und umfassende Liebe

Hridaya, Adipathi und Stapani sind die drei großen Geheimnisse, mit denen sich Ihre Wesensnatur in spezieller Verbindung befindet. Der Marma-Punkt *Hridaya* steht für Mitgefühl und unendliche Liebe, *Adipathi,* der Götterkönig am Scheitelpunkt des Kopfes, für Klarheit und einen stabilen Geist. *Stapani* verleiht Klarheit und Entscheidungskraft. Die beste Zeit für diese Übung ist der frühe Morgen vor sieben Uhr. Setzen Sie sich dazu bequem auf einen Stuhl, und sorgen Sie dafür, daß Sie genügend Sauerstoff haben. Am Nachmittag können Sie die Übung auch im Liegen durchführen, sie fördert so Ihre Entspannung.

Legen Sie zunächst beide Hände nebeneinander auf Hridaya, die Stelle Ihrer Herzensenergie. Lassen Sie sie fünf ruhige und tiefe Atemzüge hier ruhen, und nehmen Sie dabei zu diesem Punkt Kontakt auf. Kommen Sie allmählich zur Ruhe. Nun lassen Sie die eine Hand auf Hridaya liegen, während die andere Hand zu Adipathi, dem Scheitelpunkt auf Ihrer Schädeldecke, wandert. Hier verbinden Sie Ihren Geist fünf Atemzüge lang mit dem Zentrum grenzenloser Klarheit. Anschließend wandert Ihre Hand herunter zwischen die Augenbrauen zu Stapani, wo sie ebensolange liegenbleibt.

134 Während Ihre Hände auf den Marma-Punkten ruhen, schwingen Sie sich im Geiste auf deren Qualitäten ein. Bleiben Sie achtsam für Impulse. Führen Sie die wandernde Hand zurück zum

Herzen auf den Hridaya-Punkt, wo die andere Hand noch ruht, und kehren damit zur Ausgangsposition zurück. Verweilen Sie noch einen Moment in einem Zustand der Ruhe.

Wenn eine bestimmte Entscheidung ansteht und Sie Klarheit und Entschlußkraft benötigen, können Ihre Mahamarmas dafür besonders hilfreich sein: Treten Sie mit Hridaya, der Herzensenergie, und Stapani, der Kraft, die weise Erkenntnis und geistige Stärke verleiht, in Verbindung. Legen Sie jeweils eine Hand auf beide Punkte, lassen Sie den freien Energiefluß zu.

Körperpflege

Die empfohlenen körperlichen Behandlungen sind möglichst sanft, denn die Vata-Natur reagiert ohnehin schnell und sensibel auf jede Stimulation. Naturheilkundliche Methoden, die auf feinstofflicher Ebene wirken, sind sehr geeignet für sie. Das Zaubermittel für den Schmetterling ist jedoch die sanfte Berührung seiner Haut – jenes Sinnesorgans also, über das sein Luft-Element mit der Welt kommuniziert. Über seine Haut, das größte Sinnesorgan des Körpers, streckt er seine Fühler aus nach Liebe und Zärtlichkeit. Jede Art von liebevoller Zuwendung beruhigt die Vata-Natur; deshalb ist auch die ayurvedische Ölmassage eine wunderbare Medizin für sie. Von freundlichen Händen ausgeübt, vermittelt diese sanfte, mit warmem Sesamöl ausgeführte Behandlung alles, was sie zu ihrem Glück braucht.

Ein wunderbares Erlebnis ist auch eine ruhige und sinnliche Selbstmassage. In einer solchen Stunde der Muße kann diese immer rührige Wesensnatur ganz zu sich finden (zur Methode der Selbstmassage siehe Kapitel „Anleitungen zur Selbstbehandlung", Seite 100 f.). Da der Körper insgesamt viel zu trocken ist, verlangt er nach Öl. Speziell Sesamöl wirkt schwer und beruhigend und kräftigt so das empfindliche Nerven- und Knochengewebe.

Der Einfluß von Feuchtigkeit und Wärme entspannt. Besonders im Winter, wenn das Vata-Dosha ohnehin erhöht ist, empfehlen sich mäßig temperierte Dampfbäder. Dies kann zu Hause als milde Schwitzkur unter dem Handtuch mit dampfendem Wasser durchgeführt werden. Luxuriöser und entspannender ist freilich ein ausgiebiger Besuch in einer Therme oder einem Kurbad.

135

Ideal zu jeder Jahreszeit, besonders aber im Winter, sind Darmeinläufe mit Öl, um überschüssiges Vata aus dem Körper zu entfernen (siehe unter „Anleitungen zur Selbstbehandlung", Seite 105 f.).

Vata im Beruf

Der Vata-Energietyp ist immer auf der Suche nach Abwechslung. Ein und dieselbe Arbeit tagtäglich am Schreibtisch würde ihn zutiefst unglücklich machen und seine wundervollen Fähigkeiten verkümmern lassen. Belebender ist ein Beruf für ihn, in dem er seine feinfühligen und kreativen Qualitäten einsetzen kann, idealerweise im künstlerischen oder musischen Bereich. Um seinem Freigeist zu entsprechen, arbeitet er am besten selbständig. Allerdings ist dann ein Minimum an fester Struktur und Routine dringend notwendig, damit er nicht in aller Gelassenheit den Moment abwartet, bis die Muse ihn küßt.

Seine starke heilende Energie und Feinfühligkeit legen auch einen Heilberuf nahe. Als Therapeuten, Heilpraktiker, Sozialarbeiter, Ärzte oder Lehrer werden Vata-Naturen ihre Qualitäten ausleben können. Bei allem sozialen Engagement ist allerdings Vorsicht geboten: Ihr Mitgefühl sollte niemals soweit gehen, daß sie sich selbst erschöpfen und auszehren. Besser, sie praktizieren dann einen sorgfältigeren Umgang mit ihren eigenen sensiblen Energien. Journalismus und die neuen Medien sind Branchen, in denen sie ihre Vielseitigkeit, schnelle Auffassungsgabe und ihr Interesse an der Welt ebenfalls einbringen können. Allerdings sollte der „Tempokick", den solche Berufe mit sich bringen, sie nicht noch oberflächlicher und rastloser werden lassen.

Wie in allen Lebensbereichen, sucht die Vata-Natur auch in ihrem Beruf nach Harmonie. Als Angestellte kann sie in einem gelassenen kollegialen Team Geborgenheit fühlen. Konkurrenzdruck ist schlimm für sie. Ohnehin scheut diese zarte Natur Konflikte – um so mehr, wenn diese in einer aggressiven Atmosphäre stattfinden. Die ideale Abteilung in einer Firma ist dort, wo sie ihre Kreativität einbringen und zugleich langfristige Projekte übernehmen kann. Der Arbeitsplatz sollte nicht kalt oder der Zugluft ausgesetzt sein. Klimaanlagen sind Gift für sie, ebenso Schichtdient und schwere körperliche Arbeit. Alle diese Faktoren würden bald schon gesundheitliche Probleme verursachen.

Partnerschaft und Familie

Die Vata-Natur ist nicht gerne allein. Enger Kontakt zur Familie und zu guten Freunden geben ihr Stabilität und Sicherheit. Vertrauliche Gespräche mit ihr nahestehenden Menschen über ihr Gefühlsleben sind sehr wichtig für ihr seelisches Gleichgewicht. Deshalb ist es ratsam für sie, wenige Freundschaften intensiv zu pflegen, anstatt viele oberflächliche Bekanntschaften zu unterhalten. Auch inspirierende Unterhaltungen über Philosophie und Kunst nähren ihr Seelenleben.

Besonders wichtig ist ein Partner, bei dem sie Geborgenheit, Sicherheit und Wärme findet. Es deprimiert sie, ohne Beziehung zu sein oder alleine zu leben, denn Einsamkeit bringt sie schnell aus der seelischen Balance. Schon wenn nur jemand im Nebenzimmer ist, beruhigt sie dies. Ist ihr Herz richtig entflammt, wird sie ohne zu zögern umziehen, um ihrer Liebe nahe zu sein – vorausgesetzt, sie fühlt sich sicher und geborgen in dieser Partnerschaft. Die Vata-Natur ist ausgesprochen verschmust, liebt Kuscheln und jede Menge Streicheleinheiten.

Mit einem Partner oder einer Partnerin mit Vata-Wesensnatur entsteht garantiert keine Langeweile. Vielseitig interessiert und kreativ, ist sie eine inspirierende Gesprächspartnerin. Praktische Angelegenheiten sind allerdings nicht gerade ihre Stärke; häufig kommt sie zu spät zu Verabredungen oder vergißt, Dinge zu erledigen. Anderseits macht ihre tolerante Haltung ein Leben an ihrer Seite angenehm und zugleich spannend. Ebenso wie sie selbst viel Freiheit braucht, schätzt sie auch die individuelle Entwicklung ihres Partners. Daher klammert Vata nicht, sondern läßt ihm alle Freiräume, seine eigenen Interessen und Freundschaften zu pflegen.

Da sie selbst nach geistiger Entfaltung strebt, unterstützt sie es auch, wenn ihr Partner in eine spirituelle Gruppe einsteigt oder alleine in Urlaub fährt – ein Gedanke, der für einen Pitta-Typ schwer vorstellbar wäre. Ein Partner, der selbst auch ein Vata-Typ ist, bringt ihr das nötige Feingefühl und jenes Verständnis für ihre komplexe Empfind-

137

samkeit entgegen, nach dem sie sich so sehnt. Unter diesem Gesichtspunkt wäre eine reine Vata-Kombination zwar kreativ und geistig inspirierend, allerdings von heillosem Chaos getragen. Einen gemeinsamen Alltag würden die beiden kaum lange überstehen.

Ein Partner mit viel Kapha-Anteil kann ihr dagegen jene Ruhe, Geborgenheit und Stabilität geben, die sie zu ihrer Ergänzung so dringend braucht. Dieser Kapha-Partner zeigt Geduld für ihre Flatterhaftigkeit. Er wird ihr etwas Herzhaftes kochen, wenn sie bei aller Aktivität wieder das Mittagessen vergessen hat, für sie einkaufen und die alltäglichen Erledigungen übernehmen. Wichtig ist allerdings, daß diese beiden Wesensnaturen genug Toleranz entwickeln, um ihre völlig unterschiedlichen Geschwindigkeiten und Temperamente miteinander zu verbinden. Viele Menschen mit hohen Vata-Anteilen leben mit gut geerdeten Partnern, die ihnen sicheren Boden für ihre kreativen Aktivitäten bieten. Allzuviel Erde würde einen Partner für sie jedoch schwerfällig und unflexibel und damit auf Dauer langweilig werden lassen. Er darf also ruhig eine gute Portion Feuer haben – allerdings nicht zuviel, denn ein ausgesprochener Feuer-Typ würde sie mit seiner Dominanz erdrücken. Mit einer Pitta-Kapha-Natur als Pendant wird sie nicht nur Stabilität und Sicherheit finden, sondern auch Inspiration und Unternehmungsgeist. Ihn zur Seite, kann sie ihre Lebendigkeit voll ausleben, während er wiederum von der Unbeschwertheit ihrer Schmetterlingsnatur fasziniert ist.

Achtsamkeit wird allerdings angeraten, damit sie in ihrer Sehnsucht nach Harmonie Schwierigkeiten nicht aus dem Weg zu gehen sucht. Vor partnerschaftlichen Problemen verschließt sie nämlich gern die Augen, wiegelt Spannungen durch unverbindliches Geplauder ab, und ihr Partner wird genervt, weil sie keine Bereitschaft zu ehrlicher Auseinandersetzung zeigt.

Von welcher Wesensnatur auch immer ihr Partner sein wird – ihre Sehnsucht nach Ungebundenheit wird sie ein Leben lang begleiten. Eine stabile Partnerschaft ist jedoch ein wichtiger Aspekt für die Entwicklung ihrer Persönlichkeit. Um eine einmal eingegangene Partnerschaft nicht immer in Frage zu stellen und ständig aus Beziehungen auszubrechen, hilft es, wenn sie diese Sehnsucht als einen Aspekt ihrer Wesensnatur erkennt. Sobald sie dieses Sehnen akzeptiert, wird sie es zugleich loslassen können.

Ihrem Kind wird die Schmetterlingsnatur auch Flügel wachsen lassen. Sie unternimmt viele künstlerische Unternehmungen mit ihm und zeigt ihm die Welt. Sie nähert sich dieser zarten Seele mit Achtung und Respekt, da ihr deren Einzigartigkeit voll bewußt ist. Vielleicht schult sie ihr Kind in einer Waldorf-Einrichtung ein, um wirklich alle seine individuellen Anlagen zu fördern. Allerdings braucht ein Kind trotz alledem auch Gleichmaß, bestimmte Rituale, einen Rahmen, um Sicherheit zu spüren – und regelmäßig etwas Warmes zu essen.

Kinder mit einer Vata-Natur sind fröhliche Kinder, die viel lachen und neugierig auf die Welt sind. Sie sind lebhaft und anpassungsfähig, aber auch sie suchen bereits viel emotionale Sicherheit bei ihren Eltern als Basis für ihre gesunde Entwicklung. Wenn die Eltern sie mit viel Liebe und Einfühlsamkeit begleiten, entwickeln sich Vata-Kinder schon frühzeitig zu selbständigen kleinen Menschen.

Freizeit und Sport

Die sensible Vata-Natur sollte nur leichte körperliche Betätigung ausüben. Sie hat wenig Kondition und erreicht dadurch schnell ihre Leistungsgrenze. Es ist wichtig für sie, die Übungen sanft und ohne jeglichen Leistungsdruck auszuführen. Die Meßlatte von dem, was ein Mensch an Anstrengung benötigt, um in Schwung zu bleiben, ist je nach Wesensnatur sehr unterschiedlich. Bei der Vata-Konstitution liegt sie von allen Doshas am niedrigsten. Daher treibt sie besser nie Sport mit Pitta- oder Kapha-Typen.

In der Natur, umgeben von viel Erde und Wasser, kommt ihr immer aufgewühltes Herz zur Ruhe. Sie sollte daher möglichst viel Zeit draußen an der frischen Luft verbringen. Gartenarbeit ist die optimale Beschäftigung für die Vata-Konstitution. Auch ein zügiger Spaziergang oder leichtes Joggen hält sie fit. Doch darf sie nie übertreiben: Nach ayurvedischer Überzeugung ist es ausreichend, wenn der Körper nur bis zur Hälfte seiner Leistungsfähigkeit belastet wird. Auf diese Weise kann körperliche Aktivität den Menschen aufbauen, anstatt ihn zu erschöpfen.

Die Wesensnatur von Vata haßt Kälte. Ein längerer Aufenthalt und sportliche Betätigung in der Natur sind daher nur bei Sonnen-

139

schein und angenehmen Temperaturen empfehlenswert. Deshalb absolviert sie ihr Sportprogramm im Winter besser drinnen. Mit ihrer Gelenkigkeit passen Yoga, Aerobic und Gymnastik gut zu ihr. Es ist für die Vata-Natur ein elementares Bedürfnis, ihre Kreativität auszuleben. Welche künstlerische Tätigkeit sie auch immer ausübt, sie hilft ihr dabei, ihren Gefühlen und Visionen einen sichtbaren Ausdruck zu verleihen und dem geistigen Durcheinander Form zu geben. Besonders Schreiben, eventuell in Form eines Tagebuchs, kann sie dabei unterstützen, Gedanken festzuhalten und ihr damit Entscheidungen zu erleichtern.

Vata im Urlaub

Die Urlaubswochen bieten der Vata-Konstitution eine wunderbare Gelegenheit, sich rundum zu entspannen und zu verwöhnen. Der Alltag bietet ihr nun keine Ausrede mehr für ihre Rastlosigkeit. Was auch immer ihr Freude und Ruhe gibt, was sie kräftigt und seelisch ausgleicht, kann nur sie selbst entscheiden. Vielleicht fühlt sie sich wohl mit einer Pauschalreise ans Meer, Vollpension inbegriffen. Oder sie sucht mehr die Ruhe bei einem Wanderurlaub mit leichten Tagestouren. In jedem Fall sollte das Urlaubsland warm genug sein. Ideal sind die Tropen mit ihrem feuchtwarmen Klima. Natürlich kann es auch ein Thermalbad in der Nähe ihres Zuhauses sein.

Da die Vata-Natur ständig in Bewegung sein will und Nichtstun für sie eher Qual als Entspannung bedeutet, widmet sie ihre Mußestunden am besten der Kunst. Vielleicht stellt sie ihre Staffelei draußen an einem See auf oder möchte ein landestypisches Instrument erlernen – einmal unterwegs, wird sich der Schmetterling ohnehin allerorts inspirieren lassen.

Das Zuhause

140

Eine freundliche, liebevoll eingerichtete Wohnung ist für die Vata-Natur ein wohltuender Ausgleich zu ihrem unsteten Leben. Lärm und die Hektik der Stadt sollten dort möglichst wenig stören, denn die Wesensnatur des Schmetterlings braucht viel Ruhe. Der für sie empfohlene Wohnort liegt ohnehin am Stadtrand oder auf dem Land, umgeben von viel Natur. Vielleicht befindet sich sogar ein Bach oder Weiher vor der Haustür. Die wenigsten Menschen leben allerdings in einem solchen Traumhaus: In der Realität wirkt auch ein Spring-brunnen im Wohnzimmer unterstützend zur Beruhigung der Nerven und als Luftbefeuchter.

Unbedingt aber soll ihre Wohnung warm sein. Das betrifft sowohl eine gute Heizungsanlage als auch die Materialien. Holz ist für sie das ideale Material, am besten ist das ganze Haus aus Holz erbaut. Runde und weiche Formen verleihen den Räumen ein Gefühl der Geborgenheit. So sehr die Vata-Natur Licht und Luft braucht, bedeutet eine Stadtwohnung sehr wahrscheinlich eine Kompromiß-lösung für sie: Zu ihrer Erdung empfiehlt sich nämlich das Parterre. Ganz wichtig für ihr seelisches Gleichgewicht ist ein Zimmer nur für sich alleine. An diesem geschützten Ort kann die Wesensnatur des Schmetterlings Raum finden für Rückzug und Entfaltung.

Die Kleidung

Wie in allen Lebensbereichen empfiehlt es sich für den Vata-Typ auch bei der Kleidung, nach Harmonie zu streben. Leuchtende irritierende Farben oder starke Farbkontraste sollte er daher vermeiden, besser geeignet sind da erdende und beruhigende Töne. Er kann nahezu alle Farben tragen, diese sollten aber in weichen Abstufungen kombiniert werden. Ideal sind die Töne Gelb, Hellbraun, Gold, sanftes Rot und Orange. Die Farbe Weiß, die den Geist klären soll, läßt sich damit gut kombinieren.

In jedem Fall muß die Kleidung warm sein. Blau und Grün sind kalte Farben und kühlen die ohnehin unterkühlte Vata-Natur noch mehr aus. Spezielle Wärme und Pflege brauchen die empfindlichen Nieren, die permanent das Streßhormon Adrenalin produzieren müssen. Um die Nieren zu schonen, empfiehlt sich im Winter ein Nierengurt aus Angora, der direkt auf der Haut getragen wird. Auch warme Socken und eine Kopfbedeckung sind in der kalten Jahreszeit ein Muß. Das Material ihrer Kleidung sollte immer wärmen: Im Sommer ist Baumwolle ideal, im Winter empfiehlt sich Wolle oder eine Wollmischung.

141

Pitta – der Vulkan

Die Wesensnatur des Pitta-Energietyps verkörpert die Kraft des Vulkans. Eine Explosion aus der Tiefe ihres Zentrums katapultiert geballte Energie nach außen und macht sie zur Gestalterin neuer Landschaften. Reines Feuer ist glühend heiß! Aber nur dadurch wird jene Transformation möglich, welche durch diese Wesensnatur vollzogen wird.

Pitta im Zustand der Harmonie

Das Feuer von Pitta provoziert Zerstörung. Dieser Prozeß der Auflösung ermöglicht Wachstum und die Entstehung von Neuem. Auf der körperlichen Ebene wandelt Pitta mit Hilfe eines regen Stoffwechsels die Nahrung zu körpereigenen Stoffen um, die den Zellen zur Verfügung stehen. Geistig manifestiert sich Pitta durch wache Intelligenz und einen scharfen Geist, der Eindrücke und Erfahrungen rasch aufgreift und verarbeitet.

Die körperlichen Anlagen des Pitta-Energietyps

142

Die körperlichen Merkmale der Pitta-Konstitution liegen in der Mitte zwischen der zarten Statur von Vata und dem eher kräftigen

Körperbau von Kapha. Das heißt, sie ist mittelgroß, Bindegewebe und Muskeln sind von mittlerer Festigkeit und ihre Gelenke eher locker. Auch ihre Kraft und Ausdauer sind durchschnittlich.

Die Gesichtszüge der Pitta-Konstitution sind harmonisch und ebenmäßig geformt, haben aber einen Hang zum Kantigen. Vielleicht hat sie eine spitze Nase, spitze Eckzähne und ein schmal zulaufendes Kinn. Ihres Zeichens typische Zweiflerin, zeichnen sich auf der Stirn tiefe Falten ein, unter denen sie mit klarem Blick ihre Umwelt wahrnimmt. Da die Farbe Rot ein Merkmal der Hitze ist, verleiht sie ihrer Haut besonders im Gesicht einen rötlichen Teint; rötlich sind auch Augen und Nase. Typisch für die Pitta-Natur sind ihre Sommersprossen, die vielen Muttermale und Pigmentflecken.

Durch ihre relativ hohe Körpertemperatur schwitzt sie schnell und viel. Sie ist die erste, die das Fenster aufmacht, um frische Luft hereinzulassen. Wenn Vata und Kapha längst Pullover tragen, läuft Pitta noch immer im Hemd herum. Entsprechend ist die Haut ihres ganzen Körpers warm, feucht, weich und etwas ölig.

Die Haare sind weich und zumeist dünn und haben einen braunen oder rötlichen Grundton. Oft ergrauen sie schon in jungen Jahren oder fallen vorzeitig aus, was der Pitta-Konstitution ihre typische hohe „Denkerstirn" verleiht.

Zumindest auf den ersten Blick scheint der Energietyp des Vulkans mit einer guten Verdauung gesegnet zu sein. Mit seinem heißen und starken Verdauungsfeuer verdaut er das Essen optimal, und entsprechend gut ist auch sein Appetit. Doch selbst wenn er nach Herzenslust ißt, wird er nicht zunehmen. Im Gegenteil – ein Mensch mit Pitta-Konstitution muß regelmäßig und genügend essen und trinken, da er andernfalls in eine Unterzuckerung gerät und dann leicht nervös und reizbar wird.

Die geistigen Anlagen des Pitta-Energietyps

Mit dem Feuer als Zauberstab in der Hand, beschreitet der Pitta-Energietyp seinen Weg als Abenteurer. Er hat Außergewöhnliches vor in seinem Leben und wird seine Ideale erreichen, solange die Flamme hell und gleichmäßig brennt. Seine feurige Kraft schärft seine Sinne und verleiht ihm jenen scharfen Verstand und eine brillante Intelligenz, die eine Pitta-Natur zur eindrucksvollen Erscheinung machen.

Die Wege, auf die sich eine Pitta-Natur begibt, können in sehr unterschiedliche Richtungen führen. Ob sie an einer Expedition zum Mount Everest teilnimmt oder die Bauleitung für ihr neues Haus übernimmt, ob sie beruflich in der Führungsetage sitzt oder alleine die Kinder großzieht – immer lieben Pitta-Naturen die Herausforderung und beschreiten diesen Weg voller Leidenschaft und mit großem Mut, die ebenfalls Qualitäten des Feuers sind. Mit solchen inneren Kräften werden große Hindernisse klein, Probleme zu kreativen Herausforderungen.

Die Pitta-Natur ist die geborene Erfolgsnatur, die mit Präzision und Dynamik die Welt verändert. Wo die brodelnden Kräfte des Vulkans einfließen, existiert logischer Sachverstand, gedeihen neue Inspirationen, durchdringt und formt seine Hitze das gesamte Vorhaben. Mit seinen klaren Denkstrukturen werden Fakten und Zusammenhänge analysiert und auf der Stelle realisiert, was immer es zu tun gibt. Sein Ehrgeiz läßt ihn selbst dann noch einmal richtig aufdrehen, wo andere längst aufgeben würden.

Diese natürliche Autorität macht die Wesensnatur des Pitta-Typs zur geborenen Führungspersönlichkeit. Intuitiv übernimmt sie sofort die Machtposition, die ihr andere ebenso spontan einräumen. Ist ihr jemand übergeordnet, wird sich die Pitta-Natur aufgrund ihrer hierarchischen Denkstrukturen zwar einfügen – allerdings nur unter der Voraussetzung, daß der Betreffende ihren Respekt findet. Nachdem aber nur wenige in den Genuß ihrer Anerkennung kommen, wird sie doch bald die Führung übernehmen.

Als Lorbeerkranz für ihren Erfolg sucht sie die gesellschaftliche Anerkennung und ein Leben in Wohlstand mit einem Hauch von Luxus. Natürlich hat sie genug Mut und Selbstbewußtsein, ihr Leben beruflich wie privat in die Hand zu nehmen. Selbständigkeit und Unabhängigkeit braucht sie wie die Luft zum Atmen. Für Frauen mit einer Pitta-Natur bedeutet das konkret, Kinder und Beruf unter einen Hut zu bekommen.

144

Selbstbewußt steht sie zu ihrem Tun. Daher fürchtet sie auch keine Kritik, denn niemals würde sie etwas entgegen ihrer tiefen Überzeugung tun. Vor Beginn eines Experimentes oder Projekts kalkuliert sie präzise dessen realistische Machbarkeit. Was die anderen überrascht: Mit sehr viel Disziplin und höchstem Anspruch an Erfolg ist für die hitzige Wesensnatur des Vulkans tatsächlich fast alles machbar. Sollten trotzdem alle Stricke reißen, wird sie sich eben einem anderen Projekt zuwenden, das garantiert schon vorbereitet in der Schublade liegt.

Wahrscheinlich jongliert sie sogar mit mehreren Projekten gleichzeitig – was im Gegensatz zum Vata-Typ nicht in Chaos mündet, sondern reibungslos klappt und ihr nur Ansporn zum Weitermachen verschafft. Mit immer frischer Zuversicht geht Pitta ans Werk – ihre Feuernatur verleiht ihr jenen Optimismus, der notorische Pessimisten, die ja naturgemäß zu wenig Feuer im Blut haben, inspirieren könnte. Ihr Motto: Unmögliches wird sofort erledigt, und Wunder gibt es ohnehin nicht.

Geborene Kämpfernatur, betrachtet sie den Weg zu ihren Zielen immer zugleich als Wettkampf. Sie liebt es einfach, ihre Kräfte und ihre Intelligenz mit anderen zu messen. Solange sie ihr Feuer im Griff hat, finden diese Wettkämpfe in spielerischer Atmosphäre statt. In gesellschaftlichen Spielrunden ist der Pitta-Typ jener engagierte Mitstreiter, der mit Dynamik und anfeuerndem Kampfgeist andere mitreißt und so das Spiel vorantreibt. Wer Lust hat auf ein engagiertes Tennismatch nach Punkten oder ein Wettrennen veranstalten will, wendet sich daher am besten an einen Freund vom Pitta-Typ.

Wo auch immer diese Wesensnatur auftritt, brilliert sie als mitreißende Vertreterin ihrer Sache, die im Handumdrehen ihr Publikum in ihren Bann zieht. Ihre glänzende Intelligenz und pointierte Ausdrucksweise beeindrucken andere. Geistreich, schlagfertig und überzeugend, trifft sie mit kurzen klaren Sätzen den Nagel auf den Kopf. Aufgrund ihrer hohen Denkgeschwindigkeit und Wachheit schlägt sie sich souverän.

Umgekehrt läßt sich eine Pitta-Natur von anderen nur durch wasserdichte Argumente vom Gegenteil überzeugen. Ihre neue Einstellung wird sie fortan genauso flammend vertreten wie vorher die alte. Pitta spricht geradewegs aus, was sie denkt, ohne ein Blatt vor den Mund zu nehmen. Andere wissen also recht genau, woran sie bei ihr sind. Zwar verschafft ihr diese Direktheit nicht immer Freunde, aber auf die legt sie ohnehin wenig Wert, falls sie nicht ihrer Wellenlänge entsprechen oder irgendwie nützlich sind.

145

Meistens überdeckt das feurige Temperament der Pitta-Natur ihre durchaus sensible Seite. Im Grunde ihres Herzens ist sie eine warmherzige, gutmütige und sehr verständnisvolle Person, die großes Mitgefühl für die Nöte anderer zeigen kann – schließlich ist Pitta das einzige von Wärme geprägte Dosha. Wie die Wärme des Feuers sich naturgemäß ausdehnt, verbreitet auch die Pitta-Natur ihre Warmherzigkeit, trägt Charisma und kraftvolle Qualitäten zum Wohle aller hinaus.

Pitta erhöhende Faktoren

Pitta steigt naturgemäß in den mittleren Lebensjahren, jener aktiven Phase also, in der Kinder geboren und großgezogen, berufliche Projekte aufgebaut, Erfahrungen gesammelt und verarbeitet werden. In seiner Pitta-Phase entwickelt sich der Mensch zur reifen ausgeprägten Persönlichkeit.

Im Jahreszyklus sammelt sich Pitta in den Monaten größter Hitze, zwischen Juni und September an. Während des Tages erreicht das Feuer seine Höhepunkte mittags zwischen 10 und 14 Uhr sowie nachts entsprechend zwischen 22 und 2 Uhr.

Die Pitta-Natur verträgt weder grelles Licht noch Hitze, vor allem keine feuchte Hitze. Schwüle Hochsommertage sind am schlimmsten für sie; jede körperliche und geistige Anstrengung erschöpft sie dann, verursacht schlechte Laune und Aggression. Heiße Bäder und Schwitzkuren, wie beispielsweise Sauna oder Dampfbäder, erhöhen ihr Dosha ebenso wie die Nähe zu Feuer und anderen Wärmequellen. Achtsamkeit ist auch beim direkten Kontakt mit grellen leuchtenden Farben, wie intensivem Gelb und Rot, angeraten.

Jede Begegnung mit aggressiven und gewalttätigen Situationen schürt ihr Feuer. Dazu gehören schlechte Krimis im Fernsehen genauso wie hitzige emotionale Diskussionen. Auch jede Situation, in denen Pitta Konkurrenz empfindet, entfacht Hitze. Das kann bei einem verbissenen Tennismatch sein oder bei Gerangel um Kompetenzen in der Firma.

Zusätzlich wirken alle Aufputschmittel, also Kaffee, schwarzer Tee, Alkohol oder Zigaretten, erhöhend auf das Pitta-Dosha. Bei den Nahrungsmitteln wird Pitta durch die Geschmacksrichtungen verstärkt, die ihrer eigenen Natur entsprechen, also durch scharfe, saure, salzige und stark gewürzte Speisen.

Pitta im Zustand der Verwirrung

Ein lokal begrenzter Waldbrand, durch Blitzeinschlag ausgelöst, ist ein erwünschter Vorgang in der Natur. Holz wird dabei zu Asche verwandelt, die wiederum fruchtbaren Boden liefert als Voraussetzung für das Wachstum von neuen Pflanzen. Ein Flächenbrand dagegen ist eine Katastrophe. Einmal außer Kontrolle geraten, kann er verheerende Zerstörung anrichten und ganze Landstriche verwüsten. Mit seiner brodelnden Hitze zieht er auch seine Umgebung mit in das Fiasko. Ein Mensch mit Pitta-Natur verbrennt sich letztlich selbst, wenn Feuer zu lange und zu heftig in ihm wütet. Was bleibt, ist die leere kraftlose Hülle – der bekannte „Burn-out".

Körperliche Herausforderungen für den Pitta-Energietyp

Die Pitta-Konstitution entwickelt ihre Probleme hauptsächlich durch ein Übermaß an Hitze. Ein ständiges Thema sind deshalb Entzündungen, die im ganzen Körper auftreten. Ihre Haut rötet sich schnell bei Überhitzung. Besonders durch den Kontakt mit Chemikalien, etwa aggressiven Haushaltsreinigern, entwickeln sich Ausschläge und Ekzeme, die sich in Windeseile großflächig auf der Haut ausbreiten. Ebenso leicht bekommt Pitta Fieber, das schnell auf bedrohliche Temperaturen ansteigen kann. Also sind diese Fieberattacken nicht zwangsläufige Zeichen für eine Infektion, obwohl diese trotzdem bestehen kann, sondern sie unterstützen den Abbau von überschüssiger innerer Hitze und die Ausscheidung von Giftstoffen. Ist das geschehen, sinkt das Fieber wieder.

147

Ist Pitta zu hoch, wird der Mensch sauer. Die Übersäuerung wirkt sich bei der Pitta-Konstitution auf das Blut sowie das gesamte Verdauungssystem aus. Die Schwierigkeiten beginnen im Mundbereich mit überempfindlichen Zähnen. Auch der Magen ist übersäuert; daher klagt sie häufig über Sodbrennen und Gastritis, die mit Übelkeit und Erbrechen verbunden sind.

Die westliche Medizin behandelt diese scheinbar harmlose Übersäuerung mit säurebindenden Medikamenten, die überschießendes Verdauungsfeuer zwar dämpfen, die Ursache aber nicht beheben. Daher wird die körpereigene Intelligenz allmählich extremere Symptome entwickeln, falls der Betreffende weiterhin zu sehr in einem Zustand der Überhitzung lebt: Handfeste Geschwüre entwickeln sich im Verdauungstrakt, die Säure frißt sich durch alle Schichten, bis der Magen oder Darm irgendwann durchbricht – ein lebensgefährlicher Zustand!

Speziell im Darmbereich kann das Feuer tückische Entzündungen setzen: Morbus Crohn ist eine chronische Entzündung, die sich überall im Verdauungstrakt vom Schlund bis zum After entwickeln kann. Besonders häufig leiden Frauen unter Colitis ulcerosa, ebenfalls einer entzündlichen Erkrankung, die sich vor allem im Dickdarm festsetzt und in Streßphasen immer neue Schübe auslöst. Typische Schmerzen der Pitta-Konstitution zeigen sich in Form von Brennen und Stechen, häufig hat sie Probleme mit brennenden Augen und einem Brennen auf der Haut. Auch ihren Durst empfindet Pitta als brennend, daher braucht sie immer genügend kalte Getränke in greifbarer Nähe.

Leber und Galle sind ihre empfindlichsten Organe, die sie möglichst gut pflegen sollte. Die Leber ist für den Stoffwechsel das Kraftwerk im Körper. Hier wird Nahrung in körpereigene Substanz verwandelt, wodurch ohnehin viel Wärme entsteht. Kommen jetzt noch zusätzliche Belastungen hinzu, wie fettes Essen oder Wut und Aggression, belastet das die Leber. Das Immunsystem der Pitta-Konstitution wird geschwächt, und entsprechend anfällig ist sie damit für Infektionskrankheiten, die akut und lebensbedrohlich verlaufen können. Auch Leberentzündungen, wie die verschiedenen Formen von Hepatitis, liegen jetzt nahe. Zugleich produziert eine belastete Leber mehr Gallenflüssigkeit – ein wütender Mensch spuckt „Gift und Galle" -, und es entwickeln sich Gallensteine. Äußerlich erkennt man eine stark belastete Leber an der gelblichen Verfärbung der Haut und der Augäpfel. Außerdem

148

ist der Betreffende ständig müde, abgeschlagen und gereizt (Empfehlungen zur Leberpflege unter „Ernährung", Seite 157 f.).

Frauen klagen in den ersten Tagen ihrer Periode über krampfartige Schmerzen mit starken Blutungen. Während dieser Zeit sollten Ruhepausen eingelegt und Streß soweit wie möglich vermieden werden. Bei Männern führt überschüssige Hitze häufig zu vorzeitigem Samenerguß und Unfruchtbarkeit.

Generell neigt die Pitta-Konstitution zu starken Ausscheidungen. In großen Mengen wird Schweiß abgesondert, der in Verbindung mit Hitze und Säure einen schlechten, scharfen oder sauren Geruch entwickelt. In großen Mengen kommen auch der relativ dunkle Urin sowie der Stuhlgang, der weich oder wäßrig ist und ziemlich hell.

An den meisten typischen Zivilisationskrankheiten, wie beispielsweise Bluthochdruck, Herzinfarkt und Schlaganfall, sind zwar immer mehrere Doshas beteiligt. Pitta spielt dabei aber eine tragende Rolle. Solche Erkrankungen senden ihre Signale stets lange im voraus, weshalb die Pitta-Konstitution, wenn sie wachsam ist, einen dramatischen Verlauf frühzeitig verhindern kann. Nur liegt es in ihrem Naturell, trotzdem ihren aktiven Lebensstil beizubehalten, auch wenn sie bereits unter Symptomen leidet. Im Gegenteil – gerade jetzt wird sie gerne noch zu Aufputschmitteln greifen. Daher ist es von großer Bedeutung, daß sie sich das potentielle Risiko ihres Lebensstils ins Bewußtsein bringt.

Vorschläge zur Selbstbehandlung

Zuviel Magensäure und Sodbrennen: Aloe-Vera-Gel: 1-2 Eßlöffel Aloe-Vera-Gel mit etwas Natriumbikarbonat beruhigt den nervösen Magen und neutralisiert überschüssige Magensäure. – Ayurvedisches Hausmittel: Zu 12 Tropfen Zitronensaft $1/2$ Teelöffel Jaggery und $1/4$ Teelöffel Natriumbikarbonat hinzufügen, umrühren und einnehmen. – Optimal bei Sodbrennen sind: frischer Granatapfel, Korianderblätter, Rosinen und Kardamom. – *Amrita (Tinospora cordifolia),* der „Nektar der Unsterblichkeit", ist eine Kletterpflanze, die für Pitta ideal ist. Sie wird angewendet bei Übersäuerung und entzündlichen Erkrankungen, wie Gastritis und Hautausschlägen. Sie fördert die Verdauung, reinigt das Blut und wirkt – nomen est omen – verjüngend und entspannend.

Verdauungsbeschwerden: Ideal bei überhöhtem Pitta ist *Triphala,* ein ayurvedisches Pflanzenpräparat. Triphala hat eine leicht abführende Wirkung und wirkt damit entgiftend auf den Darm und den gesamten übersäuerten Organismus. Morgens gleich nach dem Aufstehen oder eine Stunde nach dem Abendessen $^1/_2$ Teelöffel 10 Minuten lang in einer Tasse heißem Wasser ziehen lassen und trinken.

Geistige Herausforderungen für den Pitta-Energietyp

Heftig lodern die Flammen, wenn das Feuer außer Kontrolle gerät. Der Pitta-Energietyp – ohnehin von ungeduldiger Natur – wird nun regelrecht zum Hitzkopf. Schon eine Kleinigkeit, die ihm nicht behagt, macht ihn reizbar und unleidlich. Manchmal genügt das berühmte Haar in der Suppe, und er bekommt einen Wutausbruch. Impulsive Pitta-Typen verlieren dann völlig ihren Charme und verbreiten statt dessen eine negative Atmosphäre. Da Hitze sich naturgemäß ausbreitet, besteht das Problem ja auch darin, daß Pittas andere in ihre Stimmungen hineinziehen – ihre starke Ausstrahlung wirkt im positiven wie im negativen Sinn.

Wenn das Feuer ungleichmäßig brennt, verliert die Pitta-Natur leicht die Beherrschung und Kontrolle über ihre hitzigen Gefühle. Ihre Reaktionen sind daher nie vorhersehbar. Zwar verfliegen ihre impulsiven Ausbrüche ebenso schnell, wie sie gekommen sind, und danach bedauert sie oft ihr unfreundliches Verhalten, doch es hilft nichts: Leidenschaft schafft tatsächlich viel Leiden. Entlang ihres Weges hinterläßt sie zahllose kleine Brände, verstört und verletzt andere. Ihr natürliches Bedürfnis nach Führung kann sich bis zur Herrschsucht steigern. Dann fordert sie uneingeschränkte Macht ein, um Situationen unter ihre Kontrolle zu bringen. Zugleich geht die Fähigkeit zu kreativer Teamarbeit verloren, da sie alleine die Gangart bestimmen will. Ihre ursprüngliche Überzeugungskraft schlägt in Rechthaberei und Intoleranz um. Wenn Diskussionen unausweichlich sind, erhebt sie ihre Meinung zum Nonplusultra, und Widerreden werden ohnehin nicht geduldet. Die Pitta-Natur hat eine Brille aufgesetzt, die nur Schwarz und Weiß unterscheidet. Für sie gibt es nur Freund oder Feind – Menschen, die für oder gegen sie sind.

Im Extremfall verfällt sie in eine Art von „Kreuzzugsmentalität": Heldenhaft und unbeugsam wird sie kämpfen und lieber mit wehenden Fahnen untergehen, als nur einen Schritt von ihrer Meinung abzuweichen.

Um die sich gesteckten Ziele um jeden Preis zu erreichen, erwartet die Pitta-Natur Perfektion von allen Beteiligten, und am meisten von sich selbst. Pingelig und äußerst gereizt, puscht sie trotzdem ohne Verschnaufpause vorwärts, bis endlich die Ziellinie erreicht ist. Aber selbst jetzt kann sie ihren Erfolg nicht wirklich genießen, die Anspannung treibt sie bereits weiter. Wo in Harmonie gesunder Ehrgeiz vorhanden ist, steigert sich eine verwirrte Pitta-Natur in Leistungssucht. In ihr verkörpert sich der sprichwörtliche Workaholic mit immer schon der nächsten Etappe im Blick. Zum Entspannen gönnt sie sich selten die Muße. Nimmt sie doch einmal ein Schaumbad, wird sie nebenbei die Besorgungen für den nächsten Tag notieren und noch ein paar Seiten lesen.

Ihre ständigen Anforderungen machen ihr selbst und anderen das Leben schwer. Ihre Meßlatte liegt extrem hoch, daher fällt jeder rasch in Ungnade, der ihre Leistungsansprüche nicht erfüllen kann oder Einspruch gegen ihre Anweisungen erhebt: Der nächste Wutausbruch steht schon an.

Trotz ihres forschen und selbstbewußten Auftretens kennt die Pitta-Natur auch Unsicherheiten. Der Charakterzug, daß sie keine Kritik erträgt, zeigt nicht nur Überheblichkeit, sondern auch ihre Verletzlichkeit. Doch bringt die Wesensnatur des Vulkans es mit sich, daß sie trotzdem gerne und großzügig selbst Kritik austeilt. Gegen ihre eigene Person richtet sich ihr Feuer ebenfalls – vor allem dann, wenn sie ihren eigenen Ansprüchen nicht genügt hat oder, noch schlimmer, eine Niederlage einstecken mußte. Selbstzerstörung ist ein Zug vieler Frauen, die mit ihrem Pitta-Anteil nicht achtsam umgehen können.

Ein Vulkan liebt es, in dieser Welt etwas zu bewegen – am liebsten bewegt die Pitta-Natur die Dinge zur Erfüllung ihrer eigenen Bedürfnisse. Sie ist die Symbolfigur für eine durch Leistung und Erfolg bestimmte Gesellschaft. Damit sie ihre Ziele erreicht, wird auf das Wohlergehen anderer oft wenig Rücksicht genommen. Dieser feurige Wesenstyp liebt ein Leben der Anerkennung und von gesellschaftlichem Status. Prestige-Shows von Geld und Macht

151

mit edler Kleidung, teurem Schmuck und schnellen Autos sind die äußeren Merkmale dafür. Das ganze aggressive Potential des Vulkans kann bei dieser Wesensnatur in extremen Situationen aufbrechen. Bei einer solchen Explosion geht er zum verbalen und/oder körperlichen Angriff über. Affekthandlungen und Eifersuchtsdramen gehen immer auf das Konto eines irritierten Pitta-Dosha.

Selbstbehandlung bei emotionaler Hitze (Wut, Aggression):

- Reiben Sie Ihren Körper mit kühlendem Kokosöl ein, und nehmen Sie anschließend eine kühle Dusche. Trocknen Sie sich vorsichtig ab, damit ein dünner Ölfilm auf der Haut bleibt. – Verwenden Sie kühlende wohlriechende Düfte in der Duftlampe, wie Rose, Orange, Zitronengras, Sandelholz, Lavendel, Iris. Der Duft sendet über den Geruchssinn beruhigende Impulse an das Gehirn. Auf diese Weise kann sich der erhitzte Geist entspannen und abkühlen. Es wirkt auch beruhigend, etwas Ghee oder Kokosöl durch die Nasenlöcher hochzuziehen. – Tupfen Sie einen Tropfen ätherisches Rosenöl oder Sandelholzöl auf das Dritte Auge (auf der Stirn zwischen den Augenbrauen) sowie auf das Brustbein, den Nabel und auf die Schläfen; eventuell auch ans Handgelenk oder hinter die Ohren, wo Sie den Duft gut riechen können. – Einen ruhigen Schlaf werden Sie haben, wenn Sie vor dem Zubettgehen Kopf und Füße mit Kokosöl massieren. Reiben Sie zunächst Kopfhaut und Gesicht mit etwas Öl ein, anschließend kommen die Fußsohlen dran. Um das Bettzeug zu schonen, legen Sie ein Handtuch auf das Kopfkissen und ziehen Socken an.

Der Ruf der Seele

152 Feuer bringt Licht auf die Erde, aber auch Zerstörung. Feuer schärft das Schwert der Weisheit, aber auch der (Ver)blendung. Mit seinem Feuer hält der Pitta-Energietyp daher ein ungeheures Potential in Händen, dessen Auswirkungen er sich sehr bewußt sein sollte.

Es liegt an seiner Geisteshaltung, mit welcher Motivation er dieses Feuer einsetzt – um sich persönliche Ziele zu erkämpfen oder zum Wohle der Allgemeinheit.

Die zur Wesensnatur von Pitta gehörenden geistigen Gifte sind Zorn, Haß und Aggression. Hervorgerufen werden diese Emotionen durch die Illusion, man selbst sei das Maß aller Dinge auf dieser Erde. Die spirituellen Meister nennen dies ein übermäßiges Ego.

Diese Gifte entströmen derselben Feuerkraft wie jene wunderbaren Qualitäten, zu denen der Pitta-Typ im Zustand der Harmonie fähig ist. In ihrer Verzerrung zeigen sie lediglich die Kehrseite derselben Medaille. Dieses zerstörerische Potential ist folglich ein natürlicher Aspekt seiner Wesensnatur. Daher ist eine achtsame Kontrolle dieses Temperaments wichtig, denn andernfalls verbrennt man sich nicht nur selbst, sondern schadet auch dem Umfeld.

Jeder Mensch hat eine moralische Verpflichtung, nach Möglichkeit heilend auf sein Umfeld zu wirken, in keinem Fall jedoch Schaden anzurichten. Ein Wutausbruch aber erzeugt nur wiederum Aggression oder Angst bei anderen und wirkt daher zerstörend.

Es sind die Feuerkräfte der Aggression und Feindseligkeit, die überall auf der Welt soviel Leid verursachen. Liebe und Mitgefühl sind daher Teil der Geisteshaltung, nach der die Seele von Pitta ruft. Entwickeln darf sie auch Toleranz, Respekt und Rücksicht auf die Gefühle jener, die nicht das gleiche Tempo und die gleichen Qualitäten wie sie selbst haben. Alle großen Religionen bezeichnen solche besonnenen Verhaltensweisen als Grundlage für ein erfülltes, wahrhaftiges und glückliches Leben.

Um dahin zu gelangen, darf die Pitta-Natur zunächst ihre kämpferische Grundhaltung entspannen. Sie bewegt sich vorwiegend in der männlichen Energie von Yang, in der Dynamik des aktiv Gebenden. Wer aber immer auf der Sonnenseite geht, muß verbrennen. Wie Yang seinen Gegenpol Yin sucht und beide erst durch Verschmelzung zur Harmonie finden, braucht auch sie die Kraft des Weiblichen, die passiv, kühl und empfangend ist. Durch die Stärkung ihres weiblichen Aspekts wird sie zu Frieden kommen.

153

Konkret bedeutet das für die Pitta-Energie, hin und wieder freiwillig ihre Führungsrolle aufzugeben und sich anderen anzupassen. Sie wird entspannen, wenn sie lernt, sich ein gewisses Maß an

Weichheit zu erlauben, sich einmal fallen zu lassen. Vielleicht gelingt es ihr so, jenes tiefsitzende Mißtrauen, das sie in steter Abwehr hält, loszulassen und eine Haltung von gesundem Vertrauen zu entwickeln.

Solange sie aber überspannt ist, braucht sie immer einen Schuldigen, wenn ihre Erwartungen nicht befriedigt werden. Das kann eine andere Person sein oder sie selbst. Dadurch kämpft sie an zwei Fronten, einer äußeren und der inneren. Frieden wird eine Pitta-Natur nur finden, wenn sie einfach akzeptiert, daß Perfektion nicht immer möglich ist. Dazu gehört auch die Toleranz, andere auf ihre eigene Weise glücklich werden zu lassen.

Meditation ist für die Wesensnatur von Pitta der Schlüssel, um den Ruf ihrer Seele zu vernehmen. Vielleicht lehnt sie dieses Training der Aufmerksamkeit anfangs ab, denn Neues überzeugt sie nie leicht. Doch sollte hier ein Vorschuß an Vertrauen gelten. Zahllose weise Menschen haben zu allen Zeiten meditiert und darin inneren Frieden gefunden. Auch einem Pitta-Typ wird diese Zeit des stillen Sitzens wohltun: Zumindest kurz steigt er aus dieser endlosen Mühle des (Ver)urteilens und der emotionalen Anspannung aus, können Geist und Körperzellen sich entspannen und neue Vitalität schöpfen.

Nun verwirklicht aber nicht jede Pitta-Natur ihre Anlagen zur Abenteurerin, Heldin und ewigen Siegerin. Viele unterdrücken ihr Feuer, andere wissen überhaupt nicht, daß sie Feuer-Typen sind. Dafür kann die Erziehung oder eine aktuelle hierarchische Familiensituation verantwortlich sein. Möglicherweise arbeitet sie auch in einer untergeordneten Position. Solange eine Pitta-Natur ihr Feuer nicht bewußt auslebt, wird es sein zerstörerisches Potential entfalten. Dabei sind diese Symptome nichts anderes als der Ruf der Seele, die sich nach Entfaltung sehnt. Diese Entdeckung und der Mut, ihre angeborene Kraft zu leben, kann eine spannende Reise zu ihrem wahren Wesenskern werden.

Wege zur Regulierung des Pitta-Dosha

Allgemeine Empfehlungen

Zu seiner Ergänzung benötigt ein Pitta-Typ die Beweglichkeit von Vata, dem Schmetterling, und die Gelassenheit von Kapha, dem See. Mit Hilfe der luftigen Wind-Energie entwickelt er Leichtigkeit, die seinen Ehrgeiz auflockert. Eine gute Portion Kapha verleiht ihm dagegen Gelassenheit, um Abstand zu entwickeln, sowie Ausdauer, mit der er Projekte langfristig aufrechterhält. Die drei Eckpfeiler für die Harmonisierung dieses Dosha sind: Ruhe – Entspannung – Kühle. Viel Ruhe wird eine Pitta-Natur schon dadurch gewinnen, wenn sie den Tag in einem maßvollen Rhythmus verbringt. Als typische Nachtschwärmerin springt sie morgens im letzten Moment aus dem Bett, und so beginnt der Tag bereits in Hektik. Deshalb sollte sich eine Pitta-Natur – egal, wieviel für den Tag ansteht – in der Früh Zeit nehmen, um in der feinstofflichen Schwingung, die jetzt noch in der Atmosphäre liegt, ihren Geist zu sammeln.

Abends vor dem Einschlafen kann sie durch Atemübungen Ruhe finden: Dazu gehört, ganz entspannt und gleichmäßig zu atmen, den Streß und alle negativen Gefühle und Spannungen des vergangenen Tages über den Atem bewußt loszulassen. Wenn Pitta während des Schlafes noch zu hoch ist, wird sie in grellen Farben von Kampf und Konflikt, von Feuer und Blitzen träumen.

Die optimale Zeit zum Zubettgehen liegt zwischen 22 und 22.30 Uhr. Diese Zeit entspricht der allgemeinen Empfehlung und hat für Pitta noch eine zusätzliche Bedeutung, weil danach die biorhythmische Pitta-Zeit beginnt, sie also in einen neuen Aktivitätsschub käme.

Tagsüber legt die Pitta-Konstitution kurze Pausen zum Entspannen ein, in denen sie abschalten und zu ihrer Mitte finden kann. Eine Atemübung, eine Runde um den Block oder eine Abkühlung helfen dabei. Überhaupt benötigt sie Kühle und Feuchtigkeit in jeder Form, besonders in hitzigen Situationen. Eine kalte Dusche, kalte Getränke, besonders Mineralwasser und ein kühler Kopfwik-

155

kel, falls der Kopf zu heiß ist, lassen sie entspannen. Im Sommer hält sie sich am besten im Schatten auf, am Abend haben Spaziergänge im Mondschein eine wohltuende Wirkung auf sie. Ansonsten gilt für sie, wann immer Gelegenheit dazu ist, das Motto des *Dolce vita:* die süße Kunst des Nichtstuns.

Perfektionismus ist eine wunderbare Eigenschaft, aber sie hat auch ihre Tücken. Gerade die Liebe zum Detail macht eine Arbeit zu etwas Besonderem, was dem Engagement und der Hingabe von Pitta zu verdanken ist, daß sie nicht aufhört, bevor auch die letzte Unebenheit bereinigt ist. Allerdings muß sich Pitta vor Übertreibung hüten. Perfektion ist nämlich ein Zeitfresser. Bestes Beispiel dafür ist die Pitta-Frau, die sich ohnehin eine Mehrfachbelastung von Familie, Haushalt und Arbeit zumutet und unter ständiger Spannung steht. Aber selbst dann meint sie, noch Bettwäsche und Handtücher bügeln zu müssen – auch wenn diese Arbeit ihr die einzigen potentiellen fünf Minuten Freizeit stiehlt.

Ein Pitta-Energietyp steht durch seinen vollen Terminkalender häufig unter Zeitdruck. Außerdem haßt er es zu warten. Entsprechend lodert Feuer auf, wenn er in einen Stau gerät oder der Bus nicht pünktlich kommt. In dieser Situation kann die folgende Frage seine Emotionen kühlen: „Was passiert eigentlich, wenn ich zehn Minuten später ankomme?" Wenn er diese Frage laut und klar ausspricht und sich die Antwort darauf selbst gibt, wird er feststellen, daß die Folgen in aller Regel harmlos sind und in keinem Verhältnis stehen zu den negativen Streß, den er sich selbst macht. Abgesehen davon: Gewisse Situationen sind nun einmal nicht zu ändern, also kann man seine Wut darüber ebensogut bleiben lassen.

Je mehr eine Pitta-Konstitution sich fordert, desto schneller dreht sich die Spirale von Anspruch und Leistung. Um körperliches und seelisches „Ausbrennen" zu verhindern, ist Wachsamkeit angeraten. Fährt sie zu lange hochtourig, wird Entspannung unmöglich, und sie definiert ihre Persönlichkeit ausschließlich durch Leistung und Erfolg. Daher sollte es sich diese Wesensnatur leisten, zur Genießerin zu werden. Ihr Hang zu Luxus hat weniger mit Sinnlichkeit zu tun, der sie harmonisieren könnte, sondern erinnert eher an Konsum und Status. Erst dann, wenn sie ihr Herz öffnet, sich mit all ihren Sinnen umschmeicheln läßt, also wirkliche Sinnlichkeit lebt, kann Luxus auch zum Genuß werden.

Wenn ein Pitta-Typ nun ayurvedische Empfehlungen in sein Leben integrieren möchte, sollte er das mit einem entspannten Geist tun. Gewohnheitsmuster sitzen nun einmal tief, und trotz allem Eifer wird er manchmal in alte Strukturen fallen. Solche „Rückfälle" sind erlaubt, und er darf sie sich ruhig verzeihen! Wenn er mit seinem gewohnten Perfektionismus an das „Projekt Ayurveda" herangeht, wird ihn dies noch mehr unter Druck bringen und das Gegenteil bewirken.

Ernährung

Die Pitta-Konstitution hat durch ihr starkes Agni großen Hunger und viel Durst. Entwickelt sie allerdings ständig Heißhunger, ist der Durst brennend. Bei einem brennenden Gefühl im Verdauungstrakt ist Agni zu stark und muß entsprechend reguliert werden. Auch schwaches Agni ist möglich, was sich durch ein Völlegefühl und Müdigkeit bemerkbar macht. Einen wesentlichen Faktor zu guter Verdauung trägt eine harmonische Atmosphäre beim Essen bei. Es empfiehlt sich daher eine kurze Pause und Entspannung, bevor man sich zu Tisch setzt. Während des Essens wird möglichst wenig gesprochen, auf keinen Fall sollten aber Diskussionen oder gar berufliche Gespräche geführt werden. Sogenannte „Geschäftsessen" können wir nicht gut verdauen. Schließlich speichert der Körper auch unsere Gefühle während des Essens und verarbeitet sie wie Nahrung weiter.

Zwischen 10 und 14 Uhr, wenn Agni am aktivsten ist, ist die Pitta-Konstitution besonders hungrig. Mittags sollte daher die Hauptmahlzeit sein. Auch relativ schweres Essen, wie Kohl und tierisches Eiweiß, werden jetzt vertragen. Das Verdauungsfeuer dieses Typs ist stark genug, und er verkraftet auch zum Abendessen relativ kräftige (aber nicht allzu schwere) Speisen.

Auf dem Speisezettel der Pitta-Konstitution sollten bittere, süße und herbe Nahrungsmittel überwiegen. Ihre wichtigsten Eigenschaften sind leicht, kühlend und trocken. Sie kann viel frischen Salat, Rohkost und grünes Gemüse vertragen. Besonders wenn Agni sehr stark brennt, ist Rohkost empfehlenswert, denn diese kühlt und beruhigt das Verdauungsfeuer. Viel gedünstetes Gemüse so-

157

wie Hülsenfrüchte als pflanzliche Proteinquelle sollten regelmäßig genossen werden. Scharfe Gewürze werden sehr sparsam verwendet, im Sommer wird möglichst überhaupt nicht gewürzt.

Was zu vermeiden ist:
Möglichst einschränken sollte die Pitta-Konstitution den Konsum an fettigem, frittiertem und öligem Essen, da sie wegen ihrer empfindlichen Leber Fette nur schwer verstoffwechseln kann.

Saure, salzige und scharfe Nahrung ist von erhitzender Wirkung und daher ebenfalls zu vermeiden. Als Ausnahme ist Zitrone erlaubt, die basisch wirkt. Alle säurebildenden Speisen, wie Zucker, Alkohol, Weißmehl und Fleisch, sind für eine Pitta-Konstitution schädlich. Sie übersäuern den gesamten Organismus und verursachen viele Erkrankungen, wie beispielsweise Entzündungen überall im Körper und Stoffwechselstörungen. Joghurt, saure Sahne, Käse und andere fermentierte Nahrungsmittel übersäuern den Körper ebenfalls. Andere Milchprodukte eignen sich wegen ihres Fettgehalts nur in geringen Mengen.

Die Gerichte sollten nie sehr heiß gegessen werden. Besser wartet man, bis das Essen auf lauwarme Temperatur abgekühlt ist.

Während der Pitta-Zeit im Sommer sollten diese Essensregeln besonders beachtet werden.

Empfohlene Getränke

Pitta liebt kühle Getränke, die aber niemals direkt aus dem Kühlschrank kommen sollten. Im Sommer empfiehlt es sich, immer eine Flasche stilles Mineralwasser griffbereit zu haben. Während der kühleren Jahreszeiten ist abgekühltes oder lauwarmes Wasser oder Tee gut.

Für Teeaufgüsse eignen sich besonders Fenchel, Kamille, Lavendel, Salbei, Melisse, Zitronengras, Hibiskusblüten. Zwischendurch können frischgepreßte Säfte aus süßem Obst getrunken werden. Säfte sind gut geeignet als Energiespender für zwischendurch.

158 *Spezielle Teemischung für die Pitta-Konstitution:* Kardamom 20 g; Koriander 30 g; Kreuzkümmel 30 g: Fenchel 30 g: Süßholz 30 g; Rosenblütenblätter 20 g: rotes Sandelholz 40 g. Diese Teemischung reguliert Pitta und seine typischen Beschwerden. Die Wirkung wird

noch verbessert durch Zugabe von Milch oder Vollrohrzucker. Alle Konstitutionen können dies als Sommergetränk verwenden (Rezept: Ayurveda-Praxis Nürnberg).

Was möglichst zu vermeiden ist: Heiße Getränke werden nur in Ausnahmefällen empfohlen, wenn die Pitta-Natur gezielt entschlacken möchte.

Empfohlene Lebensmittel

Getreide und Hülsenfrüchte
- beides ist generell gut geeignet, ideal sind Hülsenfrüchte als Proteinlieferant
- ideal: weißer Reis, Gerste, Weizen (Pasta), Dinkel, Amaranth, alle Arten Bohnen, Mung-Dhal, Soja
- in Maßen: Hirse, brauner Reis, Buchweizen
- vermeiden: Mais Roggen und Linsen

Gemüse
- Pitta verträgt durch sein gutes Verdauungsfeuer nahezu alles Gemüse, ideal sind bittere und süße Sorten
- ideal: Zwiebeln (gedünstet), Artischocke, Kürbis, Süßkartoffeln, Rot- und Weißkohl, Blumenkohl, Rosenkohl, Blattsalate, Sellerie, Zucchini, grüne Bohnen, Petersilie, Spargel, Brokkoli, Gurken
- in Maßen: Paprika, Auberginen, Erbsen, Kartoffeln
- vermeiden: scharfes Gemüse, wie Peperoni, Chilis, rohe Zwiebeln, Knoblauch; Pilze, Tomaten, Rote Bete, Karotten, Lauch, Spinat, Rettich, Meerrettich, Radieschen

Früchte
- ideal: alle süßen und reifen Früchte, Mangos, Birnen, Weintrauben, Pfirsiche, Bananen, Feigen, Honigmelone, Datteln, Avocados, Süßkirschen, süße Äpfel
- in Maßen: Orangen, Oliven, Granatapfel, Himbeeren, Pflaumen, Erdbeeren
- vermeiden: saure Früchte, Grapefruit, Ananas, Zitronen, Aprikosen, Rhabarber, saure Äpfel

159

Kräuter und Gewürze
- insgesamt nur minimal würzen
- ideal: Dill, Koriander, Fenchel, Kardamom, Kurkuma, Melisse, Basilikum, Petersilie, Minze
- in Maßen: schwarzer Pfeffer, Kümmel, Kreuzkümmel, Pfefferminze, Safran, Fenchel, Bohnenkraut, Rosmarin, Kräutersalz, Zimt, Anis
- vermeiden: frischer Ingwer, Muskatnuß, Salz, Chili, Cayennepfeffer, Paprika

Milchprodukte
- ideal: Ghee, Milch, besonders kühlende Kokosmilch, Buttermilch, Magerkäse, Hüttenkäse, Ziegenmilch
- in Maßen: Sahne, Butter, Speiseeis, Lassi
- vermeiden: fette, salzige, harte, reife Käsearten, saure Sahne, Joghurt

Öle und Fette
- Öle und Fette sind generell nur in kleinen Mengen zu verwenden, da sie eine erhitzende Wirkung haben
- ideal: Olivenöl, Kokosöl
- in Maßen: Sonnenblumenöl, Walnußöl
- vermeiden: alle anderen

Pitta-Fasten

Zur Regulierung von übermäßig starkem Verdauungsfeuer empfehlen ayurvedische Ärzte eine Fastenkur mit frischen süßen Fruchtsäften. Gefastet wird drei bis vier Tage, doch kann dieser Zeitraum je nach Zustand von Agni variiert werden. Während dieser Zeit werden ausreichend Säfte getrunken, um Hungergefühle zu stillen. Dafür geeignete Früchte sind Birne, Apfel, Granatapfel, weißer Traubensaft und Pflaumensaft. Die Früchte sollten aus ökologischem Anbau stammen und gleich nach dem Pressen getrunken werden, da schon zwei Stunden später ein Energieverlust einsetzt. Außer diesen Säften wird Tee von kühlenden Kräutern wie Minze, Rose und Lavendel empfohlen. Am letzten Diättag gibt es möglichst viele frische reife Pflaumen, wodurch eine leicht abführende Wirkung erzielt und der Verdauungstrakt noch einmal gereinigt wird.

Während der Fastentage sollte sich die Pitta-Konstitution möglichst pfleglich behandeln, emotionale Anspannung vermeiden und ihr Arbeitspensum reduzieren. Die alten Schriften empfehlen den Aufenthalt im Schatten, umgeben von duftenden Blumen und in der Nähe eines kühlen Gewässers.

Weitere Vorschläge zur Selbstbehandlung

• Bei Symptomen, die auf *Übersäuerung* hinweisen, empfehlen sich vorzugsweise süße und kühlende Kräuter, wie Safran, Koriander, Kreuzkümmel, Kardamom, Fenchel und Gelbwurz (Kurkuma). Besonders Gelbwurz, ein geschmacksneutrales Gewürz, ist auch für die strapazierte Leber ein hervorragendes Tonikum. Es verfügt über starke Lichtkräfte, die sich im Körper verteilen, und zugleich ist es ein Immunschutz, der sich um jede einzelne Zelle legt. Kurkuma färbt Lebensmittel gelb ein und wird deshalb in Indien das „Safran der armen Leute" genannt.

• Bei *Sodbrennen* kann man Heilerde ausprobieren, die überschüssige Magensäure regelrecht aufsaugt. Heilsam bei einer strapazierten Leber ist die Mariendistel. Aloe-Vera-Gel wirkt ebenfalls kühlend und leicht abführend. Beide Pflanzenextrakte sind in Reformhäusern erhältlich. Für die angegriffenen Magenschleimhäute empfehlen sich Süßholztee, Eibischwurzel, Haferschleim und Malvenblätter.

• Generell gilt: Bei dünnem Stuhl wirke man regulierend auf die Leber ein und nehme Abführmittel wie Leinsamen und Flohsamen. Aus der Ayurveda-Apotheke sind zwei Präparate für den Pitta-Typ besonders wirksam:

• *Triphala,* ein Kombinationsmittel aus drei Früchten, gilt in erster Linie als Verjüngungstonikum; zugleich wird es auch zur Entsäuerung verabreicht, da es alle sieben Körpergewebe reinigt. Als allgemeine Dosierung gilt 2mal täglich $^1/_2$ Teelöffel. – *Liv 52* ist ein in Indien sehr beliebtes Medikament, das speziell zur Entlastung bei Leberproblemen gegeben wird. Auch bei Krankheiten wie Hepatitis wird Liv 52 erfolgreich eingesetzt. Es ist über internationale Apotheken zu beziehen.

• *Ergänzung zur Nahrung:* Als unterstützende Aufbauprodukte empfehlen sich Vitamin B gegen Erschöpfung und Vitamin A für Leber und Augen. Magnesium fördert die Entspannung, und Kalzium dient der Erdung.

Meditation

Die Pitta-Natur hat einen großen Schritt in der Harmonisierung ihrer Persönlichkeit vollzogen, sobald in ihrem Geist Frieden und Gelassenheit einkehren. Mit Unterstützung der Meditation kann es ihr gelingen, starre geistige Konzepte abzulegen, die all ihre feurigen Emotionen auslösen und sie so eilig Urteile treffen lassen. Ihre Herausforderung liegt darin, diese entspannte Haltung aus der Meditation so lange wie möglich im Herzen zu bewahren und dadurch bewußt in ihren Alltag mitzunehmen.

Für die Pitta-Natur sind Meditationsformen geeignet, die ihr Kühle und Frische verschaffen. Mit einer feinen Wahrnehmung kann die Hitze tatsächlich im Bauch empfunden werden – so die sprichwörtliche „Wut im Bauch". Die heiße Energie sammelt sich hinter dem Nabel, dem Feuer-Chakra. Dieses Chakra ist besonders eng mit unseren Emotionen verbunden ist. Mit gezielter Aufmerksamkeit auf diese emotionale Stauungszone ist für den Pitta-Typ eine Visualisierung von Reinem Licht sehr empfehlenswert. Diese Übung kühlt und entspannt. Sie kann mehrmals täglich durchgeführt werden und ist speziell in hitzigen Situationen hilfreich.

Visualisierungsübung „Das Reine Licht"

Sitzen Sie entspannt auf einem Stuhl und schließen die Augen. Machen Sie einige ruhige Atemzüge, bei denen Ihr Geist die Umgebung loslassen kann und Sie ganz bei sich ankommen. Stellen Sie sich in Ihrem Geist in weiter Ferne einen Punkt vor, der immer näher kommt und den sie schließlich als luftige Substanz ohne feste Materie erkennen. Er ist kühl und schwerelos, von weißer klarer Farbe.

Lassen Sie diese Energie durch die Stirn in Ihren Kopfbereich eintreten. Beobachten Sie, wie sie mühelos entlang Ihrer Wirbelsäule nach unten wandert und sich schließlich an dem Ort der Hitze im Bauchbereich ausbreitet. Dieses Ausbreiten des Gefühls von Kühle ist ein leichter Vorgang. Sie brauchen dabei nichts denken, es nur zulassen. Spüren Sie, wie die angenehme helle Kühle entspannt, ihre Helligkeit ausbreitet und den gesamten Bauchraum abkühlt. Das weiße Licht dehnt sich nun über den ganzen Körper aus. Lassen Sie auch Ihren Kopf von dieser Frische durchströmen, und spüren Sie, wie sich Verspannungen auflösen. Versorgen Sie alle Zellen mit Licht, bis Sie überall Erfrischung und Leichtigkeit empfinden.

Mit Hilfe der folgenden Übung aus der buddhistischen Tradition kann negative Energie in positive Kraft umgewandelt werden. Die Grundidee dabei ist, daß sich alle Energien aus derselben Quelle speisen und wir die Möglichkeit haben, deren Kraft auf beliebige Weise zu kanalisieren.

Übung „Haß in Liebe umwandeln"

Spüren Sie bewußt dieses Gefühl von Aggression in sich. Beobachten Sie es, ohne zu beurteilen und ohne ablehnende Haltung. Senden Sie, wie oben beschrieben, weißes Licht in dieses Zentrum von größter Hitze. Wenn das hitzige Gefühl allmählich nachläßt, rufen Sie sich wieder die Situation oder den Menschen, der dieses Gefühl in Ihnen ausgelöst hat, in Ihre Gedanken zurück. Stellen Sie sich vor, daß Sie diesen Menschen gerne haben können. Machen Sie sich bewußt, daß er positive Qualitäten hat, die Sie nur nicht kennen, und senden Sie ihm im stillen einen freundlichen Gruß zu. Es hilft, zu verzeihen und dadurch Frieden zu finden. Sie werden sich wundern: Es funktioniert!

Hilfreich bei Konfliktsituationen:

Für die Pitta-Konstitution ist eine achtsame Geisteshaltung hilfreich, um zu erkennen, in welchen Situationen Sensibilität, Toleranz und Nächstenliebe fehlen bzw. wann Ungeduld und Aggression sie überrollen. Auch wenn gerade jetzt Abstand und Kontrolle schwerfallen, hilft folgendes Verhalten:

Setzen Sie sich an einen ruhigen Ort und atmen entspannt und tief. Sagen Sie zu sich selbst: „Dieser Zorn, diese Eifersucht, diese

Aggression sind Produkte meines Geistes. In Wirklichkeit existieren sie nicht, deshalb kann ich sie jetzt loslassen." Bringen Sie sich erst dann wieder in die tatsächliche Situation ein, wenn Sie entspannt sind. Sie haben jetzt genug Gelassenheit, überlegt zu handeln und dabei eine souveräne Haltung zu bewahren.

In manchen Situationen ist ein wirklicher Rückzug nicht möglich. Entwickeln Sie deshalb einen imaginären Ort in Ihrem Geiste, an dem sie ruhig sitzen und tief durchatmen können. Stellen Sie sich dabei vielleicht vor, daß Sie sich neben einem kühlen See am Waldrand oder auf einer Bergspitze befinden – je nachdem, welches Bild Ihnen als privater Rückzugsort angenehm ist. Mit der Zeit werden Sie sich an diesem Ort heimisch fühlen, und es wird Ihnen leichtfallen, ihn in Ihrer Vorstellung aufzusuchen.

Die Übung Shitali-Pranayama

Die folgende Atemübung kühlt und entgiftet den gesamten Organismus. Sie ist hilfreich, wenn Sie eine „hitzige" Situation erwarten oder gerade überstanden haben. Auch bei übermäßiger Hitze im Gesicht, besonders bei Brennen in den Augen und im Mund, kann sie angewendet werden.

Stellen Sie sich mit geradem Rücken und gegrätschten durchgestreckten Beinen hin. Beugen Sie Ihren Oberkörper vor und legen Sie die Hände bei ausgestreckten Armen auf Ihre Oberschenkel. Der Kopf zeigt leicht nach oben.

Schließen Sie den Mund zu einer kleinen runden Öffnung, formen Sie Ihre Zunge zu einer Röhre. Die Zungenspitze liegt auf der Unterlippe.

Einatmen: Atmen Sie langsam ein wie durch ein Rohr. Spüren Sie die kühlende Wirkung der Luft auf der Zunge und im gesamten Mundraum. Saugen Sie die Kühle bis in den Bauchraum hinab, wo sie sich ausbreiten kann.

Ausatmen: Strecken Sie bei offenem Mund Ihre Zunge weit heraus, und atmen Sie mit einem kräftigen Stoß die warme Luft aus. Am Ende pumpen Sie mit dem Zwerchfell nach, bis alle Luft und Hitze aus dem Körper entfernt sind.

Atmen Sie mehrmals normal ein und aus, und beginnen Sie dann von vorne.

Die Behandlung der Marma-Punkte

Tatkraft in Mitgefühl und Erkenntnis

Die beiden Marma-Punkte, denen Sie Ihre besondere Aufmerksamkeit schenken sollten, liegen in der Nähe des Herzens und am Nabel. *Hridaya* birgt das Große Geheimnis von Liebe und Mitgefühl. *Nabhi* ist jener Bereich, wo extreme Kräfte von Feuer und Eis aufeinanderprallen, wo sich Werden und Vergehen manifestieren. Auf körperlicher Ebene liegt um den Nabelbereich das Zentrum von Pitta, wo der Verdauungsprozeß stattfindet. Deshalb wird diese Übung täglich vor dem Mittagessen empfohlen. In diesen wenigen Minuten kann eine Geste der Ruhe – vielleicht in der Form eines Tischgebetes – zur Einstimmung auf die Mahlzeit dienen.

Auf geistiger Ebene liegt für den Pitta-Typ im freien Energiefluß zwischen den Aspekten von Liebe und Transformation eine besondere Botschaft, nämlich: daß all seinem Schaffen eine Haltung von Liebe und Mitgefühl zugrunde liegen möge. Beginnen Sie die Übung zur Stärkung von mitfühlender Tatkraft damit, daß Sie beide Hände nebeneinander auf Hridaya legen. Atmen Sie ruhig und tief fünfmal ein und aus und nehmen Kontakt zu Ihrer Herzensebene auf. Lassen Sie eine Hand dort liegen, während die andere Hand nun zu Nabhi hinabwandert und dort fünf Atemzüge ruhen bleibt. Nun führen Sie die wandernde Hand wieder zu Hridaya zurück und lassen beide Hände noch einen Moment dort liegen.

Körperpflege

Durch ihren aktiven Stoffwechsel setzt die Pitta-Konstitution naturgemäß viel Energie um und schwitzt daher schnell. Besonders im Sommer sollte der Körper frisch und kühl bleiben. Kühlende Duschen, auch mehrmals täglich, bringen die Körpertemperatur immer wieder nach unten. Bei Gelegenheit springt der Pitta-Typ zur Erfrischung kurz in ein Schwimmbecken. Falls dies nicht möglich ist, empfiehlt es sich, die Füße zwischendurch unter kaltes Wasser zu halten; auch ein Fußbad mit ein paar Tropfen ätheri-

165

schem Sandelholzöl ist kühlend. Eine ebenso entspannende Wirkung hat es, das Gesicht mit frischem Wasser zu besprühen. Leichte Ölmassagen mit kühlenden Kokosöl beruhigen ein irritiertes Pitta-Dosha. Massagen sind regelmäßig und während des ganzen Jahres empfehlenswert. Vermutlich wird die Pitta-Konstitution eine Weile suchen, bis sie einen kompetenten Masseur ihres Vertrauens gefunden hat. Nun aber darf sie sich fallen lassen (möglichst ohne all seine Handgriffe zu kontrollieren!). Besondere Aufmerksamkeit bei der Massage gilt dem Kopfbereich, denn dort haben sich die meisten Verspannungen manifestiert. Zu Hause kann täglich eine Selbstmassage für den Kopf durchgeführt werden (siehe dazu das Kapitel „Anleitungen zur Selbstbehandlung", Seite 103 f.).

Eine wunderbare Beruhigung und zugleich Hilfe zum Einschlafen ist eine regelmäßige Selbstmassage an Händen, Füßen und Bauch. Sie wird abends vor dem Zubettgehen je nach Situation mit Sesamöl oder Kokosöl durchgeführt und reguliert Pitta und Vata.

Pitta im Beruf

Für den Pitta-Energietyp bedeutet Beruf Berufung und zugleich Lebensaufgabe. Daher ist es fast egal, was er anpackt: Sein naturgegebener Ehrgeiz und scharfer Geist verhelfen ihm zum Erfolg. Höchstwahrscheinlich arbeitet er in einer Branche, die Status und ein gutes Einkommen sichert, denn nach diesen Aspekten hat sich eine Pitta-Natur vermutlich schon ihren Ausbildungsplatz ausgesucht. Ingenieure, Anwälte, Architekten, Ärzte, auch Politiker sind geborene Pitta-Naturen. Besonders auch in wissenschaftlichen Berufen, in Forschung und Entwicklung gelangen ihre Qualitäten zu bestem Einsatz.

Mit charismatischer Überzeugungskraft ausgestattet, wird ein Pitta-Energietyp ebenso im Verkauf und in der Organisation erfolgreich sein. Auf welchem Platz er auch immer steht, seine Wesensnatur macht ihn hauptsächlich zum Kopfarbeiter. Sein Arbeitsplatz sollte unbedingt kühl und gut belüftet sein, sich weder neben der Heizung befinden noch direkter Sonne ausgesetzt sein.

Durch seine natürliche Autorität steigt er vermutlich in die Führungsetage auf, sofern er nicht ohnehin als Selbständiger arbeitet und sich einen eigenen Betrieb aufgebaut hat.

Partnerschaft und Familie

Durch seinen turbulenten Lebensstil kommt der Pitta-Typ mit vielen Menschen zusammen, so daß er vielleicht überhaupt kein Bedürfnis nach engen Freundschaften hat und der lockere Austausch mit Kollegen im Beruf und beim Sport ihm genügt. Dabei entspannt gerade diese Wesensnatur der Umgang mit Menschen, bei denen nicht Wettbewerb und Leistung im Vordergrund stehen.

In ihrer Partnerschaft kann eine Pitta-Natur Frieden und Ruhe finden – vorausgesetzt, sie bringt ihrem Partner genug Vertrauen entgegen, um sich fallen zu lassen. Es fällt ihr zwar schwer, ehrliche Gefühle zu zeigen, doch sucht sie im Grunde ihres Herzens einen Menschen, bei dem sie schwach und verletzlich sein kann, ihre Sehnsüchte aussprechen darf – unter der harten Schale verbirgt sich meistens ein weicher Kern.

Dennoch will ein Pitta-Energietyp auch in seiner Partnerschaft die Führung übernehmen. Haben beide Partner hohe Pitta-Anteile, werden sich nach der ersten Faszination bald gnadenlose Machtkämpfe entwickeln, bei denen beide Sieger sein wollen. Sie werden einander in ihrem Ehrgeiz übertrumpfen, sich gegenseitig nach oben puschen und dadurch auf lange Sicht aufreiben.

Ist der andere allerdings bereit sich unterzuordnen, wird er in seinem Pitta-Partner eine wundervolle Ergänzung finden, die alles tut, ihn nach Strich und Faden zu verwöhnen. Er wird ihr ein Leben in Luxus und Wohlstand ermöglichen, und sie wird an seiner Seite repräsentieren und aufblühen. Mit einem Pitta-Typ zu leben gibt Sicherheit, und da er mitten im Leben steht, werden praktische Angelegenheiten schnell und effizient erledigt.

Gerne sucht der Pitta-Typ den energetischen Ausgleich in einer Vata-Natur. Diese wird ihm viel Feingefühl entgegenbringen und seine verborgene Verletzlichkeit erkennen. Durch ihre Lebendigkeit und Lebenslust trägt sie viel zur Entspannung vom harten, häufig verbissenen Alltag bei. Allerdings braucht der Schmetterling viele Freiräume; er wird sich nicht kontrollieren oder einengen lassen, was für den Pitta-Typ eine schwierige Übung ist. Kontrollverlust empfindet er schnell als persönlichen Angriff, auf den er mit Intoleranz und Eifersucht reagieren wird. Langfristig wird ein Partner mit zu hohem Vata ihn durch seinen Mangel an Disziplin ohnehin nerven, und er findet in dieser „windigen" Natur nicht genug Substanz zur Reibung.

Ein Kapha-Typ gibt der Pitta-Natur viel Erdung und Stabilität. Dieser Partner sorgt für ein gemütliches Zuhause und bietet ihr eine solide Grundlage für ihre Aktivitäten. Da eine Pitta-Natur aber leicht den Respekt und die Geduld mit Menschen verliert, die nicht ihre schnelle Gangart, ihre scharfe Beobachtung und klare Entscheidungskraft haben, wird sie auch einen Partner vom Kapha-Typ zu sehr kritisieren.

Ihr ideales Pendant braucht deshalb unbedingt eine gute Portion Feuer, um ihr Paroli zu bieten, wenn ihr dominantes Verhalten überhand nimmt. Das Feuer des Partners kann gemischt sein mit Vata oder Kapha. Ein Vata-Pitta-Typ könnte sensibel genug sein, ihre empfindsamen Seiten, aber auch ihre Marotten zu erkennen, besitzt jedoch selbst ausreichend Power, ihr das Wasser zu reichen.

Die besondere energetische Verbindung in einem Pitta-Kapha-Typ liegt darin, daß er die Kraft hat, sich mit dem Pitta-Typ zu messen, und zugleich genug Gelassenheit besitzt, ihn in seinen Aktivitäten zu unterstützen. Beide haben guten Geschäftssinn und werden beruflich effektiv zusammenarbeiten. Was allerdings fehlt, ist die sensible Seite ihres Umgangs miteinander.

Sexualität ist für die Pitta-Natur ein wichtiger Aspekt im Leben. Ein mittleres Maß an Sex reguliert ihre Hitze und wird daher empfohlen. Zuviel Sex aber ist zu vermeiden, da ihre Energie im Wurzelchakra schnell ausbrennt, was eine Schwächung des Immunsystems zur Folge hat.

Seinem Kind bringt der Pitta-Typ ganz viel Herzenswärme entgegen, und mit seinem Hang zu Perfektion deckt er auch gewissenhaft all seine Bedürfnisse ab. Was dem Kind vielleicht fehlt, ist genügend Raum, seine eigenen Gefühle auszudrücken, da es sich von der Energie eines Vulkans regelrecht überrollt fühlen mag. Für eine Pitta-Natur empfiehlt sich daher viel Feingefühl, um die Zartheit einer jungen Seele zu erkennen und das Kind nicht durch das eigene autoritäre Naturell zu dominieren.

Kinder vom Pitta-Energietyp fordern viel Aufmerksamkeit und Beachtung. Sie brauchen möglichst viel Trubel um sich. Falls dies nicht gegeben ist, wollen sie ständige aktive Beschäftigung. Ihren Bedürfnissen geben sie lautstark Ausdruck. Sie brauchen weniger Schlaf als Kinder anderer Wesensnaturen.

Freizeit und Sport

Die brodelnden Energien der Pitta-Natur suchen Ventile! Es ist daher ideal, wenn sie ihre emotionale Anspannung durch sportliche Betätigung harmonisiert. Selbst in seiner Freizeit neigt dieser Feuer-Typ zu Ehrgeiz und Kampfgeist. Er nimmt gerne Herausforderungen an und mißt sich in einem Match mit anderen. Das ist in Ordnung, solange das Spiel Spaß macht und er sich nicht unter Konkurrenzdruck fühlt. Sollte er aber ein Gefühl von Aggression gegen seinen Spielpartner entwickeln, wird das Match besser beendet. Sport soll Freude und Harmonie bringen, was nur mit einem entspannten Geist möglich ist.

Das geeignete Sportprogramm ist im Idealfall mittelschwer. Eine Pitta-Konstitution darf sich körperlich also ruhig fordern; trotzdem sollte das Pensum immer unter dem Niveau bleiben, das mit größtem Kraftaufwand erreichbar ist. Hier im Westen streben wir durch sportliche Betätigung einen muskulösen durchtrainierten Körper an. Ayurveda dagegen erachtet Geschmeidigkeit und Beweglichkeit als wichtiger, da diese Eigenschaften Gesundheit und ein langes Leben fördern. Daher sollten die Bewegungen möglichst gleichmäßig und harmonisierend ausgeführt werden. Ideale Pitta-Sportarten sind Schwimmen in einem kühlen Gewässer, Joggen, Radfahren sowie Bergwandern. Besonderes Vergnügen findet dieser Energietyp auch an allen Varianten von Wintersport. Ohnehin sollte er sich möglichst nur dann im Freien aufhalten, wenn es kühl ist, im Sommer also am frühen Morgen und am Abend. Der Pitta-Typ kann seine Feuer-Energie auch besonders gut durch Kunst und Kreativität harmonisieren. Seine Empfindsamkeit wird durch Arbeit mit den Händen gefördert. Vielleicht schnitzt er Holz oder modelliert in Ton.

Pitta im Urlaub

Der Sommerurlaub im Süden ist für die Pitta-Konstitution naturgemäß tabu. Drückend heiße Temperaturen dürften sie so erschöpfen und mißmutig machen, daß die Reise zum Fiasko wird. Viel wohler fühlt sie sich in kühleren Gegenden, wie Skandinavien, Irland, Kanada oder in den Bergen. Der Aufenthalt in der Natur

in Verbindung mit mittelschweren Wanderungen ist der für sie
erholsamste Urlaub. Auch an einem Fluß oder – sofern es nicht
heiß ist – am Meer beruhigen sich Pitta-Naturen. Falls sie Städte
besichtigen möchten, empfehlen sich zwischendurch Aufenthalte
in den Parkanlagen: Die Blumen und Bäume dort unterstützen
die Entspannung und regen die Sinnlichkeit an.

Das Zuhause

Kühle und Entspannung sucht die Pitta-Natur auch in ihren privaten Räumen. Die Wohnung sollte keine ausgedehnten Fenster-
fronten haben, um nicht allzuviel Hitze und Sonne in die Zimmer
zu bekommen. Ein eher nüchternes Ambiente ist ideal, scharfe
Ecken und Winkel sind aber zu meiden. Weiche und runde Formen empfindet eine Pitta-Natur als angenehmer. Mit Farben sollte sie möglichst sparsam umgehen. Wände in Weiß oder in sanften Pastelltönen beruhigen am besten.

Als ordentlicher Mensch hält der Pitta-Typ seine Wohnung ge-
pflegt und sorgfältig aufgeräumt. Die Gegenstände liegen an ihrem
Platz, Schallplatten und Bücher sind bestens sortiert. Vielleicht ge-
steht er sich ein Kuschelsofa zu mit vielen Kissen, was zwar ein wenig aus diesem Rahmen fällt, aber seine Weichheit fördern kann.
Um Erdverbundenheit herzustellen, eignen sich viele Pflanzen, ein
Aquarium oder – falls ein Garten vorhanden ist – ein Teich.

Die Kleidung

Die Pitta-Natur wird überwiegend leichte Sachen in ihrem Klei-
derschrank haben. Selbst im Winter, wenn andere dicke Pullover
tragen, kommt sie noch gut mit einer Bluse zurecht. Optimal ist
Kleidung aus Naturmaterialien, wie Seide und leichte Baumwolle,
da sie viel schwitzt. Beruhigend und kühlend sollten die Farben
wirken und daher möglichst neutral sein. Wahrscheinlich bevorzugt sie ohnehin schlichte Kleidung und Klassisches. Blau- und
Grüntöne sind geeignet für sie, außerdem Grau und hin und wieder Pastelltöne. Maßvoll eingesetzt, wirken blumige und liebliche
Akzente beschwingend. Heiße und stimulierende Farben, wie Gelb,
Orange und Rot, sollte der Pitta-Typ aber möglichst vermeiden.

Kapha – der See

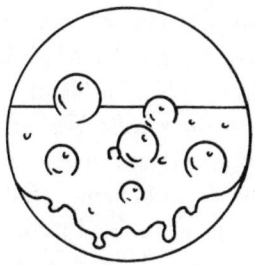

Der Kapha-Energietyp entspricht der Wesensnatur des Sees, der im Schatten an einem Waldrand liegt. Unbehelligt von Turbulenzen und dem Wandel der Zeiten kann ihn kaum etwas aus seiner friedvollen Stille holen. Der See ist ein freundlicher Ort, den andere gerne besuchen, denn in seiner natürlichen Kraft stärkt er und bringt inneren Frieden.

Kapha im Zustand der Harmonie

Mit seinen Elementen Wasser und Erde verkörpert Kapha feste Materie. Erst seine Substanz verleiht dem Körper seine Struktur und große Kraft, dem Geist Beständigkeit und Stabilität. Aus dem Wasser entsteht alles Leben, hier liegt der Ursprung jeglichen Seins. Daher bildet Kapha die Grundlage für Aufbau und Wachstum. Wenn auch die Kapha-Natur äußerlich unbeweglich wirken mag, so täuscht das. Ihre wäßrigen Anteile befinden sich in ständiger Bewegung, damit Energie überhaupt fließen kann. So vollzieht sich das Wesentliche auf der inneren, für das Auge unsichtbaren Ebene.

171

Die körperlichen Anlagen des Kapha-Energietyps

Mit ihrem stattlichen und wohlproportionierten Körper strahlt die Kapha-Konstitution natürliche Gesundheit und Stärke aus. Sie ist untersetzt, der Brustkorb kräftig mit breiten Schultern. Kompakt und kräftig ist das gesamte Knochengerüst mit den Muskeln und Gelenken.

Schon optisch drückt eine Kapha-Natur Sinnlichkeit aus. In ihrer Fülle erinnert sie an die Große Urmutter mit jener weichen Körperlichkeit, den üppigen Rundungen und entspannten Bewegungen. Obwohl schwer und behäbig, strahlt sie eine natürliche Anmut aus und stellt eine attraktive Erscheinung dar.

Wie die Statur, wirkt auch das rundliche Gesicht durch seine Ebenmäßigkeit sympathisch. Sie hat lange Wimpern, große dunkle, eventuell leicht hervortretende Augen von sanftem Ausdruck und füllige Lippen. Vielleicht erscheint sie dadurch etwas exotisch.

Haare, Haut und Nägel sind dicht, fest und ölig, buschig die Augenbrauen, kräftig und regelmäßig die Zähne. Dieser Harmonie entspricht auch ihre tiefe melodiöse Stimme mit der klaren langsamen Sprechweise.

Bei der Kapha-Konstitution bestimmen Schwere und Trägheit alle Vorgänge, auch die Verdauung. Ihr Verdauungsfeuer brennt auf kleiner konstanter Flamme. Somit wird die Nahrung zwar langsam, aber vollständig verdaut, und die Nährstoffe werden optimal absorbiert. Auch wenn sie nur wenig ißt, nimmt sie deshalb leicht zu, und es bereitet ihr große Probleme, dieses Übergewicht wieder abzubauen, da der gesamte Stoffwechsel langsam ist.

Der Schlaf ist tief, schwer und mit über acht Stunden zu lange. Aber selbst dann überhört sie vielleicht den Wecker am Morgen. Endlich wach, braucht sie zuerst einen Kaffee, um den Schleier vor ihren Augen zu klären. Ihrer Wesensnatur entsprechend, folgt der ganze Energiefluß dem Prinzip der Trägheit: Morgens kommt sie langsam hoch, aber ist sie erst einmal in Bewegung, hält sie bis spät abends durch. Dank diesem konstanten Energiepegel ist ihre Kraft und Ausdauer von allen Doshas letztlich die größte.

172 Aufgrund der Kühle ist die Körpertemperatur niedrig, Durst und Schweiß sind gering.

Bei der Kapha-Natur ist hauptsächlich der Parasympathikus aktiv, also jener Teil des Nervensystems, der für ein robustes Nervenkostüm, gleichmäßigen Herzschlag und langsamen Stoffwechsel sorgt. In diesem Zustand der Entspannung sind sämtliche Verdauungsorgane voller Energie und können optimal arbeiten.

Die geistigen Anlagen des Kapha-Energietyps

„In der Ruhe liegt die Kraft" lautet das Motto des harmonischen Kapha-Typs. Er ist wie der See so beständig, daß die Stürme des Alltags ihn kaum anrühren. Vielleicht kräuseln sich oberflächlich kleine Wellen, wirklich anhaben aber kann ihm nur wenig.

Ganz in Harmonie mit seinem Leben, braucht er den Trubel der großen weiten Welt draußen nicht. Weiß er doch, daß tiefe Zufriedenheit und beständiges Glück in ihm selbst liegen und daß es im außen nichts zu erreichen gibt, da alles bereits in ihm vorhanden ist.

Gewiß hatte auch jener Yogi eine Kapha-Natur, von dem es heißt, daß er seit vielen Jahren rundum zufrieden in seiner einsamen Höhlenklause im Himalaya saß und den Dingen ihren Lauf lassen konnte. Eines Tages erhielt er Besuch von einer Dame aus London. Nach einem langen Gespräch war die Dame zutiefst beeindruckt von der Ausstrahlung dieses Yogi, so daß sie ihn zum Abschied nach London einlud. Worauf der Yogi lächelnd abwinkte: „Vielen Dank, Madam, aber auch hier in dieser Klause ist London …"

Das Geheimnis seiner besonderen Ausgeglichenheit liegt in seinem von Natur aus starken Nervenkostüm und jener kompakten und daher relativ undurchlässigen Aura, die ihn umgibt und die Angriffe oder Unangenehmes von seiner Person abschottet. Durch diesen natürlichen Schutz weitgehend unberührt von den alltäglichen Turbulenzen, ruht er in seiner Mitte und kann effektiv mit seinen Energien haushalten. Er tut nicht mehr, als getan werden muß, denn ganz mit der Kraft der Natur verbunden, weiß er, daß jedes Ding seine Zeit zum Reifen braucht. So läßt er in aller Ruhe den Ereignissen ihren Lauf, legt lieber die Füße hoch und blinzelt entspannt in die Sonne. Viele Dinge erledigen sich so von selbst. Mit dieser Gelassenheit im Herzen ist er längst nicht so angreifbar wie Vata oder so spannungsgeladen wie Pitta. Im Grunde genommen lebt Kapha den Traum der meisten Menschen: totale Gelassenheit im Hier und Jetzt.

173

Daher wird ein Kapha-Energietyp kaum aus eigener Initiative ein Projekt auf die Beine stellen, soviel Dynamik liegt nicht in seinem Naturell. Lieber wartet er, was von außen auf ihn zukommt. Ohnehin wenig entflammbar, brauchen andere Engelszungen und viel Überzeugungskraft, um eine Kapha-Natur aus ihrem Sessel zu locken. Wenn sie allerdings ihre Unterstützung einmal zusagt, kann man voll und ganz auf sie vertrauen. Zuverlässig wird sie ihre Aufgabe mit aller Tatkraft, viel Gelassenheit und Hingabe erfüllen. Was sie in ihre Hände nimmt, wird immer gründlich und perfekt gelingen.

Hat sie ein Ziel ins Auge gefaßt, verfolgt sie dieses mit viel Geduld und Ausdauer, bis zu seinem erfolgreichen Abschluß. Vielleicht gelingt ihr dies auch deshalb, weil sie immer den sichersten Weg wählt, Risiken dagegen überhaupt nicht schätzt. Als geborene Realistin wägt sie gewissenhaft alle Kriterien ab und überprüft die Dinge genau auf ihre praktische Machbarkeit. Spontane Impulse finden keinen Platz, da Leidenschaften ohnehin nicht in ihrer Welt liegen. Besonders originell und kreativ gedeiht ihr Schaffen damit zwar nicht, doch ist jedes Detail linear, konsequent und solide durchdacht, und das ganze Projekt hat Hand und Fuß.

Große Auftritte liegen dem Kapha-Typ ebensowenig wie große Worte, weshalb er lieber hinter den Kulissen arbeitet. Als Mitglied eines Vereins könnte er beispielsweise den Posten des Kassenwartes bekleiden, und gewiß stimmen die Bilanzen dann auf den Pfennig. Beim alljährlichen Vereinsfest wird er mit der Organisation für den Ablauf und die Besorgung von Speisen und Getränken betraut.

Es ist ein friedvolles Bild, das der See auf dieser Erde malt: Mit seinem gehaltvollen Wasser versorgt er die umliegenden Felder mit Nährstoffen und unterstützt ihr Wachstum. Die Tiere kommen an sein Ufer zum Trinken. Da er aus offenbar immensen Reserven schöpfen kann, wird er nie leer. Ohne aktives Zutun übt der See eine magische Anziehung aus, und genauso verhält es sich auch mit der Wesensnatur von Kapha. Andere fühlen sich bei ihr gut aufgehoben, denn menschliche Qualitäten der Friedfertigkeit, Sanftmut und Güte sind ihre großen Stärken. Wie Wasser nicht allzu oft über seine Ufer tritt, verliert auch der Kapha-Typ nicht leicht seine Fassung. Nur selten wird er zornig, auch wenn nicht einmal nicht alles nach seinen Wünschen geht.

Die besondere Aufmerksamkeit der Kapha-Natur gilt ihren guten Freunden, die eine wichtige Rolle in ihrem Leben spielen. Ebenso wie sich Beständigkeit bei ihr durch alle Lebensbereiche zieht, kennt sie diese wenigen, aber ihr nahestehenden Menschen schon seit ihrer Jugend und geht nun loyal mit ihnen durch dick und dünn. Deshalb ist eine solche Wesensnatur ein wahrer Freund in der Not. Ohne viel Aufhebens ist sie selbstverständlich zur Stelle, wann immer sie gebraucht wird. So drückt sie ihre Zuneigung weniger durch sentimentale Gefühle oder Worte aus, sondern eher durch bodenständige Qualitäten wie Treue und Hilfsbereitschaft. Eine Kapha-Freundin darf man nachts um elf Uhr vom Straßenrand aus anrufen, wenn auf dem Heimweg das Benzin ausgegangen ist. Ebenso ist sie als Praktikerin behilflich beim Zusammenschrauben der neuen Kommode.

Gerade auch in seelischen Nöten ist eine Kapha-Wesensnatur eine geduldige und aufmerksame Zuhörerin, die allerdings weniger mit intellektuellem Feinsinn, sondern eher wie Mutter Natur auf ihre warmherzige und emotional gesunde Art Trost zu spenden vermag. Ohne Dinge komplizierter als nötig zu machen, erschafft sie auf diese Weise in ihrem Umfeld eine heitere und freundliche Atmosphäre.

Eng verbunden mit Land und Kultur, ist dies eine konservative Wesensnatur. Entspannende Abende mit ihrer Familie und Freunden bei einem guten Essen und gelöster Unterhaltung sind für sie das Salz des Lebens. Feste werden nach alter Tradition gefeiert, wobei sie zu solchen Gelegenheiten ihre Gäste fürstlich und mit großem Aufwand bekocht. Völlig zufrieden mit diesem Leben, erweckt jede anstehende Veränderung ihr Mißtrauen. Spontan nimmt sie eine Abwehrhaltung gegen alles Fremde und Neue ein.

Wie Erde aus fester Materie besteht, ist auch die Kapha-Wesensnatur eng mit dem Materiellen verbunden. Bestens vertraut mit wirtschaftlichen Angelegenheiten, weiß sie genau, in welchen Geschäften sie gute Qualität zu günstigen Preisen bekommt. Als exzellente Sparerin hält sie in der Familie das Geld zusammen und verwaltet die Finanzen. Selbst leistet sie sich wenig, nur der Kühlschrank muß stets gut gefüllt sein. Mit einer gesicherten beruflichen Position hat sie einen beachtlichen Wohlstand aufgebaut und gewiß keine Schulden auf dem Konto.

175

Wie stille Wasser tief gründen, ist auch sie tief in ihren Gefühlen: Eine Kapha-Natur denkt viel nach, um alle neuen Eindrücke und Erfahrungen zu verarbeiten. Von eher langsamer Wesensart, sinken diese nur zögernd zu Boden; doch sind sie endlich am Grunde angelangt, bleibt ihr Wissen dort für alle Zeiten wohlbehütet und verwahrt. Selbst lange zurückliegende Ereignisse sind in ihr exzellentes Gedächtnis eingegraben, und bei Bedarf kann sie diese präzise und detailgenau wiedergeben. Kapha verzeiht zwar Menschen, die sie einmal verletzt haben, aber vergessen wird sie nie.

Der Einfluß von Wasser verleiht ihr Weichheit, um sich Situationen geschmeidig anzugleichen. Diese Fähigkeit der Anpassung, zusammen mit unendlicher Geduld, läßt die Kapha-Natur Krisen überstehen, die Wesensnaturen wie Vata und Pitta längst aus der Bahn geworfen hätten. Was niemand mehr geglaubt hätte, geschieht letzten Endes doch: Kapha erreicht ziemlich mühelos und ohne großen Aufwand praktisch alle ihre Ziele.

Obwohl Ayurveda stets betont, daß keine Wesensnatur besser oder schlechter ist als die andere, gilt in Indien Kapha als die erfolgversprechendste Energie. Sie steht für Wohlstand, körperliche und geistige Gesundheit, also alles, was ein Mensch sich nur wünschen kann.

Kapha erhöhende Faktoren

Im Biorhythmus des Lebens bestimmt Kapha die ersten 15 Lebensjahre. Zur Anschauung kann man sich gut ein rundes, dralles Baby oder Kleinkind vorstellen, das ganz und gar vom Prinzip Wachstum durchdrungen ist.

Im Ablauf der Jahreszeiten gelten die Monate Februar bis Mai als Kapha-Zeit. Es sind jene oft naßkalten Monate, wenn Feuchtigkeit und Kälte den Körper klamm macht. In unseren Breiten kann auch der späte Herbst, also die Monate Oktober und November, stark vom Kapha-Prinzip bestimmt sein.

Der Tagesrhythmus wird zwischen 6 und 10 Uhr morgens bzw. 18 und 22 Uhr abends von der Kapha-Energie dominiert. Gegen 8 Uhr morgens bzw. 20 Uhr abends liegt die jeweiligen Spitzenzeit. Die Besonderheit besteht aber darin, daß eine Kapha-Konstitution größere Schwierigkeiten mit dem Aufstehen hat, wenn sie morgens in die Kapha-Zeit hineinschläft. Je länger sie im Bett bleibt, um so mehr Kapha sammelt sich an und desto müder wird sie.

Grundsätzlich wird Kapha durch jede Variante von Nichtstun erhöht. Besonders das Schläfchen nach dem Mittagessen kann so stark dämpfen, daß eine Kapha-Natur danach nur schwer wieder in Bewegung kommt. Ebenso Kapha steigernd sind alle andere Varianten von Trägheit. Dazu gehört ständiges Sitzen ebenso wie geistige Bequemlichkeit.

Auch ein Mensch, der übermäßig viel Energie aufwendet, um Sicherheiten aufzubauen, der nur hortet und spart, erhöht damit zugleich die Kapha-Energie.

Was die Nahrung betrifft, wirken fettige, schwere, kalte und süße Lebensmittel steigernd auf das Kapha-Dosha. Da Kapha in der Lunge lokalisiert ist und der Brustraum für diesen Typus ohnehin als sensibler Bereich gilt, erhöht sich Kapha auch durch Rauchen.

Kapha im Zustand der Verwirrung

Wenn sich der See nicht im Zustand der Harmonie befindet, gerät er weniger in Verwirrung (wie Vata und Pitta) als in einen Zustand der Trübung oder Verdunkelung. Um beim Bild zu bleiben:

Jedes Gewässer braucht ein gewisses Maß an Erneuerung. Frisches Wasser muß einfließen bzw. es müssen Prozesse der Reinigung und Umwälzung stattfinden, damit der See sein gesundes Milieu behält. Findet dieser Klärungsvorgang jedoch nicht regelmäßig statt, verschlammt der See. Das passiert ganz langsam und anfangs fast unbemerkt. Regt sich obendrein kein Lüftchen, das den See in Bewegung bringt, belebt ihn keine Wärme, wird er immer schwerer. Im Laufe der Zeit blockieren auch alle Kanäle, so daß kein Abfluß mehr möglich ist. Zugleich türmt sich immer mehr Substanz auf, bis er übervoll ist und sich selbst erstickt. Ganz trübe ist der See nun, Schwere liegt über ihm, und nichts kann sich mehr regen. Wasser, das keine Wärme (Pitta) und Lebensenergie (Vata) enthält, ist jedoch lebensfeindlich.

177

Körperliche Herausforderungen für den Kapha-Energietyp

Kapha sitzt hauptsächlich in den Geweben der oberen Körperhälfte. Gerade in diesem Bereich gibt es viele Hohlräume, in denen sich übermäßig viel Schleim ansammeln kann. Bleibt durch überhöhtes Kapha nun zuviel Wasser im Körper zurück, werden die Gewebe feucht und schwer. Daher entwickeln sich besonders in der Region von Magen, Lunge, den Atemwegen, dem Brustraum und dem Kopf mit den Nebenhöhlen gesundheitliche Probleme.

Erkältung und Schnupfen ist die typische und am weitesten verbreitete Störung von einem überhöhtem Kapha-Dosha. Besonders in den naßkalten Wintermonaten, und noch einmal besonders heftig beim Übergang zum Frühling, plagt sie als typische Frühjahrserkältung. Doch selbst wenn jetzt noch ein grippaler Infekt dazu kommt, entwickelt die Kapha-Konstitution wegen ihres kalten Naturells kaum Fieber, höchstens erhöhte Temperatur.

Überhaupt hat sie ständig mit Erkrankungen der Atemwege zu tun. Ihr Dauerthema sind Husten mit viel schleimigem Auswurf, Probleme mit den Nebenhöhlen und, wenn es schlimm kommt, Bronchitis und Asthma. Heuschnupfen trifft sie besonders in der Zeit zwischen dem Frühling und Frühsommer. Generell entwickeln sich alle körperlichen und geistigen Probleme, die mit Schwere im Zusammenhang stehen, durch ein Übermaß an Kapha: Selbst ein ausgiebiger Schlaf kann nicht mehr erfrischen, wenn das Kapha-Dosha überhöht ist. Mit Gliedern schwer wie Blei und immer schlapp, würde eine Kapha-Natur am liebsten den ganzen Tag im Bett bleiben. Kommt es im Frühling zu dieser ständigen Müdigkeit, dann handelt es sich um die berühmte Frühjahrsmüdigkeit.

Mit Schwere hat auch die Verdauung der Kapha-Konstitution immer wieder zu kämpfen. Reduziert sich das Verdauungsfeuer, zeigen Leber und Galle weniger Aktivität, der gesamte Stoffwechsel verlangsamt sich. Steine in den Nieren, in der Blase und Galle können sich entwickeln, und es kommt zur Unterfunktion der Schilddrüse. Selbst geringe Mengen an Essen kann die Kapha-Konstitution jetzt nicht mehr richtig verdauen, die unverdauten Nahrungsreste setzen sich als Schlacken ab. Eine Folge davon ist Appetitverlust bei gleichzeitiger Gewichtszunahme.

Übergewicht ist ein Problem sehr vieler Menschen mit einer Kapha-Konstitution. Gleichzeitig ist sie die Ursache für eine Reihe von anderen Krankheiten, wie hoher Cholesterinspiegel, Bluthochdruck, Gicht und Diabetes, deren dramatische Folgen Schlaganfall und Herzinfarkt sein können. Für diese Konstitution ist daher die Stärkung ihres Agni und eine Gewichtsregulierung ganz wichtig. Durch Einlagerung von Wasser im Gewebe entwickeln sich Ödeme. Das Bindegewebe wird schwach, und der Körper wirkt aufgedunsen. Häufig entwickelt Kapha Geschwüre, die jedoch meist gutartig sind.

Generell läßt sich sagen, daß ein Körper, der so stark mit sich selbst beschäftigt ist, seinen Blick nach außen verliert. Angriffe von Krankheitserregern kann er kaum noch abwehren. Das bei dieser Konstitution an sich gute Immunsystem wird immer schwächer, und allmählich verliert er, obwohl äußerlich voluminös, auch seine Kraft.

Wie insgesamt alles bei dieser Wesensnatur langsam vonstatten geht, entwickelt sie auch ihre Krankheiten langsam. Das ist insofern kritisch, als ein Übermaß an Kapha schon länger besteht und entsprechend tief in die Gewebe eingesunken ist, bevor eine Krankheit sich offensichtlich zeigt. Zu diesem Zeitpunkt ist eine Harmonisierung dann bereits schwierig. Erstens wird das Kapha-Dosha vom Prinzip der Trägheit bestimmt und ist deshalb schwer regulierbar. Zweitens ist die Kapha-Konstitution von Natur aus robust und steckt ihre Schmerzen noch stoisch weg, wenn andere längst lautstark leiden. Allerdings tut sie sich keinen Gefallen damit, wenn sie an diesem Punkt Stärke demonstrieren will.

Vorschläge zur Selbstbehandlung

Bei Erkältungen: Generell empfiehlt sich, viel heißes Wasser zu trinken, das Giftstoffe entfernt und das Gewebe entschlackt. Das beste Mittel bei Erkältungen ist Ingwer. – Dampfbad: reinigt die Nebenhöhlen. 2 Teelöffel frisch geriebenen oder getrockneten Ingwer in 1 Liter Wasser kochen. Handtuch über den Kopf und den heißen Dampf inhalieren. Oder: 5 Tropfen Eukalyptusöl auf 1 Tasse Wasser. – 200 Gramm schwarze Sesamsamen in einer Pfanne trokken anrösten, 100 Gramm Jaggery dazugeben, mit 50 Gramm getrocknetem Ingwerpulver vermischen. Dreimal täglich 1 Teelöffel davon einnehmen. – Um die Nebenhöhlen offenzuhalten, wird 1 Teelöffel Salz in 1 Tasse warmes Wasser aufgelöst. Zwischendurch sanft in die Nase hochziehen, eventuell eine Pipette dafür verwenden. – Höchst effektiv, um eine verstopfte Nase frei zu machen: Einige Tropfen frisch ausgepreßten Knoblauchsaft eventuell mit Hilfe einer Pipette in die Nase hochziehen, den Kopf einige Minuten nach hinten halten. Zweimal täglich anwenden. – Tee: je $^1/_2$ Teelöffel Ingwer und Zimt 5 Minuten in 1 Tasse heißes Wasser ziehen lassen. Flüssigkeit abgießen, einige Tropfen Zitrone und Honig dazugeben. – Wenn der ganze Kopfbereich verschleimt ist und der Körper sich wie zerschlagen anfühlt: Eine Mischung aus Pfeffer, Ingwer, Knoblauch, Basilikumblättern und Rohrohrzukker 10 Minuten lang in Wasser kochen und abkühlen lassen. Eventuell Honig dazugeben und zweimal täglich 1 Tasse davon trinken. Ist auch für Kinder geeignet.

Bei Stauungskopfschmerzen: Pfeffer und Reis pulverisieren, mit heißem Wasser versetzen, verrühren und auf die Stirn auftragen.

Zu hoher Cholesterinspiegel: Roher Knoblauch ist ein altes ayurvedisches Hausmittel zur Gesunderhaltung des Herzens. Knoblauch wirkt auch regulierend auf den Cholesterinspiegel. Dadurch kann einer Verengung der Herzkranzgefäße vorgebeugt werden.

Allgemein: Ideal bei überhöhtem Kapha ist Pippali, der lange Pfeffer. Er schafft gleich bei mehreren für Kapha typischen Problemen Abhilfe. Pippali fördert die Verdauung, wirkt regulierend auf die Lungen, erwärmt und hilft bei Depressionen. Außerdem enthält er alle sechs Geschmacksrichtungen und harmonisiert dadurch die Doshas.

Geistige Herausforderungen für den Kapha-Energietyp

Um es vorwegzunehmen: Die Kapha-Wesensnatur ist von allen Doshas am wenigsten anfällig für psychische Probleme. Ihr weiches Naturell von Wasser in Verbindung mit der Schwere von Erde paßt sich auch mißlichen Lagen gut an. Selbst darin wird sie noch Vorzüge entdecken und über deren Nachteile großmütig hinwegsehen.

180

Diese Qualität der Anpassung hat allerdings auch eine Kehrseite der Medaille: Die Kapha-Natur sucht gerne den Weg des geringsten Widerstandes. So wenig wie sie freiwillig Probleme auf den Tisch bringt, wird sie von sich aus für praktische Erledigungen des Alltags aktiv. Lieber schiebt sie diese so lange wie möglich vor sich her, bis sich schließlich jemand findet, der übernimmt, was eigentlich ihre Aufgabe ist.

Dieser Energietyp muß einfach „angeschoben" werden, um in die Gänge zu kommen. Ebensowenig möchte er unangenehme Gefühle wahrhaben; noch schwerer fällt es ihm, darüber zu sprechen. Er will einfach keine Konflikte heraufbeschwören – allerdings nicht aus einer Ängstlichkeit heraus, wie das beim Vata-Typ der Fall wäre. Ihm fehlt einfach der Ehrgeiz, sich Situationen auszusetzen, die ihn aus seiner Bequemlichkeit bringen könnten. Lieber wischt er das Thema lapidar vom Tisch und teilt mit verstockter Miene mit, damit nichts zu tun zu haben.

Unbewußt lagert er alles, was er nicht sehen will und gefühlsmäßig nicht verdauen kann, auf dem Grunde des ihm innewohnenden Sees ein. Dort unten verborgen, richten die Schattenseiten zumindest im ersten Moment keinen Schaden an. Je mehr der See aber im Laufe der Zeit mit solchen emotionalen Schlacken zugeschüttet wird, um so starrer wird er, bis ihn schließlich sein eigenes Gewicht erdrückt.

Diese seelische Last zieht die Kapha-Natur hinab in Dunkelheit und Schwere, der Geist versinkt in Schwermut und Trübsal. Sie interessiert sich für nichts mehr und will mit niemandem etwas zu tun haben. Alle Aktivitäten sind ihr zuviel, selbst Kleinigkeiten zu erledigen kann sie überfordern. Sie hat sich in ihr Schneckenhaus verzogen, nimmt immer weniger am Leben teil und fühlt sich von der ganzen Welt ungeliebt. Zeiten des inneren Rückzugs, in denen sie ihre Ruhe braucht und Konflikte erst einmal alleine durchdenkt, kennt sie zwar auch im Zustand der Harmonie – solche Verhaltensweisen sind Ausdruck ihrer gesunden Bedürfnisse. Doch im Übermaß kann Abgeschiedenheit ihr keine neuen Kräfte bringen, sondern zieht sie noch tiefer in die Frustration.

Völlig niedergeschlagen vergißt sie dann völlig, daß sie nur durch eigene Aktivität aus diesem Zustand wieder herauskommen kann. Allerdings fehlt ihr dazu jetzt die Kraft, denn das Feuer ist längst

181

erloschen, und Trägheit lähmt sie. Kommt jetzt zusätzlich äußerer Druck dazu, vielleicht Erwartungen von seiten einer nahestehenden Person, wird sie sich noch tiefer einigeln, und die ohnehin mühsame Kommunikation mit der Außenwelt verstummt ganz.

Ein anderer Ausdruck von überhöhtem Kapha ist die ausgeprägte Tendenz des Festhaltens. In Extremfällen kann ein Übermaß an Kapha zur Habgier verleiten. Dieser Kapha-Typ hortet und sammelt ohne Ende Souvenirs und Erinnerungen aus der Vergangenheit, während sich seine Wohnung zu einem Museum verwandelt. In diesem Zustand wird er leichte Beute für den Versicherungsvertreter (gewiß vom Pitta-Typ!), der ein Geschäft ahnend gerade jetzt an der Türe klingelt.

Zugleich entwickelt er eine übermäßige Anhänglichkeit an nahestehende Menschen und hält unbeirrbar an einmal gefaßten Meinungen fest. Wo vorher Traditionsbewußtsein stand, tritt nun eine störrische Abwehrhaltung gegenüber allem Neuen. Der Geist trübt ein wie verschlammtes Wasser, feine Sinne stumpfen ab, und die betreffende Person ist völlig unflexibel in ihrem Denken. Stur und verbohrt besteht sie auf ihrer Haltung. Ohne Feuer aber fehlt auch das Vermögen zu klarem und logischem Denken, Zusammenhänge und vor allem Prioritäten werden nicht mehr richtig gesehen.

In diesem Stadium kostet es eine Kapha-Wesensnatur zuviel Kraft, ihr extremes Bedürfnis nach Sicherheit zu befriedigen. Ihr Haus, das ohnehin stets wie ein Schloß oder auch ihre „feste Burg" war, expandiert zur ganzen Welt, und der Blick über den Gartenzaun will nicht mehr gelingen. Falls sie spätestens jetzt keine regulierenden Maßnahmen ergreift, besteht für sie die Gefahr, in eine handfeste Depression zu rutschen.

Der Ruf der Seele

Eine Kapha-Wesensnatur möchte Veränderungen, die der Tanz des Lebens in seinem natürlichen Rhythmus nun einmal mit sich bringt, möglichst nicht wahrhaben. Deshalb verschließt sie gerne Augen und Ohren, wenn sich Schwierigkeiten ankündigen. Nun können blockierte Sinnesorgane aber nicht gut arbeiten. Deshalb kann sie Fakten nicht klar erkennen und nimmt die Dinge nur verzerrt wahr. Eine solche Haltung von unbewußter Verdrängung nennen die spirituellen Lehrer Verblendung oder Ignoranz. Sie stellt die geistige Herausforderung für ihre Wesensnatur dar.

Seelische Entwicklung ist nur möglich mit klaren Sinnen und scharfer Analyse einer Situation. Es liegt in der Natur unserer menschlichen Psyche, daß wir eine Zuneigung zu angenehmen Dingen empfinden und gerne bereit sind, zu bestimmten Zeiten einige (warnende) Sinne abzuschalten, nur um dieses angenehme Gefühl bewahren zu dürfen. Unangenehmes schieben wir ohnehin allzu gerne beiseite. Die Kapha-Natur perfektioniert diese bequeme Geisteshaltung noch weiter, indem sie mißliebige Situationen einfach systematisch ignoriert.

Spirituelles Wachstum erfordert aber geistige Öffnung, die Raum freigibt für Neues. Für eine Kapha-Natur bedeutet das, daß sie aus dem Kokon ihrer sicheren Welt heraustritt und bereit ist, neue Situationen anzunehmen. In diesem Moment des Mutes zur Wanderschaft steht sie am Anfang einer spannenden Entdeckungsreise: Wenn sie die Haltegurte, die äußere Sicherheiten bieten, lockert, kann sie neue Anker in ihren eigenen Wurzeln finden, und die innere Kraft darf wachsen.

Dabei kommt es nicht darauf an, an welcher Stelle eine dem persönlichen Mut gesetzte Grenze berührt oder überschritten wird, denn der spirituelle Pfad kennt keine Vorstellungen von Leistung, von Helden oder Siegern. Was hier zählt, ist alleine die Bereitschaft, diese Grenze aufzuspüren und den belebenden Wind an dieser Schwelle zum Unbekannten hin zu spüren.

In einer solchen aufgeschlossenen Haltung darf die Kapha-Natur ohne Scheu und in aller Ehrlichkeit auch ihre geistigen Herausforderungen betrachten. Sie muß ungute Gefühle nicht versenken, sondern darf Ärger und Zorn mit offenen Augen direkt anschauen. Mit dem Mut zum Wandel kann sie Situationen, die solche Gefühle ausgelöst haben, zum Positiven hin verändern.

Auch ihr übermäßiges Bedürfnis nach materiellen und emotionalen Sicherheiten stellt eine Herausforderung dar, denn dahinter verstecken sich zwei Fallen:

Zum einen zählt Anhaftung zu den wirksamsten geistigen Giften. Solange alle Gedanken und Aktivitäten einer Kapha-Natur

183

darauf fixiert sind, Dinge und Menschen festzuhalten, wird sie keine sensible Wahrnehmung entwickeln können und damit spirituelles Wachstum blockieren.

Zum anderen ist ein derart übertriebenes Streben nach Sicherheiten trügerisch, denn es entspringt reinem Wunschdenken. Das neuerbaute Traumhaus kann morgen abbrennen, die wunderbare Beziehung zerbrechen, der Job wegrationalisiert werden. Selbst die beste und teuerste Krankenversicherung kann keine Gesundheit garantieren.

Fast jeder Mensch wünscht sich einen angenehmen Lebensstandard, und das ist auch völlig in Ordnung. Es ist wunderbar, sich keine Sorgen machen zu müssen, um ein Dach über dem Kopf zu haben, gesunde Lebensmittel kaufen zu können und noch Geld für den nächsten Urlaub auf dem Konto zu haben. Wer ein finanzielles Polster besitzt, darf sich entspannen. Und er hat auch die Basis damit geschaffen, sich in Ruhe höheren Zielen widmen zu können. Daher sind materielle Erfolge eine Grundlage für geistige Erfüllung, sollten aber nicht ihr Ziel sein. Dem wahren Glück kommen wir dadurch keinen Schritt näher. Wie ein Sprichwort weiß: „Wenn du einen Menschen glücklich machen willst, gib ihm keine weiteren Reichtümer, sondern nimm ihm seine Begierden."

Daher wird die Kapha-Natur letztlich reicher, wenn sie ihr Verhältnis zu materiellen Gütern kritisch in Augenschein nimmt. Welchen Stellenwert haben Haus, Auto, Bankkonto, Aktien? Wieviel Zeit und Energie steckt sie in deren Aufbau und Verwaltung? Jeder Mensch setzt seine Meßlatte an solche Bedürfnisse unterschiedlich hoch an. Sicher ist aber, daß „Genug ist nie genug" nicht das Maß aller Dinge sein kann.

Wege zur Regulierung des Kapha-Dosha

Allgemeine Empfehlungen

Wenn die Wesensnatur von Kapha zu Harmonie gelangen will, so findet sie ihre Ergänzung in der Lebendigkeit des Windes sowie in der Dynamik des Feuers. Um in Harmonie zu bleiben, sind ihr Bewegung, Inspiration und das Sammeln neuer Eindrücke auf allen Ebenen sehr zu empfehlen. Ihre Körperzellen werden durch herbe und scharfe Gerichte sowie ein regelmäßiges Sportprogramm aktiviert. Zusätzlich unterstützend ist die Gabe von Wärme und Trockenheit, um auf die feuchte Schwere in ihrem Naturell regulierend einzuwirken.

Als ersten Schritt, um in Bewegung zu kommen, darf eine Kapha-Natur sich überlegen, welche ihrer Altlasten sie abzulegen bereit ist. Ein aktiver Prozeß des Loslassens auf allen Ebenen kann ihr hier zu Erleichterung verhelfen. Der beste Zeitpunkt dafür ist das Frühjahr, nachdem sich über den Winter überschüssiges Kapha angesammelt hat und eine gründliche Reinigung die Körperenergien wieder in Fluß bringen kann.

Auf der äußeren Ebene wird es die Kapha-Konstitution erleichtern, ihren ganzen Besitz durchzuforsten nach Gegenständen, die nicht mehr gebraucht oder gemocht werden: überflüssige Versicherungen, nie getragene Kleider, wertlose Bücher, das schon lange durchgesessene Sofa … Mitbringsel aus dem Urlaub, Maskottchen, Fotos und woran immer das Herz noch hängt, werden in eine Kiste gepackt und so verwahrt, daß sie in melancholischen Stimmungen greifbar sind. Eine Alternative dazu ist die „Nostalgie-Nische", in der aller Krimskrams an einem Platz dekoriert wird.

Auch auf der inneren Ebene wollen bestimmte „Gefühls-Päckchen" aus der Vergangenheit losgelassen werden. Dieser Prozeß kann schmerzhaft sein, wenn die glücklichen und traurigen Erinnerungen vertraute Begleiter waren, die einem ans Herz gewachsen sind. Doch kommt die Zeit, ihnen den Stellenwert einzuräumen, der ihnen zusteht: die Vergangenheit. Es bringt nichts, verpaßten Gelegenheiten, verlorenen Lieben, einem anderen Be-

185

ruf sentimental nachzuhängen. Das Leben ist ein immerwährender Fluß und fragt nicht nach dem Gestern, sondern sucht die Erfüllung im gegenwärtigen Augenblick.

Eine Trennung von liebgewonnenen Dingen ist nie leicht. Ein Feuerritual kann dabei unterstützen, solche Päckchen aus der Vergangenheit abzulegen, die wir nicht mehr mit uns herumtragen möchten. Dafür wählt man einen geeigneten Zeitpunkt aus, an dem man bereit ist, sich von bestimmten Erinnerungen, alten Verhaltensweisen oder was auch immer endgültig zu trennen. Die Themen werden auf ein Blatt Papier geschrieben und dürfen noch einmal vor dem geistigen Auge vorüberziehen. Mit einem Dank, daß sie so lange ein Begleiter waren, wird das Papier nun dem Feuer übergeben. Bewußt beobachtet man, wie es von den Flammen verzehrt wird und verabschiedet sich noch einmal.

Jede Art von Routine erhöht das Kapha-Dosha. Vielleicht möchte man deshalb auch alte Gewohnheiten, die längst kein Herzenswunsch mehr sind, aufgeben. Eine Kapha-Natur darf ihre Umgebung mit neuen Impulsen überraschen, zum Beispiel Geburtstage und Weihnachten einmal ganz anders feiern. Jeder Wechsel verschafft geistige Bewegung und erweitert ihr Blickfeld. Wenn sie neue Einflüsse aufnimmt, wird auch ihre Aura durchlässiger und sie sensibilisieren. Sie kann einen anderen Weg zur Arbeit nehmen und neue Läden zum Einkaufen ausprobieren. Auch ihre Partnerschaft und ihr Familienleben werden durch Veränderungen belebende Impulse erfahren. Mit anderen Menschen zu diskutieren, eine Zeitung mit einer politischer Färbung zu lesen, die nicht der eigenen entspricht, öffnet das Blickfeld ebenfalls. Apropos: Ist Ihre Meinung wirklich die eigene oder unbewußt von jemand anderem übernommen?

Sobald die Kapha-Natur Ziele anvisiert und selbst Aktivitäten anleitet, kann sie spüren, daß sie viele Aspekte ihres Lebens selbst in der Hand hat. Vielleicht engagiert sie sich im Elternbeirat der Schule ihres Kindes oder verhandelt mit dem Chef über die Anschaffung eines neuen Computers für ihren Arbeitsplatz.

186 Ein Hang zu Lethargie und Schwere wird diese Wesensnatur aber ein Leben lang begleiten. Wenn sie an diesem Punkt nicht achtgibt, verfällt sie in Passivität, nimmt eine Opferhaltung ein und beklagt ihr Schicksal. Frische Impulse sind dann besonders wichtig. Sie sollte sich dann zu Aktivitäten aufraffen, obwohl ihr möglicherweise

überhaupt nicht der Sinn danach steht. Doch liegt der erste Schritt zur Heilung darin, aus der Passivität herauszutreten und die Zügel selbst wieder zu übernehmen.

Vielleicht entscheidet sie sich jetzt für einen Spaziergang, auf dem sie bewußt die wunderbaren Schönheiten der Natur in sich aufnimmt: die Farbe der Bäume, den Zug der Wolken, den Duft der Blumen. Beleben kann auch eine kräftige Massage mit einem Sisal- oder Seidenhandschuh. Essen sollte sie jetzt nur wenig, möglichst leichte und scharfe Kleinigkeiten, auch viel warmer Tee tut ihr gut. An ätherischen Essenzen eignen sich scharfe stimulierende Öle, wie Zimt, Nelke, Thymian, Weihrauch und Myrrhe.

Ernährung

Kapha ist die Wesensnatur der Genießerin. Sie ißt langsam und ist bei Tisch immer als letzte fertig. Obwohl sie es ungern tun wird, kann sie problemlos eine oder zwei Mahlzeiten auslassen. Besonders bei Gewichtsproblemen und einer Neigung zu Lethargie kann Kapha reduziert werden, wenn die ayurvedischen Empfehlungen eingehalten werden.

Eine Person mit Kapha-Konstitution sollte nie zu reichlich essen. In jedem einzelnen Bissen einer Speise steckt die gesamte Information an Geschmack und Genuß, es kommt daher nicht auf die Menge an.

Über das Frühstück ist das Kapha-Dosha am besten regulierbar. Je höher Kapha ist, desto weniger wird gefrühstückt. Etwas gedünstetes Obst, ein Saft oder Tee mit Kräutern oder Ingwer reichen meist aus.

Optimal sind zwei Mahlzeiten am Tag, mittags und am frühen Abend. Der Abstand dazwischen sollte 5 oder 6 Stunden betragen, und in diesem Zeitraum sollte nichts gegessen werden.

Ist Kapha konstitutionsbedingt oder aufgrund einer Störung zu hoch, müssen vorrangig das träge Agni gestärkt, das Verdauungssystem entlastet und die eingelagerten Schlacken gelöst werden. Daher sollten die Speisen möglichst leicht, warm und trocken sein. Gewürze, außer Salz, darf die Kapha-Konstitution nach Herzenslust verwenden. Besonders die scharfen, bitteren und herben Ge-

187

würze und Kräuter wirken entschlackend und fördern die Verdauungskraft.

Die Gerichte sollten eine frische belebende Wirkung und viel Vitalkraft (Prana) haben. Optimal sind viel Gemüse (gedünstet und roh), leichte Getreidegerichte und Bohnen. Dazu gibt es Salat, frische Kräuter und bittere Blattgemüse. Übermäßig viel Rohkost ist jedoch zu vermeiden, da sie zwar entgiftet, aber auch das Verdauungsfeuer stark beansprucht. Frische Obst- und Gemüsesäfte können eine Mahlzeit ersetzen.

Die besten Geschmacksrichtungen sind scharf, bitter und herb. Nummer eins zur Anregung der Verdauung und Ausscheidung von Giften ist Ingwer. Mit einer Kapha-Konstitution sollte man regelmäßig Ingwerwasser trinken und vor dem Essen ein Stück frische Ingwerwurzel kauen. Auch gebraten im Gemüse ist Ingwer optimal.

Ein heikles Thema sind Süßigkeiten. Die Liebe einer Kapha-Natur für Naschereien und Kuchen schlägt natürlich kalorienmäßig zu Buche bzw. auf die Waage. Längerfristig kann sich Diabetes mit all seinen gefährlichen Folgen entwickeln. Zudem zieht Zucker Wasser in den Körper, so daß noch mehr Schleim und Feuchtigkeit entstehen. Sobald das Kapha-Dosha außer Balance ist, verstärkt Heißhunger auf Süßes sich um so mehr. Daher sollte diese Spirale frühzeitig unterbrochen werden.

Es gibt einen natürlichen Süßstoff, der Kapha sogar reduziert: *Honig* gilt im Ayurveda als der reinste natürliche Saft und wird in den Schriften zur Reduzierung von Übergewicht empfohlen: 1 Eßlöffel Honig in 1 Glas warmem (nicht zu heißem!) Wasser auflösen, 10 Tropfen Zitronensaft dazugeben und morgens trinken. Der Honig sollte kaltgeschleudert und mindestens sechs Monate alt sein.

Honig darf niemals stark erhitzt werden, sonst verwandelt er sich zu Gift. Daher eignet sich Honig nicht als Zuckerersatz zum Backen. Auch das Wasser oder der Tee, in dem Honig aufgelöst getrunken wird, darf immer nur lauwarm sein. Wird das Wasser vorher abgekocht, ist stets darauf zu achten, daß es gut abgekühlt ist, bevor der Honig hinzugefügt wird.

188

Zur Beachtung: Unter die Geschmacksrichtung „süß" fallen nicht nur Zucker, sondern fast alle Hauptnahrungsmittel. Dazu zählen praktisch alle Getreidesorten und Milchprodukte. Letztlich ist es leider relativ viel, worauf eine Kapha-Konstitution besser verzichten sollte.

Was zu vermeiden ist:

Süße, saure und salzige Lebensmittel sollten möglichst vom Speiseplan gestrichen werden, Besonders Salz erhöht das Wasserelement im Körper und schwemmt das Gewebe auf. Die Gerichte werden mit möglichst wenig Fett zubereitet, bei stark überhöhtem Kapha fällt das Fett ganz weg. Eigentlich sind auch in Fett gebackene und ölige Speisen zu schwer. Ebenso sollte Nahrung von geringem Nährwert, wie Fast Food, Chips oder Salzletten, generell vom Speisezettel gestrichen werden.

• Zuviel Brot ist für die Kapha-Konstitution ebenfalls nicht geeignet, denn es ist von süßer und schwerer Natur. Einige Alternativen zu Schwarz- oder Graubrot sind Toast, Knäckebrot, Reiswaffeln und Cracker, die alle trocken und leicht sind.

• Rotes Fleisch ist zu schwer verdaulich ist. Auch Geflügel und Fisch sollten nur wenig genossen werden.

Im Frühling zwischen Februar und Mai, also während der Kapha-Zeit, sollten Kapha-Typen diese Essensregeln besonders beachten.

Empfohlene Getränke

Wegen ihrer körpereigenen Feuchtigkeit benötigt eine Kapha-Konstitution relativ wenig Flüssigkeit. Generell sollten die Getränke warm sein und selbst im Sommer zumindest Zimmertemperatur haben. Optimal sind wärmende und die Nieren anregende Kräutertees, wie Brennessel, Salbei, Schafgarbe, Löwenzahn, Zitronengras, Zimt sowie alle Gewürztees.

Morgens ein Glas abgekochtes, möglichst heißes Wasser zu trinken regt die Verdauung an. Ideal ist heißes Ingwerwasser, von dem jeweils vor den Mahlzeiten eine Tasse getrunken wird.

189

Spezielle Kapha regulierende Teemischung:: Ajowan 20 g; Basilikum (Samen oder Blätter) 30 g; Nelken 20 g; Ingwer 40 g; langer Pfeffer 40 g; schwarzer Pfeffer 30 g; Kurkuma 20 g.

Diese Teemischung kann im Winter von jedem Konstitutionstyp getrunken werden. Um die besten Ergebnisse bei einer Kapha-Störung zu erzielen, gibt man einen Teelöffel Honig in das lauwarme Getränk (Rezept: Ayurveda-Praxis Nürnberg).

Was möglichst zu vermeiden ist: Auf kaltes Wasser, das wie ihr Dosha die Eigenschaften kalt, schwer und süß hat, sollte eine Kapha-Natur gänzlich verzichten. Die Wirkung der Nahrung auf den Körper hängt hauptsächlich von deren Eigenschaften ab. Selbst wenn sie – wie Wasser – null Kalorien hat, ist das Grund genug für eine Gewichtszunahme. Daher sollte Wasser immer möglichst warm getrunken werden. Auch Bier steigert das Kapha-Dosha.

Empfohlene Lebensmittel

Getreide und Hülsenfrüchte
- ideal: kein Getreide, da alle von süßem Geschmack sind
- in Maßen: Bohnen, Erbsen, Linsen, Mung-Dhal, Mais, Buchweizen, Hirse, Roggen, Gerste, Sojawürstchen
- vermeiden: Weizen (Nudeln), Hafer, Reis

Gemüse
- ideal: fast alle, besonders zu empfehlen ist scharfes bitteres Gemüse; insgesamt mehr Blatt- als Wurzelgemüse; ideal ist Gemüse mit entwässernder Wirkung; Sellerie, Artischocken, Knoblauch, Zwiebeln, Kopfsalat, Radieschen, Petersilie, Peperoni, Lauch, Blumenkohl, Spinat, Brokkoli, Rote Bete, Bohnen
- in Maßen: Oliven, rohe Tomaten, Rosenkohl
- vermeiden: saftiges und süßes Gemüse, Auberginen, Gurken, Zucchini, Kürbis

Früchte: Früchte mit zusammenziehendem Geschmack sind noch am besten geeignet, sie sollten allgemein keinen zu hohen Wasseranteil haben. Gekocht, mit etwas Zimt und Nelken gewürzt, sind sie besser verdaulich.
- ideal: Trockenfrüchte, Backpflaumen, grüne Äpfel, Granatäpfel
- in Maßen: Erdbeeren
- vermeiden: süße Früchte, Wassermelonen

190

Milchprodukte: Die meisten Milchprodukte sind süß und schwer verdaulich und daher für Kapha generell nicht geeignet.
- ideal: Buttermilch
- in Maßen: Ghee, Lassi (verdünnter Joghurt), Ziegenmilch, warme Magermilch
- vermeiden: Speiseeis, Sauerrahm, Käse, Butter, Joghurt

Öle und Fette: Generell sollte Kapha auf Öle und Fette möglich ganz verzichten. Das Gemüse wird kurz angedünstet (nicht gebraten).
- ideal: keines
- in Maßen: Ghee, Senföl, Rapsöl, Sonnenblumenöl, Mandelöl
- vermeiden: alle anderen

Nüsse: sind wegen ihres Fettgehalts ungeeignet.
- ideal: keine
- in Maßen: Kürbiskerne, Sonnenblumenkerne
- vermeiden: alle anderen. Erdnüsse sind absolut zu vermeiden!

Gewürze und Kräuter: Alle Gewürze sind empfehlenswert! Besonders Ingwer ist ideal zur Stimulation der Verdauung. Lediglich Salz ist verboten.
- ideal: Kurkuma, Zimt, schwarzer Pfeffer, Kardamom, Salbei, Anis, Basilikum, Ingwer, Chili
- vermeiden: Salz

Kapha-Fasten

Für eine Kapha-Konstitution oder Kapha-Störung ist Fasten die ideale Regulierung. Empfehlenswert sind ein wöchentlicher Fastentag und zusätzlich längere Fastenzeiten zwischen fünf und sechs Tagen. Besonders im Frühjahr ist eine Panchakarma-Kur und/oder Fasten hilfreich, um den Körper von Schlacken zu befreien und überschüssiges Wasser und Pfunde abzubauen. Für eine Kapha-Konstitution dient Fasten der regelmäßigen Regeneration. Für die Kapha-Natur heißt Fasten, eine Nulldiät einzuhalten. Am ersten Tag wird mittags eine dünne Reissuppe gegessen, ab dem zweiten Tag nichts mehr. Als Getränke empfehlen sich bittere und zusammenziehende Tees, die zugleich eine entwässernde Wirkung haben, wie Himbeer- und Brombeerblätter, Brennessel. Zusätzlich

191

wird morgens und abends 1 Teelöffel Triphala mit heißem Wasser eingenommen, was vor allem abends die Peristaltik des Darms unterstützt. Wenn der Hunger zu stark wird, hilft ein Glas heißes Wasser über die Krise hinweg.

Vorschläge zur Selbstbehandlung

Bei beginnender Erkältung: Meerrettich und Salbei. – Bitterstoffe beleben, reinigen und reduzieren Fett: Schafgarbe, Wermut, Tausendgüldenkraut, Schwedenkräuter. Sie sind auch hilfreich bei verstopften Verdauungswegen und gelbem Zungenbelag, der auf Ablagerung von Ama hinweist. – Eine wirkungsvolle Mischung, die bei Blähungen hilft, die Verdauung unterstützt und hilfreich ist bei allen Kapha-Störungen, besonders Asthma, ist *Hingvastaka Curna*. Es hat 8 Bestandteile, von denen jeweils 10 Gramm genommen werden: Asafoetida *(Hing)*, langer Pfeffer, schwarzer Pfeffer, Ingwerpulver, Thymiansamen (gemahlen: Ajowan), Kreuzkümmel, Schwarzkümmel, Salz, hinzu kommt 1 Teelöffel Ghee. Ghee in einer Pfanne erwärmen, Asafoetida einrühren. Alle anderen Gewürze mit dazugeben und bei geringer Hitze gut durchmischen. Eine Messerspitze des Pulvers (1-2 g) mit dem ersten Bissen bei täglich zwei Mahlzeiten mit einnehmen. In einem geschlossenen Gefäß ist das Pulver zwei Monate lang haltbar. – *Trikatu* ist, mit etwas Honig gesüßt, die ideale Gewürzkombination für Kapha. Sie besteht aus langem Pfeffer, schwarzem Pfeffer und Ingwer und hilft bei allen Beschwerden, die durch zuviel Kapha entstehen: Täglich 1 Messerspitze Trikatu, in etwas Flüssigkeit aufgelöst, fördert die Verdauung, lindert Husten und Erkältungen, beseitigt Blockaden in den Energiekanälen und reduziert Übergewicht.

Bei Übergewicht: Übergewicht kann Kapha nur effektiv abbauen durch eine Verbesserung des Verdauungsfeuers. Dazu sind die allgemeinen Ernährungsregeln für Kapha und verschiedene Maßnahmen zu befolgen, die Agni kräftigen. Immer aber sollte eine Kapha-Konstitution mit Gewichtsproblemen viel warmes Wasser trinken, dem Zitrone und/oder Ingwer hinzugefügt wird. Zwischendurch kann etwas Honig zugegeben werden, aber erst, wenn das Getränk nicht mehr heiß ist. Die Verdauung wird durch die bereits erwähnten ayurvedischen Präparate Trikatu und Triphala gefördert. Sie werden täglich zwei Stunden nach dem Abendessen eingenommen.

Empfehlungen zur Gewichtsreduzierung:
- anstelle des Frühstücks: lauwarmes Wasser mit Honig und etwas Zitrone trinken
- regelmäßig Ingwerwasser zu trinken ist ideal zur Reduzierung von Fettgewebe
- Safran und Gelbwurz großzügig ins Essen geben
- durch Schwimmen und Gewichtheben verbrennt Fett besonders gut
- ideales Nahrungsmittel für eine Kapha-Konstitution ist Gerste. Um Gewicht zu reduzieren, sollte die Nahrung hauptsächlich aus Gerichten mit Gerste bestehen. Gerstenmehl, mit dem Pulver der Amla-Frucht vermischt, ist ein ayurvedisches Hausmittel bei Übergewicht.

Meditation

Für den Kapha-Wesenstyp empfehlen sich Meditationen, die belebend wirken und ihn mit der Vitalenergie von Prana erfüllen. Langes Stillsitzen macht ihn eher schläfrig. In einer achtsamen Geisteshaltung ausgeführt, ist Tanzen als Meditation wunderbar dafür geeignet, um Lebenskraft zu gewinnen. Eine vitalisierende Tanzmeditation ist die Kundalini-Meditation von Osho.

Gehmeditation

Meditation im Gehen läßt den Kapha-Typ ein Bewußtsein für den Fluß der Veränderung erspüren. Bei dieser Meditationsform geht es darum, möglichst langsam zu laufen und dabei die gesamte Aufmerksamkeit auf die Bewegungen der Füße zu lenken. Der Platz, wo die Gehmeditation ausgeführt wird, kann klein sein, sie kann also auch im Zimmer ausgeführt werden. Gehen Sie 10 bis 20 Minuten in diesem Gefühl achtsamer Wahrnehmung auf und ab. Die Übung kann auch während des Tages, wenn Sie sich in einem Energietief befinden, für kürzere Zeit ausgeführt werden.

193

Spüren Sie, wie die Fußballen langsam den Boden berühren, wie allmählich der ganze Fuß aufgesetzt wird und sich das gesamte Körpergewicht darauf verlagert. Sie empfinden die Erde als einen Ort, auf dem Bewegung stattfinden darf.

Meditationsübung „Energie heben"

Wenn Sie diese Übung am Morgen ausführen, werden Sie wach und energievoll in den Tag starten. Ihr Körper füllt sich mit belebendem Sauerstoff.

Setzen Sie sich mit geradem Rücken und verschränkten Beinen auf ein Kissen. Ist das nicht möglich, setzen Sie sich auf einen Stuhl, wobei die Füße mit der ganzen Sohle auf der Erde stehen müssen. Wichtig ist in jedem Fall ein gerader Rücken.

Stellen Sie sich vor, ein Rohr verläuft in Ihrem Inneren anstelle Ihrer Wirbelsäule. Es beginnt unten am Steißbein, am Wurzelchakra, und reicht bis zum höchsten Punkt am Scheitelpunkt des Kopfes, dem Kronenchakra.

Einatmen: Verschließen Sie den After. Schließen Sie den Deckel Ihres Kehlkopfes, so daß beim Einatmen ein ziehendes, fast schnarchendes Geräusch entsteht. Die Luft soll quasi einen Widerstand verspüren. Mit dem Einatmen ziehen Sie die Luft durch dieses innere Rohr von unten nach oben. Dazu stellen Sie sich ein Thermometer vor, in dem Quecksilber nach oben steigt. Spüren Sie, wie sich eine leichte, helle Energie im gesamten oberen Körper, im Kopf und besonders im Dritten Auge ausbreitet. Halten Sie den Atem drei bis fünf Sekunden an.

Ausatmen: Entspannen Sie den Schließmuskel des Afters. Atmen Sie ruhig und gleichmäßig aus.

Spannen und entspannen Sie den Aftermuskel. Nun beginnen Sie wieder mit dem Einatmen. Führen Sie insgesamt sieben dieser Atemzüge durch.

Die Behandlung der Marma-Punkte

Vitalität und Lebendigkeit

Die beiden speziellen Mahamarmas für die Kapha-Konstitution liegen im unteren Körperbereich und stehen in enger Verbindung mit den Elementen Erde und Wasser. Daher wird die Übung vormittags zwischen 8 und 10 Uhr zur Kapha-Zeit durchgeführt. Sie weckt die Lebensgeister und bringt Schwung in den Tag. Besonders hilfreich ist sie bei Beschwerden aufgrund von morgendlicher Verschleimung.

Vasti, zwischen Schambein und Nabel gelegen, steuert die Funktion des Kapha-Dosha und steht in direktem Kontakt mit der sensiblen Seite des Kapha-Typs. *Guda,* das „Große Geheimnis" der Schöpfung, stimuliert direkt das Wurzelchakra und bringt so viel Energie. Durch die Lage von Guda um den Afterbereich wird die Übung in der folgenden besonderen Position ausgeführt:

Sitzen Sie auf der Erde. Ein Fuß wird angewinkelt und unter das Gesäß geschoben. So stimulieren Sie zugleich mit der Ferse Guda. Der andere Fuß wird leicht angezogen und so positioniert, daß Sie bequem sitzen. Falls der Knöchel auf der Erde schmerzt, schieben Sie ein Kissen darunter. Sie haben nun beide Hände frei, die sie nebeneinander auf Ihren Unterbauch legen, um Vasti zu stimulieren.

Stellen Sie im Geiste einen freien Energiefluß zwischen beiden Marma-Punkten her und bleiben in dieser Position mindestens fünf ruhige Atemzüge lang. Sie können die Übung auch ausdehnen, bis Sie ein prickelndes Wohlgefühl verspüren, das aus diesem Bereich strömt.

Körperpflege

Gerade in der naßkalten Jahreszeit empfiehlt sich für die Kapha-Konstitution eine besonders sorgfältige Körperpflege. Sie zielt hauptsächlich darauf ab, angesammelten Schleim vor allem im Kopfbereich auszuleiten. Schleim in Hals und Rachen wird bei der Morgentoilette durch kräftiges Räuspern entfernt. Gründlich und regelmäßig werden auch beide Nasenlöcher gereinigt; allerdings ist kräftiges Schneuzen zu vermeiden, da es die Schleimhäute reizt. Sanft und wirkungsvoll ist ein Einlauf mit Salz und Wasser in die Nase mit ihren Nebenhöhlen (Näheres siehe Kapitel „Anleitungen zur Selbstbehandlung", Seite 107 f.).

Vor allem im Winter benötigt die Kapha-Konstitution ausreichend Wärme. Besonders empfindlich sind Gesicht und Hals, daher sollte sie draußen immer Mütze und Schal tragen. Sie sollte es möglichst vermeiden, tief einzuatmen, da kalte Luft die Bronchien angreift. Trockene Wärme kann sie zu Hause mit einer Höhensonne und durch regelmäßige Besuche in der Sauna aufbauen. Es hat eine wohltuende Wirkung, sich ein Kissen mit erhitzten Kirschkernen auf die Brust zu legen, was auch lindernd bei Husten und Schnupfen wirkt.

Bei Massagen kann eine Kapha-Natur kräftige Behandlungen vertragen. Damit ein Reinigungsprozeß in Gang kommt, sollten die Massagen sogar mit relativ festem Strich durchgeführt werden. Ideal ist eine Trockenmassage mit einem Handschuh aus Rohseide oder Sisal, sie wirkt unterstützend auf die Durchblutung. Auch Massagen mit einem erhitzenden Öl, etwa Senföl mit Pfefferkörnern, sind geeignet.

Viele Menschen mit Kapha-Konstitution leiden unter ihrem Übergewicht und können ihren Körper nur schwer akzeptieren. Gerade hier ist die Kenntnis ihrer ursprünglichen Wesensnatur heilsam, um zu verstehen, daß sie selbst mit größter Disziplin niemals die Idealmaße erreichen werden, die uns die Schönheitsindustrie vorschreiben möchte. Massagen und besonders Selbstmassagen können sie darin unterstützen, eine liebevolle Beziehung zu den einzelnen Bereichen ihres Körpers zu entwickeln und ihn zu genießen. Zugleich werden sie erkennen, daß jeder Körper, wie auch immer er gestaltet ist, auf seine eigene Art und Weise perfekt und schön ist. So können sie ihre Gestalt mit Respekt und der Achtung wahrnehmen, die ihr zusteht: als Ausdruck ihrer ganz individuellen Persönlichkeit.

Kapha im Beruf

In der Teamarbeit ist der Kapha-Energietyp die ideale Ergänzung zu Vata- und Pitta-Naturen, da er deren Ideen in eine realisierbare Form bringt. Er besitzt oft solide Kenntnisse auf einem Spezialgebiet, in dem niemand ihm ein X für ein U vormachen kann. Präzise und methodisch in seinem Schaffen, bewahrt er genug Geduld bis zum Abschluß des Projekts. Daher ist ein Kapha-Typ gerade in hektischen Zeiten ein ruhender Pol für andere. Allerdings sollte er niemals überstürzt handeln, denn unter Streß wird er zum mürrischen Sturkopf.

Mit seinem Hang zu Beständigkeit hat ein Kapha-Typ in der Regel einen sicheren Arbeitsplatz. Viele Kapha-Naturen sind im EDV-Bereich tätig und als Beamte in öffentlichen Ämtern, wo ihre Gelassenheit und Dickfelligkeit ihnen zugute kommt. Auch im Bankwesen und in Immobiliengeschäften fühlen sie sich zu Hause; durch ihren soliden Umgang mit Geldgeschäften genießen sie Vertrauen bei ihren Partnern und Kunden.

Obwohl die Arbeit am Schreibtisch der Kapha-Natur entspricht, sollte sie auf genügend Bewegung und Abwechslung achten – zumindest als Ausgleich in ihrer Freizeit. Bei aller Liebe zur Routine darf eine Kapha-Natur ruhig eine Portion Ehrgeiz entwickeln. Vielleicht strebt sie einen neuen Arbeitsbereich an, oder sie entscheidet sich für eine Fortbildung, die ihr andere Möglichkeiten eröffnet. Mit ihrer robusten Natur verträgt Kapha auch körperliche Tätigkeit gut. Wichtig aber ist immer, auch am Arbeitsplatz Feuchtigkeit und Kälte unbedingt zu vermeiden.

Partnerschaft und Familie

Ihr ausgeprägter Sinn für Familienleben ist ein spezielles Merkmal der Wesensnatur von Kapha. Als Frau wird sie gewiß tiefe Erfüllung in ihrer Rolle als Hausfrau und Mutter finden. Ein Mann vom Kapha-Typ ist mit Sicherheit ein wunderbarer Hausmann, der leidenschaftlich kocht und sich liebevoll und zuverlässig um die Kinder kümmert. Eltern, die hohes Kapha haben, verwandeln ihr Zuhause zu einem Nest, in dem alle Familienmitglieder Wärme, Sicherheit und Geborgenheit finden. Jemand mit Kapha-Natur wird viele Härten auf sich nehmen und eigene Bedürfnisse zurückstecken, um seine Familie zu schützen.

Eine sanfte Person ist die Kapha-Natur, die sich gerne den Wünschen und Bedürfnissen ihres Partners anpaßt und ihn, wo im-

197

mer sie kann, unterstützt. Außer der fürsorglichen Partnerin ist sie zugleich beste Freundin, die loyal mit ihrem Gefährten durch Höhen und Tiefen geht, Toleranz und Geduld zeigt mit seinen Marotten. Manchmal neigt sie zwar dazu, ihren Partner zu bemuttern oder umgekehrt zuviel Verantwortung abzugeben. Insgesamt aber ist das Zusammenleben mit ihr entspannend und angenehm.

Großen Wert legt sie allerdings auf ihre heilige Ruhe. Wenn ein Partner mit zuviel Feuer ständig an ihr herumnörgelt, wenn eine Vata-Natur sie hetzt oder ihr die geliebte Entspannung abends nach der Arbeit verwehren will, wird Kapha unleidlich. Lange verschließt sie davor die Augen und Ohren, blockt Spannungen stoisch ab nach dem Motto „Lieber eine schlechte Beziehung als überhaupt keine" – bis sie irgendwann ohne viele Worte ihre Koffer packen wird. Weil sie Probleme nicht offen anspricht, wird der Partner, wenn er selbst eine Kapha- oder Pitta-Natur hat, vermutlich gar nicht bemerken, daß sie unglücklich ist. Eine große Bereicherung bedeutet für ihre Partnerschaft eine ehrliche Kommunikation. Nur in offenem Kontakt können beide Verständnis füreinander finden und die Beziehung lebendig gestalten.

Eine Kapha-Wesensnatur hat in aller Regel den starken Wunsch zur Familiengründung. Daher sollte der Partner ebenfalls hohe Anteile von Kapha haben. Mit ihm zusammen wird sie ihr gemeinsames Lebensziel erreichen: ein Haus bauen, Kinder haben, ein Bäumchen pflanzen. Gut wäre allerdings, wenn dem Partner auch eine kräftige Portion Feuer zu eigen ist, das sie hin und wieder aus den vier Wänden holt. Ein Partner vom Typ Pitta-Kapha sorgt durch seinen aktiven Lebensstil für genügend Abwechslung, was auch die Beziehung lebendiger macht. Dagegen wird ein reiner Feuer-Typ sie in seine Richtung ziehen und in seine eigenen Pläne verwickeln wollen. Anfangs läßt sich eine Kapha-Natur um des lieben Frieden willens mitziehen; irgendwann aber hat sie genug davon und interessiert sich überhaupt nicht mehr für seine Projekte, was einer Partnerschaft schlecht bekommt.

198   Die Gemeinsamkeit von Kapha und Vata ist ihr Interesse für Philosophie, Spiritualität und Kunst. Mit einem Partner, der viel Vata hat, werden sich endlose anregende Gespräche ergeben. Manchmal wird der Schmetterling sie sogar aus der Trägheit lok-

ken und auf seine Phantasiereisen mitnehmen können. Schwierig nur, wenn beide im Übermaß ihres jeweiligen Dosha leben, denn dann werden sie gegenseitig auch ihre depressiven Stimmungen verstärken.

Das Kind einer Kapha-Natur findet unendlich viel Geborgenheit und Sicherheiten – so viel, daß es sich manchmal erdrückt fühlt von Liebe und Schutz. Auch wenn es schwerfällt: Kinder müssen irgendwann einmal dieses Nest verlassen, selbst laufen lernen und ihren eigenen Weg im Leben finden. Um das zu ermöglichen, sollte eine Kapha-Natur ihr Kind mit dieser offenen Grundhaltung zu einem selbständigen Menschen erziehen.

Kinder vom Kapha-Typus sind ihrer Natur nach stark mit dem Erdelement oder dem Wasserelement verbunden, je nach individuellem Schwergewicht.

„Erd-Kinder" vertragen Veränderungen nur schlecht. Sie sind sehr abhängig von ihrer Mutter und brauchen immer die Anwesenheit eines geliebten Menschen. Intuitiv suchen sie Konstanz, feste Strukturen und klare Grenzen.

„Wasser-Kinder" haben eine ausgeprägte innere Stimme. Mit feinem Gespür nehmen sie die Atmosphäre wahr und können direkt auf Stimmungen der Umwelt reagieren. Mit ihrer Fähigkeit zur Anpassung können solche Kinder mit allen Situationen und Stimmungen gelassen umgehen. Wichtig für sie ist jedoch die unbedingte Ehrlichkeit von anderen. Falls Eltern ihr Wasser-Kind oft anschwindeln, wird es diese wertvolle innere Stimme allmählich verlieren.

Allen Kapha-Kindern gemeinsam ist aber ihre Liebe für romantische Märchen, von Rittern und Prinzessinnen. Enden müssen diese Märchen immer mit dem zartbitteren Nachsatz: „Und wenn sie nicht gestorben sind …"

Sport und Freizeit

Obwohl ein Kapha-Energietyp seine Freizeit am liebsten in der Hängematte bei einem guten Buch verbringt, braucht er zusätzlich viel körperliche Betätigung. Mit seiner hohen Ausdauer kann er auch ein relativ anstrengendes Sportprogramm vertragen. Er darf ruhig einmal aus der Puste geraten und schwitzen, damit der Kreislauf so richtig in Schwung kommt und die Energiekanäle gereinigt werden. Besonders wichtig ist, daß er sein Sportprogramm regelmäßig, wenn möglich jeden zweiten Tag durchhält, selbst wenn das manchmal schwerfällt.

Alle Sportarten, die Ausdauer erfordern und Sauerstoff in den Körper befördern, halten die Kapha-Konstitution fit: zügiges Laufen, leichtes Joggen, auch eine Sportart, die Reaktionsvermögen erfordert, wie Fußballspielen. Da sie Aktivitäten gerne unter einem praktischen Aspekt sieht, kann sie mit dem Rad zum Einkaufen fahren oder den Hund auf einen langen Spaziergang ausführen. Eine Kapha-Natur schwimmt gerne, was ihrer Ausdauer zwar entgegenkommt. Kaltes Wasser aber ist nicht empfehlenswert, auch im Winter sollte sie besser auf Besuche im Hallenbad verzichten. Auch Außensport ist im Winter eher schädlich, gewiß bekommt sie in der Kälte sonst schnell eine Erkältung. Besser, sie erfüllt während der kalten Jahreszeit ihr Sportprogramm in der Halle. Hier empfiehlt sich Gymnastik oder ein Abonnement im Fitneßstudio. Auch daheim sollte sie ein Gymnastikprogramm ausführen.

Über das Tanzen kann eine Kapha-Konstitution zu einem besseren Körpergefühl finden. Möglicherweise hat sie anfangs Hemmungen bei dieser Art von Bewegung und kommt sich auf der Tanzfläche vielleicht plump vor. Allmählich aber werden ihre Bewegungen weicher und auf ihre eigene Weise attraktiv und sinnlich.

Wenngleich sie ihrem Naturell nach nicht für komplizierte Positionen vorherbestimmt ist, wird auch Yoga ihr Körpergefühl verbessern und ihr zu mehr Beweglichkeit verhelfen. Nur sollte sie von dem Klischee Abschied nehmen, Yoga habe mit schlangenmäßigen Bewegungen und Positionen zu tun. Vielmehr geht es hier um einen gleichmäßigen Energiefluß, wobei die Gelenkigkeit keine ausschlaggebende Rolle spielt.

Kapha im Urlaub

Trockene und warme Regionen sind die optimalen Aufenthaltsorte für eine Kapha-Konstitution. Gerade den Urlaub sollte sie nutzen, um Sonne zu tanken und sich den Wind um die Nase wehen zu lassen. Bei einer zügigen Wanderung im Gebirge bei Sonnenschein fühlt sie sich besonders wohl.

Mindestens genauso wichtig für sie ist ein ausreichendes Maß an Abwechslung. Zwischendurch kann sie Städte und Ausgrabungsorte besichtigen, Theater und Museen besuchen. Der Urlaub bietet eine ideale Gelegenheit, um Menschen kennenzulernen und neue Eindrücke zu sammeln. Daher gilt für die Kapha-Natur: Nicht jedes Jahr an denselben Ort fahren, die Welt ist groß!

Das Zuhause

Mit ihrer Anpassungsfähigkeit kann sich eine Kapha-Wesensnatur in nahezu jeder Wohnsituation wohl fühlen. Als Single in der Stadt zu leben findet sie ebenso in Ordnung wie mit Familie auf dem Land in einem Bauernhaus.

Was sie aber immer braucht, ist Wärme, Licht und Luft. In der Stadt ist eine Wohnung in einer oberen Etage für sie angebracht. Die Räume sollten große Fenster haben, luftig und weit sein, damit sie gut durchatmen und genügend Sonne hereinlassen kann. Entsprechend steht das Bauernhaus auf dem Land idealerweise an einem sonnigen Platz und sollte natürlich eine gute Heizanlage haben.

Mit sicherem Händchen richtet eine Kapha-Natur ihre Wohnung heimelig und sehr bequem ein. Allzu gemütlich sollte die Einrichtung aber nicht ausfallen. Eckige und schräge Elemente, vielleicht ein paar klassische Möbelstücke können die Kuscheligkeit etwas auflockern. Die Wände vertragen belebende Farben. Einzelne Partien können in Gelb, Orange oder einem hellen Rot gestrichen werden, das aber nicht in den Pastellbereich übergehen sollte.

Die Kleidung

Leuchtende und kräftige Farben verträgt auch die Kleidung. Ein Kapha-Typ kann viele Farben mit starken Kontrasten wagen. Optimal sind wärmende Farben, wie Rot, Gelb und Orange; die Töne sollten immer frisch und belebend wirken. Auf kühle Farben, also Blau oder Grün, wird besser verzichtet. Auch die Materialien sollten von wärmender Qualität sein. Ideal ist eine Mischung mit Wollanteilen, im Sommer paßt Baumwolle. Damit die ewig kalten Füße nicht den ganzen Körper auskühlen, sind warme Socken ein Muß.

Vata-Pitta

Die Verbindung von Luft und Feuer garantiert Dynamik. Im Energietyp von Vata-Pitta vereinen sich die Zartheit des Schmetterlings und die geballte Energie des Vulkans. Aus dieser Verschmelzung entfaltet sich jene Lebendigkeit des Geistes sowie eine Brillanz im Denken, die eine Vata-Pitta-Persönlichkeit so intensiv und eigenwillig macht. Zu seiner Harmonisierung benötigt der Typ Vata-Pitta jedoch das solide Element von Kapha, um seine ungewöhnlichen Pläne langfristig zu realisieren und dadurch selbst Ruhe zu finden.

Vata-Pitta im Zustand der Harmonie

Wie Wind in das Feuer bläst, fließen die Impulse von Vata in die brodelnde Hitze von Pitta, wo sie umgehend verarbeitet werden. Im Idealfall nährt der Wind das Feuer gleichmäßig und erhält so eine beständige kräftige Flamme. Tatsächlich aber ändert der Wind durch seine instabile Natur ständig seine Stärke und Richtung, was zur typischen Wechselhaftigkeit und Impulsivität der Vata-Pitta-Energie führt.

Nur wenige Merkmale gelten generell für alle Vata-Pitta-Typen. Je nachdem, welche Energie in ihrer Wesensnatur überwiegt, prägt sie überwiegend die Beweglichkeit und Kreativität von Vata oder

aber die impulsive Vitalität von Pitta. Entsprechend unterschiedlich fallen daher die Persönlichkeiten vom Typ Vata-Pitta aus.

Die körperlichen Anlagen des Vata-Pitta-Typs

Mittelgroß, flexibel und voller Dynamik ist der Körperbau des We-
senstyps Vata-Pitta. Er kann relativ zierlich sein wie Vata oder etwas kräftiger geformt wie Pitta. Die Bewegungen sind leicht und
voller Energie, fallen aber zwischendurch etwas zu schnell und fahrig
aus.

Auch in den Gesichtszügen vereinen sich Merkmale beider
Doshas. An manchen Stellen zeigt sich das sensible Vata durch
feine, zarte Züge. Pitta drückt sich aus in markanten Partien, vielleicht durch ein kantiges Kinn, was einen Ausdruck von Entschlossenheit verleiht. Eher fein, vielleicht lockig sind die Haare.

Seinem Feuer verdankt Vata-Pitta auch seine gute Durchblutung.
Einen Hang zu kalten Händen und Füßen im Winter hat diese
Konstitution dennoch, da gerade jetzt das kälteempfindliche Vata
hoch ist. Zugleich bewirkt der Feueranteil, daß sie im Sommer
leicht überhitzt, was sie schnell erschöpft, unruhig, müde und gereizt macht. Letztlich verbleibt nur ein schmaler Temperaturbe-
reich, in dem sich eine Konstitution vom Typ Vata-Pitta wirklich
wohl fühlt.

Gesegnet mit einem guten Verdauungsfeuer, hätte sie eigentlich
beste Voraussetzungen für eine optimale Gesundheit. Ihr Hang zu
Überaktivität macht ihr jedoch einen Strich durch die Rechnung.
Ständige Anspannung laugt sie übermäßig aus, so daß ihr Immunsystem letztlich Endes nur mittelmäßig arbeitet.

Die geistigen Anlagen des Vata-Pitta-Typs

„Immer volle Kraft voraus" lautet die Devise der Persönlichkeit
vom Typ Vata-Pitta. Sie sprüht geradezu vor Unternehmungslust.
Eine Fülle an kreativen Ideen fließt aus den Sphären ihrer Phantasie, die sie kraft ihres Feuers mit Temperament und Leidenschaft
in die Tat umsetzt. Welchen Weg sie auch einschlägt, gewiß ist er

ungewöhnlich und eigenwillig. Vielleicht stellt sie eine Theater-
gruppe auf die Beine, organisiert Abenteuerreisen in alle Welt oder
eröffnet eine Kunstgalerie. Vielleicht macht sie auf der Abendschule
ihr Abitur nach, um danach Archäologie zu studieren.

Das Besondere an den Projekten von Vata-Pitta aber ist, daß sie
Dinge aus ungewohnten Blickwinkeln betrachtet. Weil sie auch
im Gewöhnlichen feine Besonderheiten erkennt, bekommen Arbeiten aus ihrer Hand den speziellen Pfiff und jenen Schuß Origi-
nalität, die sie so individuell machen. Von Natur aus leicht und
flexibel, paßt sie sich der gegebenen Situation an und macht selbst
dann das Beste daraus, wenn die Lage nicht gerade rosig ist. Kleine
Schönheiten am Rande fängt sie mit sensiblem Blick und guten
Ideen ein und bringt auf diese Weise viel Farbe in den Alltag. Die
Vata-Pitta-Natur ist eben jene begeisterungsfähige Idealistin, die
immer mit ihrem Herzblut handelt.

Stets auf der Suche nach ihren Grenzen, hält sie ihre Nase neuen
Horizonten entgegen. So kommt ihr die Feuerkraft sehr gelegen,
schenkt sie ihr doch jede Menge Power und scharfes Denken, um
ihre Ideen mit dem rechten Know-how in die Tat umzusetzen.
Eine solche Wesensnatur kommt gar nicht erst auf den Gedanken,
Erwartungen anderer zu erfüllen, denn ihre Courage und ihr starker Wille leiten sie auf sehr individuellen Pfaden durch das Leben.
Feuer läßt Visionen Wirklichkeit werden und verleiht zugleich etwas Rebellisches. Vielleicht war sie das schwarze Schaf der Familie,
schockierte mit ihrer unkonventionellen Einstellung und ist damit zur Vorreiterin ihrer Generation geworden. Solange die Flamme ihres Feuers kräftig brennt, wird sie Mut genug haben, diesem
Ruf ihrer inneren Stimme zu folgen.

Falls der Feueranteil in ihrer Wesensnatur sehr ausgeprägt ist, wird
sie Karriere machen wollen. Sprühend vor Kreativität und dem rechten Können, spürt sie garantiert unentdeckte Marktlücken auf und
verschafft sich Erfolg, der ihr tiefe Erfüllung gibt. Dazu ein gutes
Einkommen, das sie für ihren geschmackvollen Lebensstil, exklusi-
ve Abenteuerreisen, teure Kunst und gute Musik braucht.

Die Wesensnatur von Vata-Pitta bewundert man für ihren ei-
genwilligen Kopf und den Mut, Träume zu leben. Wie verrückt
diese auch sein mögen, vertritt sie ihre Argumente mit soviel Intelligenz, Schlagfertigkeit und Charme, daß sich ihnen niemand ent-

205

ziehen kann. Mit dieser charismatischen Ausstrahlung reißt sie andere mit und hinterläßt stets einen Hauch von Inspiration.

Bei soviel Eifer verliert sie allerdings manchmal ihren Anker. Wenn sie sich übernimmt, wechselt die Wind-Energie ständig ihre Richtung und löst starke Stimmungsschwankungen aus. Was soeben noch genial erschien und mit Enthusiasmus begonnen wurde, wird plötzlich in Frage gestellt. Dann wird ihr mulmig vor der eigenen Courage, und ihr ohnehin labiles Selbstbewußtsein läßt sie im Stich. Allerdings verbrennt Feuer schnell diese Zweifel und bringt sie in die Aktivität zurück. Andere registrieren diese Momente der Unsicherheit wohl kaum; nach außen erscheint sie immer als Energiebündel mit ungebrochenem Selbstbewußtsein.

Wie der Schmetterling von allen Blumen kostet, ist ein Vata-Pitta-Typ immer mit verschiedenen Dingen gleichzeitig beschäftigt. Vielleicht hat er schon mehrere Ausbildungen absolviert und kurzzeitig mit Erfolg ausgeübt, bis er seine Berufung in einer anderen Branche erkannt hat. Von so wechselhafter Natur, kann sein Wissen kaum einmal in die Tiefe gehen. Einen wichtigen Vorzug hat diese Vielseitigkeit allerdings doch: Geschickt kombiniert, schöpft Vata-Pitta daraus sein starkes Potential eines Multitalents.

Ihres Zeichens Humanistin, kämpft diese Wesensnatur mit Engagement und Idealismus für eine bessere Welt. Und dies nicht nur mit Worten, sondern sie wird auch konkrete Aktivitäten einbringen: Sie könnte beispielsweise im Boot von Greenpeace sitzen und gegen die Verschmutzung der Nordsee protestieren. Oder sie engagiert sich als Gewerkschaftsvorsitzende für bessere Arbeitsbedingungen in ihrer Firma. Wo auch immer: Vata-Pitta kämpft mit Feuereifer in der vordersten Reihe.

Vata-Pitta erhöhende Faktoren

Alle Faktoren, die Vata oder Pitta einzeln verstärken, erhöhen auch den entsprechenden Anteil in der Konstitution von Vata-Pitta. Schlagen Sie daher im Detail bitte unter den jeweiligen Kapiteln nach. Je nach Situation reagiert entweder Vata oder Pitta empfindlicher auf äußere Einflüsse.

Die Jahreszeit für ein Überwiegen der Vata-Energien ist der frühe Winter, also die kalt-trockenen Monate zwischen Oktober und Februar. Vata erhöhende Symptome treten hauptsächlich während dieser Zeit auf, und daher sind jetzt auch Vata harmonisierende Maßnahmen besonders zu beachten. Pitta ist während des Sommers zwischen Juni und September erhöht. Daher soll die Konstitution vom Typ Vata-Pitta in diesen Monaten eher Pitta reduzierende Maßnahmen einhalten.

Zur Beachtung: Die beiden Doshas können sich je nach Witterung zwischen September und Oktober überschneiden. In diesen Monaten ist daher besondere Achtsamkeit auf die Regulierung beider Energien angebracht.

Um die Mittagszeit zwischen 10 und 14 Uhr ist das Pitta-Dosha am höchsten. Anschließend steigt Vata zwischen 14 und 18 Uhr an. Besonders empfänglich ist Vata-Pitta jedoch für Faktoren, die beiden Doshas gemeinsam sind. Dazu gehört vor allem jegliche Unruhe und Ablenkung. Da dieser Typ aber seiner Wesensnatur gemäß viele Reize sucht, heißt es Prioritäten setzen: Auf Aktivitäten zweiten Ranges sollte daher bewußt verzichtet werden. Luft wie Feuer sind rastlos, in ihrer Verbindung verstärkt sich ihre Unruhe um so mehr. Vata-Pitta sollte deshalb trotz seiner oft turbulenten Aktivitäten nicht über die Stränge schlagen.

Alle Faktoren, die Streß hervorrufen, erhöhen beide Doshas in besonderem Maße. Dazu gehören ständiger Zeitdruck und ein immer voller Terminkalender. Auch eine Haltung innerer Anspannung, durch übermäßige Perfektion oder Nervosität ausgelöst, verzerrt seine wahre Wesensnatur.

Alle hitzigen Situationen, die mit Aufregung verbunden sind, verstärken seine Anspannung und versetzen ihn unnötig in noch größere Nervosität. Gleichzeitig damit steigen hitzige Gefühle hoch. Aufregung und Spannung hat die Vata-Pitta-Natur im eigenen Alltag schon genug. Deshalb empfiehlt es sich, auf Filme, die mit Gewalt und Aggression zu tun haben, ebenso wie auf laute und harte Musik zu verzichten.

Die richtige Beurteilung der Symptome

Das Naturell von Vata ist kalt, das von Pitta heiß. Schon daraus ergibt sich die große Spannbreite an möglichen Symptomen. Entsprechend individuell ist auch ihre Regulierung. Sind beide Doshas gleichzeitig erhöht, wird zunächst diejenige Energie reguliert, die stärkere und akute Beschwerden verursacht.

Zunächst mag es vielleicht ungewohnt erscheinen, sein Wohlbefinden nach den Doshas einzuschätzen. Achtsame Beobachtung erfordert, einmal nach innen zu horchen – das wiederum ist bereits der erste Schritt auf dem Weg zur Harmonisierung.

Zur Beurteilung der Symptome muß man sich folgende Fragen stellen: Ist das Symptom von kalter oder heißer Qualität? Zu welcher Tages- und Jahreszeit tritt es auf? An welcher Stelle im Körper äußert es sich? Daraus ergibt sich, welchem Dosha die Symptome zuzurechnen sind.

Als Beispiel: Eine Konstitution vom Typ Vata-Pitta hat einen stressigen Tag hinter sich. Am Arbeitsplatz hat es eine Auseinandersetzung mit einem Kollegen gegeben, und auf dem Heimweg blieb obendrein noch das Auto stehen, so daß sie in der Hitze zur nächsten Bushaltestelle laufen mußte. Nun ist sie natürlich entsprechend gereizt. Durch all diese Ereignisse ist ihr Pitta-Anteil angestiegen. Zu seiner Besänftigung empfiehlt sich ein kühles, mildes Essen und ein Spaziergang an der frischen Luft.

Oder es ist gerade ein kühler Tag im Spätherbst, als sie eine sehr unangenehme Nachricht erhält. Den ganzen Nachmittag über ist sie deprimiert und verstört. Zur Regulierung des nun überhöhten Vata-Dosha hilft jetzt am besten ein warmes Schaumbad, vielleicht eine Selbstmassage mit erwärmtem Öl und anschließend ein nahrhaftes Essen.

Vata-Pitta im Zustand der Verwirrung

Haben die beiden Kräfte ihr Gleichgewicht verloren, schaukeln Wind und Feuer sich gegenseitig hoch. Dann dreht sich jene Spirale, in der zunehmender Wind Feuer entfacht, das jetzt wiederum mehr Luft verbraucht – bis der Wind das Feuer auslöscht. Durch ihre gemeinsame Eigenschaft der Leichtigkeit verlieren beide Kräfte gänzlich ihre Stabilität und die Vata-Pitta-Natur damit den Boden unter ihren Füßen.

Ein Gefühl von Streß entwickelt sich, sobald wir unseren Zustand innerer Gelassenheit verlieren und dadurch Leidensdruck entsteht. Emotionaler Streß kann sich aufbauen, wenn ein unangenehmes Gespräch bevorsteht, wenn wir Streit mit dem Partner haben oder die Schwiegereltern zu Besuch kommen. Vielen Menschen bereitet es Streß, mit dem Auto im Stau zu stehen oder wenn der Bus am Morgen zehn Minuten zu spät kommt. Arbeit ist ein Bereich, der besonders vielen Menschen ein Gefühl von Streß verursacht.

Streß auf körperlicher Ebene entwickelt sich durch geschwächte Organe oder Körperteile. Zunächst werden andere Organe dieses Ungleichgewicht zwar auffangen und deren Aufgaben übernehmen. Je länger diese Energieverlagerung aber andauert, desto mehr wird der gesamte Organismus dadurch in Mitleidenschaft gezogen.

Doch hängt es stets von der individuellen Konstitution ab, wie man äußeren Herausforderungen begegnet: Während tatkräftige Menschen viel Aktivität brauchen, um sich wohl zu fühlen, kommt eine zart besaitete Seele wie die Vata-Natur schon bei Kleinigkeiten unter Druck und entwickelt Streßsymptome. Streß kann daher endlos viele Ursachen haben und alle Wesensnaturen betreffen. Auch die Kapha-Natur reagiert auf Streß, indem sie sich einigelt und ihren Stoffwechsel herunterdreht. Besonders anfällig dafür ist aber die Wesensnatur von Vata-Pitta: Streß ist eine der hauptsächlichen Ursachen für ihre Beschwerden.

209

Körperliche Herausforderungen
für den Vata-Pitta-Typ

Die Kühle ihres Vata-Anteils und die Hitze von Pitta machen die Konstitution vom Typ Vata-Pitta anfällig für kalte wie für heiße Krankheiten.

Da ein gestörtes Pitta-Dosha sich durch Wut und Ärger Luft macht und Raum verschafft, schlagen Probleme dem Vata-Pitty-Typ schnell auf den Magen. Sodbrennen entwickelt sich, das sich bis zu Magengeschwüren ausdehnen kann. Wie im Kapitel „Pitta" detailliert beschrieben, können sich in allen Bereichen des Körpers Entzündungen entwickeln, wobei besonders der empfindliche Verdauungstrakt betroffen ist.

Die sensibelsten Organe von Vata-Pitta sind Leber und Galle, die vor allem nach zu schweren und öligen Gerichten Probleme bereiten. Schmerzen auf der rechten Bauchseite weisen darauf hin, daß etwas nicht stimmt. Falls diese Beschwerden häufiger auftreten und die Vata-Pitta-Konstitution unter ständiger unspezifischer Müdigkeit leidet, ist dringend ein Besuch beim Arzt angeraten. Möglicherweise weisen diese Symptome auf eine Leberschwäche oder Gallensteine hin.

Allgemein lassen hohes Fieber und akut auftretende Erkrankungen auf ein überhöhtes Pitta-Dosha schließen. Auch ständige Infektionskrankheiten weisen auf ein schlechtes Abwehrsystem hin, was seine Ursachen in einer Leberschwäche haben kann.

Immer hat die Konstitution von Vata-Pitta auch mit typischen Vata-Beschwerden zu kämpfen. Schon bei kleinen Unstimmigkeiten verliert ihr Vata-Dosha seine Balance, und prompt reagiert sie mit Unruhe und Rastlosigkeit. Sie ist ständig nervös, unkonzentriert und sorgt sich wegen Kleinigkeiten. Nach einem langen Tag oder auch bei erst bevorstehendem Streß entwickeln sich oft heftige Spannungskopfschmerzen. In der Nacht kann sie schlecht einschlafen und liegt manchmal stundenlang wach. Dazu können Blähungen und eine unregelmäßige Verdauung auftreten. Je mehr Vata aus dem Gleichgewicht ist, um so gravierender zeigen sich „luftige" kalte Beschwerden, die im Kapitel „Vata" detailliert beschrieben worden sind.

Streß aktiviert die Nebennieren, die wiederum ihren Bedarf an Nährstoffen anderen Organen entziehen. Bei Dauerstreß arbeitet der gesamte Organismus deshalb ständig auf Hochtouren. Dabei brennt er sprichwörtlich aus, bis das gesamte System irgendwann einmal zusammenbricht. Als „Burnout" wird folgerichtig jenes Stadium kompletter Erschöpfung bezeichnet, wenn der Mensch seine Energien verbraucht hat und keine Reserven mehr da sind.

Da ständige Anspannung durch Streß besonders die Herzfunktionen schwächt, ist die Konstitution vom Typ Vata-Pitta hochgradig anfällig für alle Erkrankungen des Herz-Kreislauf-Systems. Dies gilt um so mehr, wenn ständige Ängste und Nervosität durch ein irritiertes Vata-Dosha noch hinzukommen. Erste Hinweise auf eine tiefgreifende Krise können Herzrasen und Herz-Rhythmus-Störungen sein. Um den drohenden Herzinfarkt zu vermeiden, empfiehlt es sich beizeiten, regulierend auf die angespannte Situation einzuwirken.

Vorschläge zur Selbstbehandlung

Für die Konstitution vom Typ Vata-Pitta empfiehlt sich die regelmäßige Einnahme von *Chyavanprash,* einem Mus auf der Basis der Amla-Frucht. Dieses Tonikum kräftigt den Organismus und gilt im Ayurveda als herausragendes Verjüngungsmittel. – Eine wertvolle Pflanze speziell für Frauen vom Vata-Pitta-Typ ist *Shatavari (Asparagus racemosus).* Sie wirkt regulierend auf die weiblichen Geschlechtsorgane und ist hilfreich bei Erschöpfungszuständen. Shatavari reguliert außerdem eine Übersäuerung des Magens und stärkt das Immunsystem sowie das Gedächtnis. – Heilend und kräftigend für das Herz ist das ayurvedische Kraut *Arjuna (Terminalia arjuna).* Dreimal täglich wird $^1/_2$ bis 1 Teelöffel von diesem Pulver mit Wasser eingenommen. Es senkt den Blutdruck, unterstützt die Blutversorgung des Herzens, erweitert die Herzkranzgefäße und heilt Entzündungen des Herzens. – Bei entzündlichen Erkrankungen, besonders bei Entzündungen der Haut, ist die regelmäßige Einnahme von *Triphala* empfehlenswert. Triphala hat eine leicht abführende Wirkung und entsäuert den Körper: Morgens 1 Eßlöffel Triphala-Pulver in 1 Tasse lauwarmem Wasser einweichen und das Wasser abends trinken. Das Pulver verbleibt in der Tasse und wird nochmals mit warmem Wasser aufgegossen, über Nacht stehengelassen und am nächsten Morgen getrunken. Für den näch-

211

sten Aufguß wird frisches Pulver verwendet. – Zur Blutreinigung empfiehlt sich der Genuß von viel Fruchtsaft.

Geistige Herausforderungen für den Vata-Pitta-Typ

Wenn das Zusammenspiel von Wind und Feuer seine Harmonie einbüßt, entwickelt sich ein Zustand von Spannung. Der Vata-Pitta-Typ hetzt durch das Leben – von einen Tagespunkt zum nächsten. Unfähig, zwischen wichtigen und nebensächlichen Angelegenheiten abzuwägen, lebt er in ständiger Hektik, und sein Terminkalender platzt aus allen Nähten. Um alle diese – vorwiegend selbstkreierten – Anforderungen zu erfüllen, verzettelt er sich hoffnungslos und verliert dabei die Verbindung zu seinen gesunden Bedürfnissen. Jene innere Stimme, die zum Kürzertreten ermahnt, geht in all dem Trubel unter, und erste Warnsignale werden kurzerhand vom Tisch gefegt.

Erst wenn die Lage heikel wird, realisiert der Wesenstyp Vata-Pitta, daß er zu weit gegangen ist. Vielleicht hat er dann schon eine akute Entzündung der Magenschleimhaut. Nun ist es der Arzt, der zum Kürzertreten ermahnt. Vielleicht ist er mit einem Burnout-Syndrom zusammengebrochen oder sein vernachlässigter Partner ist ihm davongelaufen. In diesem Moment, wenn gar nichts mehr geht, stellen sich ihm lebenswichtige Fragen: „Was ist denn noch übriggeblieben von meinem Selbst?" oder „Was erwarte ich eigentlich von meinem Leben?" Dieser Augenblick hält eine wirkliche Chance bereit, um Werte und Gewichtigkeiten einmal ehrlich zu überdenken.

Steter Begleiter der Wesensnatur vom Typ Vata-Pitta ist ihre Ungeduld. Sie ist leicht ungehalten und sofort mit Kritik bei der Hand, wenn Dinge schiefgehen oder Menschen nicht ihre Ansprüche erfüllen. Ihres Zeichens Perfektionistin, wird sie schnell intolerant und nörgelt an Kleinigkeiten herum. Ihre schlechte Laune sucht ein Ventil als Vorwand, um Spannung abzulassen. Daher kann ihr hitziges Temperament jeden treffen, der zufällig des Weges kommt. Besonders streng ist Vata-Pitta mit ihrer eigenen Person, denn an sich selbst stellt sie mindestens dieselben hohen Erwartungen wie an andere.

Wenngleich diese Wesensnatur nach außen hart auftritt, ist ihre Härte nur eine Schale, um ihr Halt zu geben und ihre schwachen Seiten zu verhüllen. Denn ihre luftigen Anteile machen Vata-Pitta sehr verletzbar. Besonders auf Kritik an ihrer Person reagiert sie unsicher und dünnhäutig. Natürlich kennt sie ihre Fähigkeiten im Grunde ganz genau, doch mangelt es ihr an einem stabilen Selbstwertgefühl. Unsicherheit überkommt sie in den unpassendsten Momenten, etwa wenn ein Projekt in vollem Schwung ist und wie aus dem Nichts plötzlich Selbstzweifel auftauchen, die sich bis zur Panik steigern können. Je mehr ihre Gefühle „durch den Wind" sind, desto mehr verstärken sich auch Ängstlichkeit und Wankelmut bei ihr, bis sie im Extremfall ihren ganzen Lebensplan in Frage stellt. In solchen Momenten schwebt sie in einer Kluft zwischen Überschwenglichkeit und Versagensangst. Die realistische Einschätzung ihrer Lage ist verlorengegangen.

In Streßphasen reagiert diese sensible Seite in ihr um so mehr. Unsicherheit, Anspannung und Nervosität breiten sich aus bis auf Zellebene. Rapide leert sich ihr ursprünglich hohes Energiedepot, sie fühlt sich müde und ausgelaugt. Zugleich entfacht Hitze das Feuer und erfüllt ihre ganze Person mit jener heißblütigen Energie, die sie so aufbrausend und jähzornig macht. Je nachdem, welches Element gerade überwiegt, wechselt Vata-Pitta unter Streß geschwind zwischen Hektik, Nervosität, Ängstlichkeit und Aggression hin und her. Als intensive Wesensnatur, die sie nun einmal ist, verleiht sie diesen spontanen Gefühlen allzu direkten Ausdruck. Soviel Impulsivität erschöpft nicht nur sie selbst, sondern auch andere, die Probleme haben, mit ihren wechselnden Launen Schritt zu halten. Mit diesem Verhalten stellt sie sich unwillkürlich in den Mittelpunkt.

Vata-Pitta ist zwar immer überzeugt von ihrer Sache, aber nur für den Augenblick. Kaum ist ein Projekt abgeschlossen, wird sie grübeln, was als nächstes ansteht. Es fehlt ihr an Ruhe und Ausdauer, um längerfristig bei einer Sache zu bleiben. Statt dessen puscht sie zu neuen Zielen voran, da sie nicht erträgt, wenn einmal nichts Besonderes passiert.

213

Der Ruf der Seele

Ständige Aufgaben und ihre vielseitigen Interessen halten den Energietyp von Vata-Pitta unentwegt auf Trab und lassen ihn nur schwer Ruhe finden. Gerade weil Begeisterung und Leidenschaft immer neue Schübe an Energie auslösen, gelingt es ihm nur schwer, seine Kräfte auf einem gleichmäßigen Niveau zu halten. Aufgrund seiner Impulsivität entgleitet ihm die Kontrolle über seine Gefühle, was ihn zusätzlich erschöpft. Wenn es ihm gelingt, zu seinen Wurzeln zu finden und er bei sich bleiben kann, wird er unabhängiger von seinen Emotionen und kann eine Haltung von Gelassenheit entwickeln. Seine Wutausbrüche, überschwengliche Begeisterung und Zweifel sind Spiegelbilder der augenblicklichen Zusammensetzung seiner Energien. Den goldenen Mittelweg zu finden ist für ihn besonders wichtig, um Distanz zu diesen Gefühlen zu entwickeln. Es geht darum, sich nicht mit ihnen zu identifizieren, sondern sie als Spiegel seiner Doshas zu sehen. Darin erkennt er seine jeweilige Situation und kann sie besser kontrollieren.

Vata-Pitta fehlt Stabilität, da es zu wenig mit Kapha in Verbindung steht. Durch Stärkung jener Kräfte der Erde und des Wassers wird der Vata-Pitta-Typ mehr Selbstvertrauen finden. Mit kräftigen Wurzeln wird er Energie aus dem unerschöpflichen Reservoir des Universums holen können.

Erdung bedeutet für diesen Energietyp aber auch, einen Zugang zu seiner inneren Wesensnatur zu finden. Jedoch wird diese Tür sich ihm erst dann öffnen, wenn er zur Stille kommt und alle äußeren Geräusche verstummen. Sobald er diesen Raum betritt, wird er jene Stimme vernehmen, die ihm etwas sagen will und ihn mit seiner inneren Sehnsucht in Verbindung bringt – jenem Teil in ihm, der sich Geborgenheit wünscht und einfach *sein* will, ohne Leistungen dafür erbringen zu müssen. Solange diese Wesensnatur in vollem Tempo lebt, schätzt sie den Wert ihrer Persönlichkeit nach erbrachter Leistung und äußerem Erfolg ein. Sie fühlt sich zu nichts nütze, ja nichtswürdig, wenn sie nichts Außergewöhnliches auf die Beine stellt. Doch ihre innere Stimme weiß längst, daß die Persönlichkeit eines Menschen mehr ausmacht als die Summe seiner Qualitäten.

Daher ist ihr Dauerlauf durchs Leben ganz unnötig, denn alle Voraussetzungen für wirkliches Glück sind längst vorhanden. Sie darf sich annehmen mit all ihren Schwächen und Schattenseiten. Wenn sie bereit ist, Selbstliebe zu entfalten und ihre eigene Wesensnatur wirklich anzunehmen, wird sie auch andere in deren Eigenheiten akzeptieren können und muß nicht mehr ständige Kritik üben.

Dieser Akt des Verzeihens kann eine sehr berührende Erfahrung für die Wesensnatur von Vata-Pitta bedeuten: In diesem Augenblick der Offenheit wird sie weich und dadurch zu Frieden kommen. Zugleich versteht sie, daß alle Geschehnisse auf ihre eigene wunderbare Weise perfekt sind. Wenn sie das Leben seinen natürlichen Lauf nehmen läßt, erkennt sie, daß alle Dinge von einer eigenen Logik und Dynamik gelenkt werden, daß in diesem Gewebe für jeden ein Platz reserviert ist, ohne daß er dafür kämpfen muß.

Als Teil dieses Universums darf er sich darin geborgen fühlen, denn was auch geschieht, nichts kann ihm etwas anhaben. Daher bedeutet das persönliche Schicksal annehmen, Urvertrauen zu gewinnen. Dieses Urvertrauen erinnert an die Kraft einer Mutter, die in ihrem Schoß Sicherheit und Geborgenheit gibt. Unsere Große Mutter ist das Universum mit seinem Abbild von Mutter Erde, der wir uns ruhig anvertrauen können. Auf dem Weg zu diesen Wurzeln machen wir die Erfahrung, daß die größten Abenteuer in der Stille geschehen.

Wege zur Regulierung von Vata-Pitta

Allgemeine Empfehlungen

Naturgemäß drängt die innewohnende Hitze der Vata-Pitta-Natur sie immer voran, doch zugleich leidet ihr sensibles Nervenkostüm durch zu viel Action. Dieses Temperament einerseits und eine hohe Empfindsamkeit anderseits sind die beiden Anteile in ihrer Seele, die sich nach Harmonie sehnen. Dafür empfiehlt sich ein maßvoller Mittelweg.

Grundsätzlich benötigt die Wesensnatur von Vata-Pitta die Stabilität und Gelassenheit des Sees. Deshalb heißen die beiden Eckpfeiler: Mäßigkeit und Entspannung.

Wichtig ist eine innere Haltung von Ruhe. So sehr sich Vata-Pitta auch nach dieser entspannten Grundhaltung sehnen mag, kehrt diese doch erst ein, wenn man bewußt etwas dafür tut.

Der Verlauf eines Tages entwickelt sich in der Schwingung weiter, wie er begonnen wird. Daher ist es gerade für diese Konstitution ratsam, den Morgen ganz gelassen anzugehen. Keinesfalls sollte sie schon vor dem Frühstück mit Organisation, Planung oder irgendwelchen anderen Aktivitäten starten, die sie in Unruhe versetzen. Statt dessen empfiehlt es sich, genug Zeit einzuplanen für eine zehn- bis fünfzehnminütige Meditation und eine kurze Selbstmassage an Kopf, Händen und Füßen. Von diesem Polster an Gelassenheit und Erdung wird sie in den nächsten Stunden zehren können.

Auch tagsüber sollten mehrere Pausen für kurze Entspannungen einkalkuliert werden. In der Mittagspause sorgen ein leichtes Mittagessen und ein Spaziergang in einer Parkanlage, möglichst mit Springbrunnen, für geistige Erfrischung. Der Verlockung zum Schaufensterbummel mit einem Imbiß aus der Hand sollte die Vata-Pitta-Natur besser widerstehen.

Eine innere Haltung von Weichheit in ihrem Tun kann auch ihren Geist positiv entspannen. Sie kann dies dadurch unterstützen, daß sie auf eine sanfte und freundliche Ausdrucksweise achtet und anderen gegenüber achtsam und mit Verständnisbereitschaft begegnet. Alles, was sie tut, sollte möglichst mit einer entspannten Geisteshaltung geschehen.

Innere Stabilität wird sie durch eine dauerhafte Gestaltung einiger Lebensbereiche gewinnen. Vielleicht bemüht sie sich um eine stabile harmonische Partnerschaft oder sucht im Beruf, so abwechslungsreich er auch sein darf, ein festes Standbein. Hier stellen sich für sie die Fragen: Wieviel an ständiger Unruhe tut mir wirklich gut und hält mich lebendig? In welchen Bereichen wünsche ich mir mehr Sicherheit? Wo fühle ich mich unwohl und ausgebrannt?

216 Für Vata-Pitta-Naturen ist ein sorgsamer Umgang mit ihren Energien von großer Wichtigkeit. Ayurvedische Ärzte empfehlen deshalb ein gezieltes *Streß-Management:*

Menschen mit dieser Wesensnatur sollten stets ihr Verhalten und Befinden wachsam beobachten, um nicht unkontrolliert in einen Zustand übermäßiger Anspannung zu schlittern. Auf jeden Fall empfiehlt es sich für sie, eine gewisse Lockerheit und Gelassenheit zu entwickeln und gegebenenfalls rechtzeitig Distanz zu bewahren. Geraten sie zu sehr in Streß, empfehlen Ayurveda-Ärzte ihnen sogar eine totale Auszeit: Vielleicht möchten sie sich dann einen Wellness-Urlaub gönnen oder sich für eine Weile an einen stillen Ort zurückziehen, um Meditation und Yoga zu lernen.

Vor allem ist ab jetzt aber auf ein maßvolleres Verhalten zu achten. Eine genaue Beobachtung der Streßursachen hilft zu erkennen, wo die Lösung liegen kann. Was zu ändern ist, soll tatkräftig angepackt werden. Was nicht zu ändern ist, gilt es zu akzeptieren. Das Annehmen einer unabänderlichen Situation bringt schon viel Frieden im Geist.

Besonders regelmäßige Meditationen und Atemübungen *(Pranayama)* helfen das Streßniveau soweit zu reduzieren, daß der Mensch zu seiner Harmonie zurückfindet. Die von den ayurvedischen Weisen als Tagesroutine empfohlene stille Einkehr morgens und abends ist für den Vata-Pitta-Typ besonders wichtig.

Auch während des Tages, sobald sich ein Gefühl von Streß aufbaut, empfiehlt es sich, für einen Moment abseits des Geschehens zu treten und Abstand zu gewinnen. Befreiend ist es, die Spannungen aus sich herauszuatmen: Bei dieser Übung stellt man sich die Anspannungen im Körper als schwarze Energie vor, die sanft durch den warmen Atem aus dem Körper geleitet und in Gedanken weit weg geschickt wird. Eine Meditation, bei der alle Zellen, Muskeln und Organe des Körpers mit weißem Licht durchflutet werden, führt ebenfalls in ein Gefühl von Entspannung und Ruhe zurück. Weitere Anleitungen finden sich im späteren Abschnitt „Meditation" (siehe Seite 221 f.).

Hilfreich bei Anspannung ist eine *Nasya*-Behandlung: Es wirkt sehr beruhigend, 5 Tropfen kühlendes Ghee in beide Nasenlöcher zu träufeln.

Beim Autofahren beruhigt eine Kassette mit leiser sanfter Musik, eventuell auch Mantren, die laut mitgesungen werden.

Ernährung

Die Konstitution vom Typ Vata-Pitta hat ein heißes und ein kaltes Dosha zu harmonisieren. Als wichtigste Orientierung, um beiden Qualitäten zu entsprechen, kann die Sattva-Diät gelten. Diese Diät ist nahrhaft und erdend; sie beglückt den Geist und übermittelt daher all jene Botschaften, die den Vata-Pitta-Typ ausgleichen.

Der wichtigste Geschmack bei dieser Diät ist süß, was Vata wie Pitta gleichermaßen harmonisiert. Zugleich baut Süßes Kapha auf, was die nötige Erdung verleiht. Die Vata-Pitta-Konstitution darf ihrer Lust auf Süßes speziell bei den Nachspeisen also ruhig nachgeben. Die besten Süßungsmittel sind Ahornsirup und Jaggery (Ursüße). Ebenso decken süße Früchte und Nüsse diesen Geschmack ab. Im Winter schmecken leichte, süße und saftige Getreidegrützen gut, auch ein warmer Apfelstrudel ist bekömmlich. Raffinierter Weißzucker ist ein Mineralienräuber und deshalb nicht empfehlenswert.

Lebensmittel, die außer der süßen Qualität auch schwer, erdig und feucht sind, unterstützen den Aufbau von Kapha um so mehr. Dazu zählen Milch, Kohlehydrate in Reis und Weizen, süßes Obst und Gemüse. Nahrung von herbem Geschmack darf in vernünftigen Mengen ebenfalls genossen werden, Salziges und Bitteres dagegen nur wenig.

Als zusätzliche Orientierung für die Zusammenstellung des Speiseplans dient die dominierende Energie der jeweiligen Jahreszeit. Im Frühjahr und Sommer empfiehlt sich eher eine Pitta reduzierende Diät, die Nahrung ist jetzt kühlend, leicht und wenig gewürzt. Im Herbst und Winter liegt das Augenmerk mehr auf der Energie von Vata, daher dürfen die Gerichte jetzt relativ nahrhaft, ölig und wärmend sein.

Auch im Tagesverlauf empfiehlt sich zum Mittagessen Pitta reduzierendes Essen, während das Abendessen wieder mehr nach Vata ausgerichtet wird.

Abgesehen davon, ist bei der Auswahl der Speisen stets das momentane Befinden zu beachten, das heißt, ob die Konstitution mehr in kühler oder heißer Energie lebt. Dies läßt sich entsprechend mit der Auswahl der Nahrungsmittel regulieren.

Die Vata-Pitta-Konstitution braucht drei regelmäßige Mahlzeiten am Tag. Ihr Agni ist relativ belastbar, sie verträgt dadurch auch kräftige und nahrhafte Speisen. Allerdings sollten diese nicht zu schwer sein, da sonst Verdauungsbeschwerden auftreten. Mit Gewürzen empfiehlt sich sparsamer Umgang; sie sollten nicht scharf, sondern eher süß im Geschmack sein.

Da Vata und Pitta beide trocken sind, sollte das Essen möglichst saftig und flüssig sein. Optimal sind kräftige Suppen und Eintöpfe mit Reis und Nudeln als Einlagen. Besonders das Abendessen ist im Idealfall flüssig und warm, um Vata zu regulieren.

Snacks zwischen den Mahlzeiten sind für den Rhythmus von Agni zwar nicht ideal, allerdings sollte eine Vata-Pitta-Konstitution möglichst nie hungern. Mit einem leeren Magen wird sie gereizt, fühlt sich unwohl und bekommt Kopfschmerzen. Der Snack kann im Sommer aus einem Glas Fruchtsaft oder etwas Obst bestehen, im Winter eignen sich ein süßer Getreidebrei, Nüsse und warmes gedünstetes Obst.

Was möglichst zu vermeiden ist:
Die Geschmacksrichtungen scharf und sauer wie auch trockenes und leichtes Essen erhöhen die Anteile an Vata und Pitta noch mehr und sollten daher möglichst wenig genossen werden. Kalte Speisen und Getränke bringen vor allem das Vata-Dosha schnell aus dem Lot.

Empfohlene Getränke

Die Konstitution vom Typ Vata-Pitta braucht stets viel Flüssigkeit. Wind und Feuer haben beide eine austrocknende Wirkung, daher hat sie immer großen Durst. Besonders im Sommer sollte Vata-Pitta daher viel trinken. Ideal ist stilles Quellwasser bzw. abgekochtes Wasser und Kräutertees. Für zwischendurch ist ein Glas Kokosmilch oder Sojamilch zu empfehlen. Auch Säfte aus süßen Früchten kann Vata-Pitta vor allem im Sommer genießen.

Im Sommer sollten die Getränke Zimmertemperatur haben und im Winter warm sein. Praktisch ist eine kleine Thermoskanne, die man auch tagsüber immer bei sich hat.

Ideal zur Harmonisierung sind wärmende und süße Kräutertees mit Fenchel, Salbei, Himbeerblättern, Ingwer, Kamille, Melisse, Pfefferminze, Hagebutte, Lavendel, Orangenblüten, Süßholz, Holunderblüten und Zitronengras.

Zu meiden sind alle anregenden Getränke, wie Kaffee und schwarzer Tee.

Tip: abends zum Einschlafen ein Glas warme Milch, gewürzt mit Kardamom, Kurkuma und etwas Jaggery (Ursüße).

Empfohlene Lebensmittel

Getreide und Hülsenfrüchte
- ideal: Reis, Weizen, Hafer, Basmati-Reis, Linsen, Mung-Bohnen – in Maßen: Dinkel, Tofu
- vermeiden: Hirse, Gerste, Buchweizen, Wildreis, Mais, alle anderen Hülsenfrüchte

Gemüse: Die Gemüse sollten viel Wasser enthalten. Die unter „vermeiden" aufgelisteten Gemüse sind in kleinen Mengen gekocht und mit Öl zubereitet in Maßen erlaubt. Rohes Gemüse generell mit viel Öl zubereiten.
- ideal: Avocado, Zucchini, Gurken, Kürbis, Oliven, Fenchel, Kartoffeln, Spargel, Karotten, Schwarzwurzeln, Okra, Rüben
- in Maßen: Bohnen, Brokkoli, Sprossen, Zwiebeln und Knoblauch gedünstet, Auberginen, Rote Bete, Lauch, Artischocke
- vermeiden: Erbsen, Pilze, Kohl, Rettich, Tomaten, Chilis, Paprika, Spinat, Sellerie, Blumenkohl, Weißkohl, Rosenkohl

Früchte: sollen stets süß und reif sein. Trockenfrüchte müssen lange eingeweicht werden.
- ideal: Weintrauben, Bananen, Aprikosen, Honigmelone, süße Kirschen, frische Feigen, Rosinen
- in Maßen: Äpfel, Orangen, Erdbeeren, Birnen
- vermeiden: Kiwi, Zitrone, Grapefruit, Pfirsich, Preiselbeeren, Ananas

Öle und Fette
- ideal: Sonnenblumenöl, Olivenöl, Kokosöl, Erdnußöl
- vermeiden: Sesamöl

Gewürze und Kräuter: Gewürze und Kräuter nur in geringen Mengen verwenden, solche von bitterem Geschmack möglichst vermeiden. Zu bevorzugen sind süße und wärmende Gewürze und Kräuter.

- ideal: Asafoetida, Kurkuma, Zimt, Kardamom, Kreuzkümmel, gekochter Knoblauch, Minze, Anis, Fenchel, Dill, Basilikum, Zitronengras, Brennessel, Muskat
- in Maßen: Ingwer, Salbei, Korianderblätter, Oregano, Nelke, süßer Senf
- vermeiden: Chili, Paprika, Pfeffer, roher Knoblauch, Meerrettich, Lorbeerblätter, Thymian, Rosmarin, Senfsamen

Milchprodukte
- generell: Milchprodukte nur in Maßen genießen
- ideal: Kuhmilch, Ghee, Hüttenkäse, Sahne
- in Maßen: Sauerrahm, Käse, Lassi, frische Buttermilch, Quark
- vermeiden: Eiscreme, Joghurt

Fasten für Vata-Pitta

Von ausgesprochenen Fastenzeiten ist dem Vata-Pitta-Typ abzuraten, denn besonders sein Vata-Anteil benötigt regelmäßige und ausreichende Nahrung, um sein Energieniveau aufrechterhalten zu können. Reduzierte Mittagsmahlzeiten während der heißen Sommermonate werden ihm jedoch guttun. An ein oder zwei Tagen pro Woche kann der Vata-Pitta-Typ das Mittagessen ausfallen lassen und statt dessen frische kühle Fruchtsäfte trinken. Die Säfte sind frisch gepreßt aus Äpfeln, Birnen, Pflaumen oder Trauben. Das Abendessen besteht aus einer leichten Gemüsesuppe, die kühl oder halbwarm gegessen wird.

Während der Reduktionstage sollten Streß und Ärger möglichst vermieden werden; empfehlenswert sind längere Entspannungspausen in kühler Umgebung.

Meditation

Eine optimale Methode zur Verringerung von Streß ist für die Wesensnatur vom Typ Vata-Pitta regelmäßige Meditation. Eine Geisteshaltung, die auf einen Zustand der Leerheit im Denken zustrebt, erlöst sie von ihrer ständigen Angespanntheit. Da die regenerierende Wirkung der Meditation bis auf Zellebene reicht,

221

beugt sie zugleich möglichen Erkrankungen vor, die durch Streß ausgelöst werden. Besonders Bluthochdruck und Herzerkrankungen können durch regelmäßige Meditation beeindruckend verbessert werden.

Bei der Meditation auf die Leerheit liegt die Konzentration stets auf dem Atem, der durch die Nasenlöcher ein- und ausströmt. Alle Gedanken und Gefühle, die zwischendurch auftauchen, werden durch den Atem weggeschickt. (Eine ausführliche Beschreibung befindet sich beim Vata-Typ unter „Meditation", siehe Seite 132.) Ihr dynamisches Leben kann die Wesensnatur von Vata-Pitta auf lange Sicht nur in voller Gesundheit genießen, wofür sie eine gute Erdung aufbauen muß. In der Meditation kann man sich dieses Fundament als Wurzelgeflecht vorstellen.

Die Lichtwurzel-Meditation

Diese Übung hat eine ideale Wirkung in der freien Natur. Die Füße sind nackt oder nur mit Socken bekleidet. Stellen Sie sich aufrecht mit leicht gegrätschten Beinen hin oder sitzen Sie mit gerader Wirbelsäule auf einem Stuhl. Lenken Sie Ihre gesamte Aufmerksamkeit hinab zu Ihren Füßen, die entspannt und mit der ganzen Fußfläche auf dem Boden stehen. Nehmen Sie bewußt Kontakt zu Ihren Füßen auf und spüren Sie diese.

Nehmen Sie nun wahr, wie die Fußflächen mit der Erde unter Ihnen untrennbar verbunden sind. Sie sind so fest verbunden mit ihr, daß sie in Ihrer Vorstellung Wurzeln schlagen, die tief ins Erdreich hinabgehen. Lassen Sie diese Wurzeln immer mehr Kraft bekommen, bis Sie sich stabil und geerdet in der Verbindung mit diesem Wurzelgeflecht fühlen. Schöpfen Sie Kraft und Sicherheit daraus und lassen diese Empfindung in Ihrem ganzen Körper verströmen.

Atmen Sie mit der Visualisierung von *Weißem Licht* Spannungen aus, wodurch die Zellen mit frischer Energie aufgeladen werden. Durch tiefes Atmen in den Beckenbereich hinab wird Ihr Wurzelchakra gestärkt.

Übung zur Erdung

Diese Übung hat das Ziel, inmitten eines hektischen Tages wieder bewußt bei uns und in der Gegenwart anzukommen.

Sitzen Sie mit gerader Wirbelsäule auf einem Stuhl und mit beiden Füßen auf dem Boden. Richten Sie nun Ihre ganze Aufmerksamkeit auf Ihren eigenen Körper und nehmen ihn ganz genau wahr. Wie fühlt sich der feste Boden unter Ihren Fußsohlen an? Spüren Sie Ihr Gesäß auf dem Stuhl? Nehmen Sie Ihre Sitzhaltung wahr?

Wandern Sie in Gedanken langsam durch Ihren ganzen Körper, beginnend bei den Fußsohlen bis hoch zum Kopf. Empfinden Sie im Moment an irgendeiner Stelle Verspannungen? Wie fühlen sich diese gerade an? Lenken Sie Ihre Aufmerksamkeit dorthin und lassen Sie diese Muskeln bewußt los. Atmen Sie dabei immer ruhig und gleichmäßig weiter und bleiben in entspannter Aufmerksamkeit bei Ihrem Körper. Gedanken werden beim Ausatmen sanft wieder losgelassen.

Bewahren Sie bei dieser Übung eine Haltung der Weichheit. Entwickeln Sie eine freundliche Verbindung zu Ihrem Körper und der augenblicklichen Situation, und gehen Sie sanft mit ihren Gedanken um.

Die Behandlung der Marma-Punkte

Klarheit im Handeln

Diese Marma-Übung kann der Konstitution vom Typ Vata-Pitta eine wundervolle Hilfestellung bieten, um bei all ihren Aktivitäten Gelassenheit und Klarheit zu bewahren. Ihre beiden wichtigsten Marma-Punkte *Hridaya* (Herz) und *Nabhi* (Nabel) unterstützen den freien Energiefluß zwischen dem Gefühlsbereich und dem Zentrum ihrer Tatkraft. Wenn diese Wesensnatur ihr Herz sprechen läßt, wird sie Klarheit im Handeln finden.

Wenn möglich, wird die Übung dreimal täglich direkt nach jeder Mahlzeit durchgeführt, da sie regulierend auf die unregelmäßige Verdauung dieser Konstitution einwirkt.

223

Führen Sie die Übung in der Hocke durch, wobei Sie mit dem Gesäß auf Ihren beiden Fersen sitzen. Falls das unbequem ist, schieben Sie ein Kissen zwischen Oberschenkel und Wade. In dieser Position werden zusätzlich zwei weitere Marma-Punkte stimuliert, die auf der Rückseite der Waden liegen und für das Verdauungsfeuer zuständig sind.

Legen Sie beide Hände auf das Brustbein zu Hridaya, dem Punkt für Liebe und Mitgefühl. Machen Sie fünf ruhige lange Atemzüge und spüren dabei in diesen Ort hinein. Legen Sie nun die andere Hand auf den Unterbauch zwischen Schambein und Nabel, zu Nabhi. Hier liegt das Zentrum von Veränderung und Impulsivität. Machen Sie noch einmal mehrere Atemzüge, und führen Sie schließlich Ihre Hand wieder zu Hridaya zurück. Spüren Sie diesem entspannenden Gefühl nach und lassen Sie sich davon tragen.

Körperpflege

Die Konstitution von Vata-Pitta darf sich nach Strich und Faden verwöhnen. Alles, was sie in diesen Moment entspannt und ihr Wohlbehagen unterstützt, tut ihr wohl – sei es ein duftendes Schaumbad mit Lavendel oder Rosenöl, sei es der Wellness-Tag in einer Therme. Sinnliche und liebliche Düfte wirken beruhigend auf sie.

Regelmäßig, am besten zweimal pro Woche, empfehlen sich Ölmassagen. Falls das nicht möglich ist, kann auch eine Selbstmassage hilfreich sein. Eine kurze Massage am Abend nach der Arbeit oder vor dem Zubettgehen sorgt für einen tiefen entspannenden Schlaf und sollte daher ohnehin zum Tagesprogramm gehören. Dazu werden Bauch, Füße und Kopf mit warmem Öl eingerieben, anschließend geht man unter eine lauwarme Dusche.

Ihre innere Stimme wird der Vata-Pitta-Natur mitteilen, ob in diesem Moment eher wärmende oder kühlende Behandlungen benötigt werden. Bei einem Überschuß von Pitta wird die Massage mit kühlendem Kokosöl vorgenommen. Ist Vata zu regulieren, nimmt man lauwarmes Sesamöl von bester Qualität. Um zugleich den Geist zu beruhigen, können dem Öl einige Tropfen wohlriechendes ätherisches Öl beigefügt werden.

Speziell im Winter reguliert ein Einlauf *(Basti)* mit Sesamöl das erhöhte Vata-Dosha (Beschreibung im Kapitel „Anleitungen zur Selbstbehandlung", Seite 105 f.).

Vata-Pitta im Beruf

Mit jener Mischung aus Kreativität und Tatkraft hat der Vata-Pitta-Typ die besten Voraussetzungen für durchschlagenden Erfolg im Beruf. Er verrichtet seine Arbeit mit Herzblut. Vielleicht ist er Erfinder oder Wissenschaftler, der nächtelang über seinen Formeln brütet. Vielleicht hat er eine Öko-Ladenkette auf die Beine gestellt. Ob als Designer, Produktentwickler, Musiker, Unternehmer: den Möglichkeiten sind kaum Grenzen gesetzt – außer daß eine solche Konstitution körperlich schwere Berufe vermeiden sollte.

Arbeit, die im Kopf stattfindet, ist ohnehin mehr ihr Metier. Ob selbständig oder im Team, mit ihrer Flexibilität wird sie sich überall eingliedern. Kultiviert sie dann noch typische Vata-Qualitäten von Brüderlichkeit und Gleichheit, wird sie nicht nur eine fähige, sondern auch eine sympathische Kollegin sein.

Vorsicht ist allerdings angesichts ihres Perfektionismus geboten. Übertriebener Ehrgeiz ist ein Energieräuber und wird ihren Organismus letztlich schwächen. Kürzertreten muß sie spätestens dann, wenn der Körper – *bevor* sich handfeste seelische und körperliche Probleme entwickeln – erste Signale sendet und sie beispielsweise unruhig und ungeduldig wird oder abends nicht mehr gut einschlafen kann.

Partnerschaft und Familie

Das unstete Element der Luft erschwert es der Wesensnatur von Vata-Pitta auch in engen Beziehungen, Beständigkeit und Zuverlässigkeit zu pflegen. In Freundschaften wie auch in Partnerschaften neigt Vata-Pitta zum Wechsel, wobei die Instabilität der Luft und die Eroberungslust des Feuers einander verstärken.

Dabei tut ihr der Austausch mit guten Freunden so wohl. Sie sind ihr geschützter Raum, wo sie weich sein und sich um ihrer selbst willen geliebt fühlen darf. Manchmal glaubt sie ja, Liebe erst durch Leistung „verdient" zu haben. Dabei entgeht ihr, daß sie einfach Liebe mit Anerkennung verwechselt hat. Eine tolerante Haltung gegenüber den Menschen zu kultivieren, die ihr nahestehen, bedeutet eine essentielle Übung für sie.

Diese Wesensnatur braucht einen Partner, der ihr das Wasser reichen kann: also jemand mit einer klar ausgeprägten Persönlichkeit und wacher Intelligenz. Andernfalls wird sie ihm nicht den Respekt entgegenbringen können, der Voraussetzung für eine harmonische Beziehung ist. Gut tut ihr ein Partner mit einem hohen Kapha-Anteil. Bei ihm wird sie sich geborgen und sicher fühlen, und er wird ihr die kraftvolle Schulter bieten, die ihr Ruhe gibt, und die Arbeiten erledigen, zu denen sie keine Zeit und Muße findet. Vor zu viel Kapha muß sie sich aber hüten, denn sonst wird es ihr an seiner Seite schnell langweilig.

Eine Vata-Pitta-Natur wird ihr Kind nach Kräften fördern. Mit viel Feingefühl kann sie die Gefühle ihres Kindes gut nachempfinden und weiß auch aus verschiedenen Büchern, was es zur optimalen Entwicklung seiner Individualität braucht. Nur fehlt es ihr leider oft an Zeit und Geduld, um es seine Interessen wirklich in seinem eigenen Tempo ausleben zu lassen. Meistens dauert das viel zu lange! Ein Gefühl von Geborgenheit wird das Kind finden, wenn der Elternteil vom Typ Vata-Pitta mehr Ruhe im Umgang mit ihm entwickelt und seine eigene Kreativität zusammen mit dem Kind durch das Spiel auslebt.

Freizeit und Sport

Die Konstitution vom Typ Vata-Pitta hat eine ungezügelte Energie und ist stark auf Erfolg fixiert. Diese beiden Tatsachen verleiten sie dazu, sich selbst in ihrer Freizeit Leistungsdruck zu schaffen. Auch wenn sie am liebsten Marathon liefe – ihre Konstitution verträgt nur ein Mittelmaß an Belastung.

Achtsamkeit muß sie daher auch im sportlichen Bereich üben. Schließlich soll Sport Spaß machen und Energien freisetzen, anstatt zu ermüden. Für sie gilt daher: Soviel Sport treiben, bis sie leicht außer Puste ist und ins Schwitzen kommt – dann aber rechtzeitig aufhören! Überkommt sie ein Gefühl des Schwindels, ist das ein Zeichen für Überforderung, was nicht Sinn und Zweck der sportlichen Aktivitäten ist.

Aber sie wäre nicht Vata-Pitta, wollte sie sich nicht manchmal mit anderen messen. Bis zu einem bestimmten Punkt ist das auch in Ordnung, aber sie sollte es keinesfalls übertreiben! Sobald beim Tennis- oder Golfspielen ein Gefühl von schlechter Laune entsteht oder Verbissenheit aufkommt, sollte sie besser aufhören. Wer einen hohen Pitta-Anteil hat, darf etwas mehr an Schnelligkeit und Reaktionsfreudigkeit einbringen und fährt vielleicht Kajak oder lernt Inlineskaten.

Am besten bewegt sich eine Konstitution von diesem Typ beim Sport an der frischen Luft. Ohnehin sollte sie möglichst viel Zeit in der Natur verbringen. Optimal für sie ist Gartenarbeit, die entspannt und gleichzeitig erdet. Mäßiger Dauerlauf im Wald und nicht zu ehrgeizige Radtouren tun ihr ebensogut wie einen Berggipfel zu erklimmen. Im Sommer wirkt eine Bootstour auf dem Fluß kühlend. Besonders wohltuend für sie sind sanft harmonisierende und fließende Bewegungsabläufe, wie im Tai Chi und Yoga.

Vata-Pitta im Urlaub

Spätestens der Urlaub ist die Zeit für völlige Erholung. Einige Schweigetage in Kloster oder ein Yogakurs wären für Vata-Pitta optimal. Der ideale Urlaubsort liegt in den klimatisch gemäßigten Zonen, wo sich diese Konstitution am besten auf dem Lande einquartiert, möglichst abseits von Trubel und Ablenkung. Hier wird sie Zeit und Muße finden, um ihrer Kreativität freien Lauf zu lassen, ihre Ideen, Visionen und Pläne phantasievoll zu verarbeiten, sei es durch Schreiben, Malen, Schnitzen oder Modellieren.

Zwischendurch empfehlen sich lange Spaziergänge und leichte ausgedehnte Radtouren. Falls der Tatendrang sie zu Unternehmungen in die Stadt zieht, ist das natürlich in Ordnung. Was immer aber sie unternimmt – es ist locker anzugehen, denn es soll Freude bereiten und Glücksgefühle wecken.

Das Zuhause

Auch ihren idealen Wohnort sucht sich die Wesensnatur vom Typ Vata-Pitta nach „erdigen" Aspekten aus. Ein Aufenthalt in der Natur beruhigt immer die Sinne. Auf dem Lande kann sie eine entspanntere geistige Grundhaltung entwickeln als in der Stadt. Falls Natur pur nicht möglich ist, sollte die Wohnung am Stadtrand liegen. Wichtig ist auf jeden Fall, daß möglichst wenig Straßenlärm durchdringt und sie genügend Ruhe und Grünes für Auge und Gemüt findet. Auch sollte die Luft möglichst sauber sein, denn Smog und Abgase erhöhen ihr empfindliches Vata-Dosha ebenso drastisch wie Geräusche.

In einer Parterrewohnung wird die Vata-Pitta-Natur den Boden unter ihren Füßen spüren, was ihr zu etwas Erdung verhilft. Bei den Materialien ist auf eine warme Ausstrahlung zu achten. Gut geeignet sind Ziegel, Holz, Kork und Samt. Die Ausstattung selbst wird das geringere Problem sein. Ohnehin wird eine solche Wesensnatur ihre Wohnung geschmackssicher mit künstlerischen Elementen ausgestalten und Platz für viele Pflanzen finden. Beruhigend und feuchtigkeitsspendend ist ein Springbrunnen.

Die Kleidung

Um ihren inkonstanten Temperaturhaushalt zu harmonisieren, braucht die Konstitution vom Typ Vata-Pitta im Winter warme kuschelige Kleidung und im Sommer bevorzugt kühle und fließende Stoffe. Am besten geeignet sind Naturmaterialien, die angenehm weich auf der Haut liegen. Synthetische Stoffe sind zu vermeiden, denn sie reizen die empfindliche Haut, und man neigt darin zum Schwitzen.

Farblich hat Vata-Pitta ziemlich freie Auswahl. Allerdings wird von allzu knalligen und leuchtenden Farben, besonders Rot und Orange, abgeraten. Wer gerade diese Farben liebt, reguliert ihre Wirkung durch moderate Ergänzungen oder weiße Unterwäsche.

Pitta-Kapha

Dynamisches Handeln auf sicherem Boden macht den Energietyp von Pitta-Kapha zu einer ebenso souveränen wie brillanten Erfolgsnatur. In seinem Charakter vereinen sich Feuer und Erde zu jener idealen Verbindung, die ihm im Leben (fast) sämtliche Türen öffnet: Mut und Ehrgeiz, um Großes zu erschaffen, zugleich große Kraft und Stabilität, um es zu bewahren.

Zu ihrer harmonischen Ergänzung braucht diese Wesensnatur die Leichtigkeit und Beweglichkeit des Windes.

Pitta-Kapha im Zustand der Harmonie

Der brodelnde Vulkan wirft heiße Asche auf empfangenden Boden. Wo Feuer auf Erde trifft, verschmelzen Hitze und Kühle. Aus ihrer Verbindung manifestieren sich Impulse zu neuer Substanz. In dieser fruchtbaren Verbindung steckt große Effizienz.

Die körperlichen Anlagen des Pitta-Kapha-Typs

Schon äußerlich stellt die Konstitution von Pitta-Kapha eine stattliche Erscheinung dar. Sie ist zumeist groß und kräftig und besitzt eine gut ausgebildete Muskulatur, breite Schultern und einen ausladenden Brustkorb.

229

Markant und erdig ist die gesamte Statur. Wenn Kapha in der Konstitution überwiegt, ist der Körperbau noch fülliger und robuster. Die Bewegungen sind geschmeidig und entspannt, gepaart mit der dynamischen Energie des Feuers. Pitta-Kapha ist ein Kraftpaket mit großer Ausdauer und Energie, viele Spitzensportler haben diese Konstitution.

Das Gesicht ist rundlich mit einer hellen bis rötlichen und gut durchbluteten Haut. Die Weichheit von Kapha schenkt diesem Typ seine harmonische und freundliche Ausstrahlung. Zugleich hat er etwas sehr Eigenwilliges durch herausragende Partien, vielleicht ein eckiges Kinn oder eine markante Nase. Die Haare sind ölig und kräftig, ebenso wie auch die Haut und die Nägel, was insgesamt einen Eindruck von Üppigkeit verleiht.

Das Element Feuer gibt der Konstitution von Pitta-Kapha einen stabilen Kreislauf und optimales Agni. In Verbindung mit ihrer großen Widerstandskraft hat sie letztlich von allen Doshas das beste Immunsystem. Ein solcher Typ erfreut sich, solange er gut auf sich achtet, bis ins hohe Alter bester Gesundheit.

Die geistigen Anlagen des Pitta-Kapha-Typs

Eine Konstitution vom Typ Pitta-Kapha ist die geborene Erfolgsnatur. Es scheint, daß alles ihr zufliegt, und was anderen zu kompliziert ist, nimmt sie im Laufschritt. Dabei entsteht diese dynamische Kraft nicht durch Zauberei, sondern durch die optimale Verschmelzung ihrer vorherrschenden Energien. Mit der Hitze ihres Feuers bringt sie Pläne und Visionen in eine intelligente und durchdachte Form. Deren Samen fallen auf kühle Erde, wo sie nun in aller Ruhe reifen. Daher sind alle Schritte präzise geplant und klug realisiert.

Mit einer klaren Vorstellung, wie ihr Leben heute und in Zukunft aussehen soll, geht sie unbeirrt und ohne die Dinge zu überstürzen ihres Weges. Souverän auch in schwierigen Phasen, bleibt sie trotz ihrer zügigen Gangart immer fest auf beiden Beinen, bis sie ihre manchmal entfernten, gewiß aber hohen Ziele erreicht. Möglich ist das nur durch gleichzeitige Flexibilität, um sich wechselnden Wetterlagen anzupassen.

Verständlich, daß soviel Erfolg immenses Selbstbewußtsein verleiht. Somit ist eine Wesensnatur vom Pitta-Kapha-Typ rundum zufrieden. Voller Stolz betrachtet sie sich und ihr Schaffen und möchte, daß auch andere das tun: Öffentliche Anerkennung und Status bedeuten ihr viel und machen einen Teil ihres Selbstwertes aus. Daher richtet sie ihr Leben eher nach bewährten Strukturen ein, gesellschaftliche Konventionen wird sie kaum brechen. Auch die Finanzen stimmen bei einer solch erdverbundenen Wesensnatur, und ihren Besitz legt sie in sichere Anlagen an.

Wie immer bei Misch-Doshas, hängt die Feinabstimmung ihrer Aktivitäten, die Art und Weise, wie sie sich im Leben bewegt, davon ab, welche Energie in ihrer Wesensnatur überwiegt.

Mit Pitta als dominanter Kraft stellt Pitta-Kapha neben Vata-Pitta die andere Hälfte von Managertypen. Sie ist die intelligente, scharf denkende Erfolgsnatur, der niemand etwas vormacht. Klar sieht sie ihre Ziele vor sich, und sie hat die Ellbogen, diese auch gegen alle nur möglichen Hindernisse zu erreichen. Auf dem Weg dorthin gibt es für sie keine Probleme, nur inspirierende Herausforderungen. Wo Pitta auftritt, ist immer Temperament, Ehrgeiz und Dynamik im Spiel.

Sie agiert jedoch mit genügend Vernunft und Sachverstand, um nicht draufgängerisch oder leichtsinnig zu werden. Hier kommt nämlich Kapha ins Spiel, dessen Schwere dafür sorgt, daß sie in aller Regel Ruhe und sicheren Boden unter ihren Füßen behält und nichts überstürzt. Kapha verdankt sie auch, daß ihr Hitzkopf, der in manchen Momenten durchbricht, bald wieder abkühlt. Ihr Kampfgeist läßt sie phasenweise zwar anfällig werden für Streß, aber sie findet mit genügend Substanz rechtzeitig zur Harmonie zurück.

Überwiegt die Energie von Kapha, ist ihre Wesensnatur noch ein gutes Stück mehr ausgeglichen und bedächtig – aber mit einer ganzen Menge Power, die sie aus sporadischen Anwandlungen von Lethargie in die Aktivität zurückholt. So kommt dieser Pitta-Kapha-Typ zwar langsamer zu seinem Ziel, gerät dafür aber kaum einmal unter Streß und ist belastbar, ohne Schaden zu nehmen. Obendrein bleibt ihm genug Muße für die genußvollen Seiten des Lebens.

Einer Frau vom Typ Pitta-Kapha gelingt mittels Stabilität und gutem Organisationstalent der Spagat von Familie und Beruf relativ souverän. Ehrgeizig genug, um Karriere zu machen, jongliert

231

sie zwischen Arbeitsplatz und Haushalt und wird bei aller Beanspruchung trotzdem ziemlich gelassen bleiben. Zu Hause ist sie der Magnet, um den alle sich scharen, denn in ihrem Herzen ist sie ein echter Familienmensch und kümmert sich mit Geduld und Fürsorge um Partner und Kinder.

Menschen von so starker Präsenz ziehen andere automatisch in ihren Bann. Ihrer charismatischen Ausstrahlung ist diese Wesensnatur sich durchaus bewußt und setzt sie gezielt ein, um die Führungsrolle zu behalten. Deshalb wird sie auch respektiert – und zugleich ein bißchen gefürchtet, besonders wenn der Feueranteil mit ihr durchgeht. Aber sie kennt auch viel Weichheit und Herzlichkeit, zumindest gegenüber Freunden und Bewunderern.

Eine Wesensnatur mit starken Pitta- und Kapha-Anteilen ist eine Kriegerin, die aus dem gesamten Potential ihres Energietyps schöpft und anderen vorlebt, wie mit Fleiß, Mut, Ausdauer und Willensstärke auch hohe Ziele erreichbar sind.

Pitta-Kapha erhöhende Faktoren

Auch ein Erfolgsmensch vom Typ Pitta-Kapha braucht seine Grenzen. Wer sich zuviel vornimmt und seinen Ehrgeiz übersteigert, findet nicht mehr zur Ruhe. Übermäßige Aktivitäten erhöhen sein Pitta und verursachen Streß, der sich bis zur handfesten Managerkrankheit verschlimmern kann. Auch durch zuviel körperliche Arbeit wird die Pitta-Energie erhöht. Bei überwiegender Kapha-Prägung tun frische Impulse dagegen gut. Hier gibt es Probleme durch zu wenig Bewegung und übermäßiges Essen.

Pitta steht im Hochsommer zwischen Mai und September im Zenit, während Kapha das Dosha der naßkalten Jahreszeit zwischen Februar und April ist. Daher kann sich im fortgeschrittenen Frühjahr, etwa im April, wenn die Temperaturen steigen, der Übergang von Kapha zu Pitta überschneiden. Hier ist besondere Wachsamkeit angebracht.

Im Tagesverlauf ist Pitta mittags um 12 Uhr, wenn auch die Sonne im Zenit steht, am höchsten, und entsprechend noch einmal um Mitternacht.

Warmes und heißes Klima erhöht die Pitta-Energie. Kälte und besonders kalte Feuchtigkeit steigert das Kapha-Dosha.

Die richtige Beurteilung der Symptome

Bestens geerdet, dauert es lange, bis sich bei der Konstitution vom Typ Pitta-Kapha Symptome von Ungleichgewicht zeigen. Noch länger dauert es, bis sie diese Symptome ernst nimmt. Sie kann sich kaum vorstellen, daß es etwas gibt, was ihr wirklich etwas anhaben könnte – geschweige denn, daß sich ihr Hindernisse wie Krankheiten in den Weg stellen.

Da Pitta-Kapha eine Mischung aus heißer und kalter Energie verkörpert, ist eine aufmerksame Beobachtung der Symptome erforderlich. Überwiegt Kapha, sinken Körpertemperatur und Temperament unter ein angenehmes Maß. Erhöht sich dagegen Pitta, steigt auch die Körperhitze, und zugleich entwickeln sich „Feuerzeichen" im Gefühlsleben. Deshalb ist klar zu unterscheiden, ob die Beschwerden durch irritiertes Pitta oder Kapha entstanden sind und heiße oder kalte Symptome bestehen. Davon hängt die jeweilige Behandlung ab.

Manchmal können Pitta und Kapha auch gleichzeitig erhöht sein, heiße und kalte Symptome also zusammen oder in schnellem Wechsel miteinander auftreten. Hier wird zunächst dasjenige Dosha behandelt, das akutere Beschwerden und einen größeren Leidensdruck verursacht.

Hilfreich ist, sich dafür die grundlegenden Eigenschaften der Doshas in Erinnerung zu rufen, denn durch sie können die Symptome leicht eingeordnet werden. Stechend, beißend, heiß, scharf und sauer sind Zeichen des Feuers. Die Qualitäten ölig, kalt, weich, schwer und träge gehören zu Kapha.

Pitta-Kapha im Zustand der Verwirrung

Ein Flächenbrand verwüstet die Erde und läßt Wasser verdampfen. Der nährende Boden, auf dem Fruchtbares entstehen kann, wird zerstört. Deshalb beraubt sich übersteigertes Pitta selbst seiner Kraft. Steigt Kapha, wird der See schwer und kalt. Sobald das brodelnde Feuer des Vulkans mit ihm in Verbindung kommt, verlöscht es.

Sind beide Doshas, Pitta und Kapha, gleichzeitig überhöht, expandiert durch diese intensive Verbindung ihr Kraftfeld so stark, daß die Umgebung zur Bedeutungslosigkeit schrumpft.

Körperliche Herausforderungen für den Pitta-Kapha-Typ

Die Beschwerden hängen davon ab, ob sie durch Hitze oder Schwere verursacht werden, und müssen entsprechend genau eingeschätzt werden.

Wenn Pitta übermäßig steigt, kommt auch der Körper in einen hitzigen Zustand. Davon sind besonders Leber und Galle betroffen, die sehr empfindlich auf zu viel und zu starke Hitze reagieren. Eine überlastete Leber kann zu Leberschwäche und Hepatitis führen. Erkennbar ist das an der gelblichen Verfärbung der Augäpfel und einer gelblichen Haut. Außerdem ist der Betreffende ständig müde und verträgt Fett schlecht. Dieser Konstitutionstyp sollte daher auf die genannten Alarmzeichen achten und Pitta reduzierende Maßnahmen ergreifen. In jedem Fall ist ein Arztbesuch angeraten.

Ein erhöhtes Pitta-Dosha verursacht auch akute hitzige Krankheiten, wie plötzlich auftretendes Fieber, Infektionskrankheiten und Ausschläge am ganzen Körper. Heftige stechende Kopfschmerzen vom Typ Migräne sind ein anderes Zeichen für irritiertes Pitta.

Zuviel Streß schlägt sich auf das gesamte Verdauungssystem nieder. Zu den Folgen davon gehören eine Übersäuerung des Magens, Gastritis und Sodbrennen. Sämtliche im Kapitel „Pitta" dargestellten Erkrankungen können in extremen Fällen auch eine Mischkonstitution Pitta-Kapha betreffen, bei der Pitta stark im Übermaß ist.

234 Langfristig überhöhtes Pitta schwächt das Immunsystem und macht sie um so anfälliger für alle heißen und kalten Krankheiten, zu denen sie ohnehin eine Neigung hat. Letztlich kann sich ein Burnout-Syndrom, die typische Manager-Erkrankung, entwickeln.

Kalte Krankheiten durch überhöhtes Kapha schleichen sich langsam und zunächst unauffällig ein. Sie chronifizieren aber häufig und sind dann entsprechend schwer zu behandeln. Dazu gehört der ewige Schnupfen im Winter und Frühling ebenso wie eine schwerfällige Verdauung, die an geringem Appetit bei gleichzeitiger Gewichtszunahme erkennbar ist.

Auch ein hoher Cholesterinspiegel geht auf das Konto eines überlasteten Kapha-Dosha. Daraus können sich ernsthafte Erkrankungen, wie Arteriosklerose und Bluthochdruck, entwickeln.

Ist Pitta-Kapha aus der Balance, wird zugleich Vata erhöht. Zwar ist dieser Energietyp gelassen und dickfellig genug, um die Beweglichkeit von Vata lange Zeit aufzufangen. Wenn aber ständig Überlastung am Nervengewebe nagt, bekommt auch die Pitta-Kapha-Konstitution irgendwann Probleme mit Vata-Symptomen. Sie wird übermäßig nervös und kann abends nicht einschlafen oder liegt nachts stundenlang wach und grübelt. In diesem Fall sind Vata reduzierende Maßnahmen zu ergreifen.

Vorschläge zur Selbstbehandlung

Blutreinigung ist für die Pitta-Kapha-Konstitution eine wichtige Unterstützung, um Beschwerden vorzubeugen bzw. zu kurieren. Außer blutreinigenden Tees sollte täglich morgens und abends Triphala eingenommen werden, das eine leicht abführende Wirkung hat. Dazu wird morgens 1 Eßlöffel Pulver mit warmem Wasser angesetzt und der klare Anteil abends getrunken. Dasselbe Pulver nochmals mit warmem Wasser aufgießen und morgens wieder den klaren Anteil trinken. Für den nächsten Aufguß wird dann frisches Pulver verwendet.

Einmal monatlich sollte die Pitta-Kapha-Konstitution eine leichte *Abführkur* mit Triphala vornehmen: Dazu werden abends 2 Teelöffel Pulver mit warmem Wasser aufgegossen, nach zehn Minuten wird das Wasser zusammen mit dem Pulver getrunken.

Liv 52 ist ein ayurvedisches Pflanzenpräparat, das die Funktionen der Leber unterstützt. Es wird eingenommen während langer Streßphasen und bei akuten Leberbeschwerden.

Eine Selbstbehandlung von Erkrankungen des Pitta-Kapha-Typs richtet sich immer nach dem verursachenden Dosha. Entsprechende

235

Vorschläge sind den jeweiligen Kapiteln zum Energietyp „Pitta"
bzw. „Kapha" zu entnehmen.

Geistige Herausforderungen
für den Pitta-Kapha-Typ

Eine Pitta-Kapha-Konstitution ist bestens geerdet und dadurch seelisch ziemlich belastbar. Wenn allerdings die Dinge zu gut laufen,
neigt ein Mensch mit dieser Wesensnatur zu allzu großer Selbstgefälligkeit. Gerade ungebrochener Erfolg steigt ihm irgendwann zu
Kopf und gibt ihm eine Aura von Überheblichkeit. Davon überzeugt, der Mittelpunkt der Erde zu sein, bemerkt er überhaupt nicht,
wie er seine ganz persönliche Meinung zum Maß aller Dinge erhebt.
Er ist auch derart intensiv auf seine Denkweise fixiert, daß Kritik an
seiner Person abperlt wie der Öltropfen an einer glatten Oberfläche.

Im Grunde ist die Welt, die sich eine Wesensnatur vom Typ Pitta-Kapha mit ihren übersteigerten Aktivitäten erschafft, ausschließlich auf Äußerlichkeiten bezogen. Menschen, die politisch oder
ideologisch nicht ihre Weltanschauung teilen und es nicht zu Erfolg und Status gebracht haben, wird sie kaum jemals akzeptieren.
Verrücktheiten und Absurditäten, die unsere Welt so farbig und
lebendig werden lassen, wird sie mit einer herablassenden Hand-
bewegung als „Spleens" abtun.

Eine Pitta-Kapha-Natur kann ihr Energiefeld so stark ausdehnen, daß andere Menschen in ihrem Umkreis keinen Raum zu
ihrer eigenen Entfaltung finden können. Sie nehmen die Rolle des
Publikums ein, von dem Applaus erwartet wird, nie aber Kritik.

Wenn der Anteil von Kapha allzusehr steigt, neigt der Geist des
Pitta-Kapha-Typs noch mehr zur Unbeweglichkeit, und das Bemühen um eine realistische Wahrnehmung der Dinge nimmt ab. Das
gesamte Verhalten ist von Behäbigkeit und Schwerfälligkeit gekennzeichnet. Die ohnehin materialistische Grundhaltung expandiert zu
einem fast zwanghaften Bedürfnis nach Sicherheiten, und Geldver-
dienen wird zum Selbstzweck.

Mit starken Pitta-Anteilen kann es eine Wesensnatur vom Typ
Pitta-Kapha nicht ertragen, wenn ihr Streben nach Erfolg und Sieg

sich nicht immer erfüllt. Feuer entfacht Aggression und Wutanfälle, die sich bis zu cholerischen Ausbrüchen steigern können. Solche Anfälle von Pitta-Kapha-Naturen erleben wir manchmal in Fernsehübertragungen, wenn Tennisprofis und Fußballstars als Verlierer den Platz verlassen.

Zwei kosmische Kräfte sind bei einer Wesensnatur von Pitta-Kapha allzu selten Gast: Luft und Äther – jene Energien also, die geistige Beweglichkeit und unbeschwerte Lebensfreude erschaffen. Ohne ausreichend Vata aber mangelt es ihr an Spontaneität, um ihre eingefahrenen Konzepte aufzulockern. Ohne Vata fehlt die Leichtigkeit des Seins. Dadurch kann sie nicht erkennen, daß sie zu verbissen und hartnäckig auf ihrem Stil besteht und Stimmungen, die Feingefühl erfordern, nicht wahrnimmt.

Der Ruf der Seele

Möglicherweise kann eine Wesensnatur vom Typ Pitta-Kapha den Ruf zu ihren Wurzeln nur schwer hören. Ihr Alltag füllt sie völlig aus, und sie ist sehr beschäftigt damit, die Kontrolle über alles zu behalten. Weil das Leben aber nun einmal seine eigenen Gesetze schreibt, treten früher oder später ungeplante Ereignisse auf den Plan, die ihre Konzepte aus den Angeln heben. Solche „Zwischenfälle" stellen für ihr Naturell eine schwierige geistige Herausforderung dar. Am liebsten möchte sie sich mit ihrem ganzen Gewicht dagegen auflehnen. Mit einem sehr selbstbezogenen Weltbild fällt es ihr schwer zu akzeptieren, daß manche Dinge sich einfach nicht nach ihren Vorstellungen realisieren. Beispielsweise kann sie auch nicht verstehen, daß der Erfolgsfaden plötzlich an einer Stelle reißt.

Die Weisen sprechen in diesem Fall von der geistigen Haltung eines überhöhten Ego. Veränderungen fallen einer solchen Natur auch deshalb schwer, weil die ihr innewohnende Unbeweglichkeit einen sicheren und bequemen Weg sucht. Letztlich ist auch die unterschwellige Angst davor vorhanden, Kontrolle zu verlieren und in Verbindung damit Enttäuschungen zu erleben. 237

Spätestens Krisen fordern Offenheit und Demut. Es stellen sich Fragen wie: Wer bin ich ohne diese äußere Hülle, ohne meinem

Erfolg, ohne Geld und Ansehen? Glück definiert sich nicht durch solche Äußerlichkeiten und ist auch nicht der Siegespreis für alle Anstrengungen. Vielmehr ist es bereits vorhanden, wie der allgegenwärtige Atem, und kann durch einen Blick auf tiefere Schichten der eigenen Wesensnatur aufgespürt werden.

Ein Fehlschlag kann deshalb zugleich eine Chance zur Innenschau bedeuten. Solange ein von Pitta-Kapha geprägter Typ sich nur auf der oberflächlichen Ebene von Leistung und Erfolg wahrnimmt, blendet er einen wichtigen Teil dessen aus, was unser menschliches Dasein für uns bereithält. Sowie er diese oberste Hülle ablegt, unter der das innere Selbst verborgen liegt, wird ein Verstehen von tieferen Zusammenhängen möglich – und das Leben damit um soviel reicher und erfüllter.

Der erste Schritt in diese Richtung kann eine Einladung an den Schmetterling, die Energie von Vata, sein. In seiner Aura lernt eine Pitta-Kapha-Natur Qualitäten der nicht-materiellen Art schätzen. Zugleich kann sie durch seine Luftigkeit Distanz zu ihren eigenen Aktivitäten finden – sprichwörtlich Raum schaffen, in dem sich Neues entfalten kann. Der Schmetterling wird sie dazu ermuntern, wieder das Staunen zu erlernen und sich dem Unbekanntem zu öffnen wie ein Kind, das mit klaren und frischen Sinnen die Faszinationen der Welt entdeckt. Dieser Weg kennt kein Ziel und sucht nicht nach Lösungen oder Antworten. Vielmehr bedeutet er die Faszination der Suche an sich – die Reise eines Lebens in Lebendigkeit.

Sie wird ihren Blick für neue Horizonte öffnen können, in denen sie die unendlich vielen Phänomene zwischen Himmel und Erde wahrnehmen und akzeptieren lernt, die alle Teil des Reigens sind. Ein zentraler Punkt verbindet alle Menschen dieser Erde, welchem Land, welcher sozialen Schicht oder Glaubensrichtung sie auch angehören: Es ist das Streben nach Liebe, Gesundheit und Glück. Ein Mensch, der weniger erreicht, ist deshalb nicht weniger wertvoll, nur hat sein Lebensweg anderes mit ihm vor. Wenn die Wesensnatur von Pitta-Kapha ihre selbstbezogene Weltsicht unter diesem Aspekt einmal kritisch überdenkt und dazu eine Haltung der Bescheidenheit einnimmt, kann sie dies erkennen.

238

Nahezu alle Pitta-Kapha-Naturen haben sehr wohl – zum Teil recht hohe – Anteile von Vata in ihrer Prakriti. Nur können sie dessen Qualitäten nicht genießen, schieben sie unwillkürlich weg, sobald ein frischer Wind sich ankündigen möchte. Möglicherweise nehmen sie ihre „luftigen" Anteile durch ihre feste Aura auch wirklich nicht wahr. Sogar bedrohlich kann solchen Pitta-Kapha-Naturen ihr Vata-Anteil erscheinen, steht er doch für Veränderung. Diese aber könnte ein präzise durchgeplantes Lebenskonzept aus den Fugen heben und Konzepte umwehen.

Solange der Schmetterling sich nicht in ihrer Seele niederläßt, wird eine Wesensnatur von Pitta-Kapha keine Muße finden, um Kostbarkeiten wahrzunehmen, die außerhalb ihres oft recht engen Blickfeldes liegen. Oft schmerzhaft wird dieser Mangel am Ende eines ausgefüllten Arbeitslebens bemerkbar oder wenn die Kinder aus dem Haus sind und sie mit leeren Händen ohne eigene Interessen dasteht. Mit dieser Phase fallen häufig Midlife-crisis und Menopause zusammen, wenn auch der Pitta-Kapha-Typ sich ohnehin von seiner voller Leistungsfähigkeit verabschieden muß.

Nicht umsonst kündigt sich im fortgeschrittenen Lebensalter Vata an. Nun ist die Zeit gekommen, die zu schöngeistigem und beschaulichen Beschäftigungen einlädt und den Geist zu feineren Dimensionen streben läßt. Deshalb ist gerade diese Übergangsphase eine Chance, die Geister von Äther und Wind einzuladen – neue Wege zum inneren Selbst zu betreten, nachdem das äußere Selbst seine Erfüllung gefunden hat.

Wege zur Regulierung von Pitta-Kapha

Allgemeine Empfehlungen

Feuer sollte nicht zu stark brennen, Erde nicht zu schwer werden. Bei dieser Wesensnatur liegt die Qualität ihrer Harmonie in der optimalen Temperaturmischung des heißen und kalten Elements. Ihre Lebensführung stellt die Herausforderung, jene ideale Verschmelzung zu erreichen. Deshalb braucht sie eine gute Beobachtungsgabe: Ist es Hitze, Kälte oder übermäßige Schwere, die ihr gerade Probleme macht? Entsprechend ist der Überschuß zu regulieren, wie unter der Rubrik „Pitta" bzw. „Kapha" angegeben ist.

239

Im Sommer nach einem anstrengenden Arbeitstag, wenn sie gereizt auf die Kinder reagiert und stechende Kopfschmerzen hat, drückt sich das erhöhte Pitta-Dosha aus. Eine Meditation im Mondschein und ein kühles Fußbad können irritierte Energien wieder ins Lot bringen. Im Winter stehen eher Kapha-Probleme an, die sich durch ständige Müdigkeit und eine Neigung zum Rückzug äußern. Hierfür empfehlen sich ein heißes Bad, ein Besuch in der Sauna und ein belebender Yogitee.

Es gibt auch einige generelle Überlegungen, auf die eine Wesensnatur vom Pitta-Kapha-Typ ihr Augenmerk richten kann. In erster Linie empfiehlt es sich, hin und wieder neue Herausforderungen zu suchen, denn die Lorbeeren des Erfolgs als Ruhekissen fördern Selbstgefälligkeit. Ungewohnte Aufgaben dagegen unterstützen sie, eingefahrene Muster auch einmal zu verlassen und Grenzen neu auszuloten. In ungewohntem Umfeld kann die Pitta-Kapha-Natur ihren Horizont erweitern und neue Erfahrungen sammeln. Zugleich wird sie eine Haltung der Toleranz und des Respekts gegenüber Andersdenkenden aufbauen, die auch eine Herzensöffnung und liebevollen Umgang mit sich selbst und anderen möglich macht.

Eine Kopfmassage nach der Arbeit wirkt unterstützend darin, die Anspannung loszulassen und sich auf Erholung umzustellen. Die Massage wird mit Kokosöl oder Olivenöl vorgenommen; das Öl muß 30 Minuten später wieder abgewaschen werden, da man andernfalls Kopfschmerzen bekommen kann.

Um auch ein paar Vata-Elemente aufzubauen, darf sich die Pitta-Kapha-Natur ihr Vorbild am Schmetterling nehmen, der ihr einflüstert: Entdecke deine Lebensfreude, genieße den Augenblick! Mit einem unbeschwerten Geist wird sie ihr ewiges Leistungsdenken manchmal abschalten und den Tag ungetrübt auskosten können. Dabei mag sie vielleicht mit Staunen feststellen, daß wirklich nicht alles im Leben Sinn zu machen braucht und beileibe nicht alles sturer Ernst ist – auch wenn ihre Vernunft ihr das einreden will.

Regelmäßige Meditation sowie ein spiritueller Lehrer, den sie respektieren kann, wird sie in ihrer Entwicklung zur Geistesöffnung unterstützen.

Freude an den kleinen Dingen ist das Salz des Lebens. Ein sensibler Blick für die Schönheiten am Rande des Geschehens gestaltet den Alltag farbiger: ein Lächeln an der Kasse im Supermarkt, das Gefühl von warmem Regen auf der Haut, Rascheln von Herbstlaub auf dem Gehweg... In diesen Augenblicken sollte der Pitta-Kapha-Typ bewußt innehalten und dieses leise Prickeln der Freude, das irgendwo im Körper hochsteigen kann, genießen.

Mit dieser Konstitution empfiehlt sich häufiger Aufenthalt in freier Natur, um das Spiel der Naturkräfte wahrzunehmen und frische Luft tanken zu können. Das Element Luft steht in enger Verbindung mit dem Tastsinn. Wenn sie Luft einströmen läßt, kann sie Situationen sprichwörtlich besser ertasten und verfeinert so intuitiv ihre Wahrnehmung.

Eine Begegnung mit Kunst ist ebenfalls ein weites und inspirierendes Feld und hilfreich für die Entfaltung eines feinen Gespürs. Jedes Kunstwerk ist Ausdruck menschlicher Empfindungen. Solche Darstellungen ohne Urteil zu betrachten und Kunst aller Richtungen zu studieren schult den Geist in Offenheit. Schließlich sei noch angeraten, sich genußvoll bei einer guten Musik in entspannter Atmosphäre fallen zu lassen.

Ernährung

Mit seinem kräftigen Agni dürfte der Energietyp von Pitta-Kapha wenig Probleme mit der Verdauung haben. Nur im Frühjahr neigt das Verdauungsfeuer zu Schwäche und Schwerfälligkeit. Deshalb sollte er regelmäßig und nicht zu große Mengen auf einmal essen. Wie immer, empfiehlt sich auch für diese Konstitution eine spezielle Berücksichtigung der Jahreszeiten bei der Auswahl der Nahrungsmittel: Im Sommer sind das eher Pitta senkende, im Winter Kapha harmonisierende Speisen.

Insgesamt ist auf eine ausgewogene Ernährung zu achten. Die Mahlzeiten sollten alle Geschmacksrichtungen enthalten, wobei bitter und herb den Vorzug bekommen, denn sie reduzieren gleichzeitig Pitta und Kapha. Der bittere Geschmack eignet sich bestens zur Pflege von Leber und Gallenblase. Dafür kann etwas bitterer Salat wie Chicoree, Rucola oder Artischocke gegessen werden. Bitter ist für einen Pitta-Kapha-Typ auch, daß die Realität nicht immer seinen Vorstellungen gehorcht. Damit wird über den bitteren

241

Geschmack zugleich regulierend in seine geistige Natur eingegriffen. Extreme in jeder Richtung sollte diese Konstitution vermeiden und nicht zu viel, aber auch nicht zu wenig essen. Das Essen wird nicht heiß, aber auch nicht kalt verzehrt, sondern lauwarm. Gewürze empfehlen sich nur in Maßen, besonders auf scharfe Gewürze sollte sie besser verzichten. Zur Pflege der empfindlichen Leber ist auf qualitativ hochwertige Nahrung zu achten. Zur Unterstützung der Verdauung empfiehlt es sich, bei jeder Mahlzeit mit dem ersten Bissen etwas Ghee zu nehmen. Zwischen den Mahlzeiten wird möglichst nichts gegessen, um den Rhythmus von Agni nicht zu irritieren.

Das Essen wird in einer ruhigen Atmosphäre eingenommen. Vor allem geschäftliche und gefühlsbetonte Unterhaltungen sollte man mit dieser Konstitution unterlassen.

Was zu vermeiden ist:
Sehr salzige und saure Lebensmittel erhöhen Pitta und Kapha. Belastend für die Leber sind Öle und Fette. Alles Fritierte und in Öl ausgebackene Essen ist daher zu reduzieren, ebenso saure Früchte, Essig und milchsauer vergorene Lebensmittel (Sauerkraut).

Empfohlene Getränke

Auch was Getränke angeht, gilt das Prinzip des goldenen Mittelwegs. Im Winter empfehlen sich warme Getränke. Im Sommer dürfen sie kühl, aber nie kalt sein. Insgesamt geht es der Pitta-Kapha-Konstitution am besten mit lauwarmen Getränken. Morgens bringt eine Tasse Ingwertee sie in Schwung.

Was möglichst zu vermeiden ist: Besonders eisgekühlte Getränke beeinträchtigen Agni. Auch Kakao, Kaffee, saure Säfte (Tomatensaft!) und kohlensäurehaltige Getränke sollten möglichst nicht getrunken werden. Um die Leber zu schonen, wird besser weitgehend auf Alkohol verzichtet.

Empfohlene Lebensmittel

Getreide und Hülsenfrüchte
– ideal: Gerste, Dinkel, Weizen, Mung-Dhal, Bohnen, Tofu
– in Maßen: Roggen, geschälter Reis, Hafer, Mais, Hirse, Linsen, Kichererbsen
– vermeiden: Vollreis

Gemüse: optimal ist nur bitteres und herbes Gemüse, alles andere in Maßen
– ideal: Blattgemüse, Endivien, Artischocken, Kohl, Löwenzahn, Spinat
– in Maßen: Blumenkohl, Auberginen, Avocados, Tomaten, Gurken, Erbsen, Kürbis, Schwarzwurzeln, Pilze, gekochte Zwiebeln, Rote Bete, Radieschen, Rettich, Spargel, Karotten, Lauch, Sellerie
– vermeiden: Kartoffeln, Peperoni

Früchte
– ideal: Äpfel, süße Früchte
– in Maßen: saure Früchte

Milchprodukte: generell nur in Maßen
– ideal: Ghee, Buttermilch, Magerkäse
– in Maßen: Butter
– vermeiden: Joghurt, würzige, salzige und fettige Käse

Nüsse
– ideal: Sonnenblumenkerne
– in Maßen: Kokosnuß

Öle und Fette
– ideal: Kokosöl, Sonnenblumenöl, Olivenöl
– in Maßen: Sesamöl

Kräuter und Gewürze
– ideal: Kurkuma, Koriander, frische Curryblätter, Himbeerblätter, Kamille, Minze, Melisse, Kümmel, Petersilie, Pfefferminze
– in Maßen: Kardamom, Majoran, Thymian, Oregano, Paprika, Ingwer, Wacholderbeeren, Tamarinde
– vermeiden: Salz, scharfe Gewürze wie Cayennepfeffer, Chili

243

Fasten für Pitta-Kapha

Fasten ist für die Pitta-Kapha-Konstitution wichtig zur regelmäßigen Entgiftung. Im Sommer wird einmal pro Woche ein Fastentag eingelegt. An diesem Tag werden frische Säfte getrunken. Ausschließlich Apfelsaft ist empfehlenswert, wenn Kapha überwiegt; viele für Kapha typische Symptome werden durch Apfelsaft erheblich reduziert. Während der Frühjahrsmonate ist alle 14 Tage eine viertägige Fastenkur ratsam, wie unter „Kapha" (siehe Seite 191) beschrieben.

Meditation

Ausdehnende Liebe

Diese Visualisierungsübung fördert eine Haltung von Liebe und Mitgefühl. Sie kann sehr tiefgreifend auf geistige Konzepte wirken und damit einen wichtigen Schritt zur Entwicklung der Persönlichkeit leisten. Ausgangspunkt ist der Gedanke, daß alle Wesen wertvoll und einzigartig sind. In einer ausdehnenden Vorstellung wird allen Menschen der Erde dasselbe Glück gewünscht, wie man es sich selbst wünscht.

Die Praxis dieser Übung empfiehlt sich morgens nach dem Aufstehen, um sich auf eine entsprechende Haltung für den bevorstehenden Tag einzustimmen. Abends wird sie wiederholt, wobei man besonders an die Menschen denkt, denen man tagsüber begegnet ist.

Sitzen Sie bequem und kommen in einer ruhigen und friedlichen Geisteshaltung an. Wünschen Sie für Ihre eigene Person aufrichtig alles Gute: Glück, Frieden, Wohlstand, Gesundheit. Stellen Sie sich vor, daß all dieses Positive Denken sich als Lichtkugel in Ihrem Herzen entwickelt.

Denken Sie nun an Ihre Familie, Ihre Eltern und Geschwister, Ihren Lebenspartner und Ihre Kinder. Wünschen Sie auch ihnen dasselbe, senden Sie das Licht aus Ihrem Herzen mit allen guten Wünschen zu ihnen.

Weiten Sie Ihre Vorstellung auf Menschen aus, mit denen Sie im täglichen Leben zu tun haben: Arbeitskollegen, Nachbarn, Bäcker und Busfahrer. Senden Sie ihnen allen dieses helle Licht mit dem Wunsch, daß sie vor Unheil und Krankheiten bewahrt werden mögen und alles Glück dieser Welt mit ihnen sei.

Nun stellen Sie sich alle Bewohner Ihrer Stadt vor. Schweifen Sie mit Ihrem geistigen Auge über die ganze Stadt und wünschen all diesen unbekannten Menschen, die hier leben, daß auch sie gesund und glücklich sein mögen.

Visualisieren Sie die Landkarte von Europa und dann vom gesamten Erdball. Stellen Sie sich alle Menschen, die hier leben, vor und wünschen Sie ihnen in allen Ländern, auf allen Kontinenten größtes Glück und Gesundheit dieser Welt. Wünschen Sie ihnen, daß sie keinen Hunger leiden, nicht in Kriege verwickelt werden und kein Leid ertragen müssen. Senden Sie Ihr inneres Licht zu allen Menschen auf dem ganzen Erdball und wünschen ihnen noch einmal alles, was Sie auch für Ihr eigenes Leben wünschen.

Genießen Sie die Verbundenheit und Offenheit dieses besonderen Augenblicks.

Das Spiel der Wolken

Diese Übung versorgt Körper und Geist mit einem Gefühl von Entspannung und Frische und läßt viel freien Raum entstehen. Hier geht es um die natürliche Ein- und Ausatmung. Atmen Sie mit einer entspannten Grundhaltung ein und aus, so wie es Ihnen gerade guttut. Beeinflussen Sie Ihren Atem nicht und zählen Sie auch die Atemzüge nicht. Wichtig ist nur, im Atem Ruhe zu finden.

Legen Sie sich nun auf den Boden oder setzen sich entspannt auf einen Stuhl. Schließen Sie, wenn Sie wollen, die Augen.

Stellen Sie sich einen stahlblauen Himmel vor. Wolken kommen und gehen. Einfach so. Sie spüren Ruhe und Frieden in Ihren Geist einziehen. Sie brauchen nirgendwohin zu gehen, denn aller Zauber findet in diesem Augenblick statt, während Sie freudig beobachten, wie die Wolken vorüberziehen. Nehmen Sie die helle und klare Energie dieses blauen Himmels auf und atmen Sie diese bewußt ein. Verspüren Sie Ihren Geist ebenso hell und klar leuchten wie diesen Himmel. Wolken kommen und gehen, so wie alle Dinge auf der Welt kommen und gehen. Lassen Sie einfach alles

245

geschehen, halten Sie an nichts fest und beurteilen Sie nicht. Bleiben Sie einfach beim Gefühl für die Wolken, wie sie in ihrer Bewegung mit Kraft und Frische versorgen.

Falls der reale Himmel draußen blau ist, bietet sich diese Übung in der Natur an. Sie legen sich dazu ins Gras und verinnerlichen jene Gedanken, die mit dieser Übung verbunden sind.

Die Behandlung der Marma-Punkte

Inspiration durch das Herz

Drei wichtige Marma-Punkte stehen zu Ihrer Konstitution in unmittelbarer Beziehung: *Hridaya,* der Herzenspunkt direkt auf dem Brustbein; *Nabhi* im Bereich um dem Nabel, in dem sich neues Schaffen manifestiert; und schließlich *Vasti* im Unterbauch zwischen Schambein und Nabel, in dem tiefe Empfindsamkeit ihren Ausdruck findet. Suchen Sie bei Ihren täglichen Marma-Übungen den freien Energiefluß zwischen diesen drei Mahamarmas herzustellen.

Die Übung kann ein kleiner Urlaub vom Streß zwischendurch sein. Sie können die Übung machen, wann immer Sie das Bedürfnis nach Entspannung und Inspiration verspüren, wann immer Sie die Kräfte von Liebe und Mitgefühl suchen, um mit Freude und Stolz auf Ihre Aktivitäten blicken zu können. Hilfreich ist sie auch zwischen zwei Terminen als Einstimmung auf Neues.

Da die halbliegende Position für die Übung besonders geeignet ist, kann sie auch am Schreibtisch durchgeführt werden. Machen Sie es sich richtig bequem. Legen Sie beide Hände auf den Herzenspunkt Hridaya. Machen Sie fünf ruhige gleichmäßige Atemzüge und stimmen sich auf feinere Bereiche ein.

Wenn Sie völlige Ruhe gefunden haben, lassen Sie eine Hand zu Nabhi hinabwandern, wo sie wieder fünf Atemzüge lang ruht. Anschließend gehen Sie noch ein Stück weiter nach unten zu Vasti und ruhen hier für eine Weile. Die andere Hand bleibt während der ganzen Zeit auf Hridaya liegen.

Bringen Sie die wandernde Hand dann wieder zurück zu Hridaya, und spüren Sie Ihrem Empfinden eine Weile nach.

Körperpflege

Eine Konstitution vom Typ Pitta-Kapha sollte ihr Programm für die Körperpflege immer mit dem Augenmerk auf ihre dominierenden Energien vornehmen. Insgesamt dürfen Massagen ruhig kräftig sein, werden dabei aber mit unterschiedlichen Ölen ausgeführt. Im Sommer wird eine Massage mit kühlendem Kokosöl wohltuend sein; im Winter belebt eine kräftige Massage mit Olivenöl, eventuell unter Zugabe von ätherischem Zimtöl. Auch für eine belebende Massage mit einem Sisalhandschuh ist jetzt die Zeit.

Ein Pitta-Kapha-Typ kann gleichzeitig Hingabe üben, wenn er bei der Massage seine beurteilende Geisteshaltung aufgibt und sich bei einem Masseur seines Vertrauens so richtig fallen läßt. Gerade eine Massage kann ihn sensibilisieren und dabei unterstützen, sein kritisches Denken loszulassen und seine tiefen Gefühle auszudrücken.

Im Winter empfehlen sich Schwitzkuren mit milden Temperaturen zur Reinigung des Gewebes. Blutreinigung ist für Pitta-Kapha ohnehin ein wichtiges Thema. Ayurvedische Ärzte empfehlen speziell für diese Konstitution Panchakarma zur Vitalisierung und Entschlackung der Gewebe.

Eine regelmäßige Reinigung der Schleimhäute beugt der Ansammlung von Schleim in den Nebenhöhlen vor. Dazu wird morgens und abends lauwarmes Wasser in die Nase hochgezogen.

Besondere Aufmerksamkeit sollte diese Konstitution der morgendlichen Reinigung ihrer Sinnesorgane widmen, wie sie im Kapitel „Der ideale Tagesablauf" (siehe Seite 92 f.) beschrieben ist.

Wenn die Augen durch zuviel Hitze, zum Beispiel aufgrund von Computerarbeit, brennen, wird ein mit Rosenwasser getränktes Pad auf die Augen gelegt, das kühlt und beruhigt.

Pitta-Kapha im Beruf

Beruf bedeutet für den Pitta-Kapha-Typ zugleich Berufung. Seine Tätigkeit erfüllt ihn mit tiefer Zufriedenheit. Was immer er tut, es wird mit ganzer Aufmerksamkeit und voller Hingabe geschehen. So verschmelzen Persönlichkeit und berufliche Tätigkeit zu einer Einheit.

Mit Ausdauer, Selbstbewußtsein und Strebsamkeit ist es nahezu egal, was er in die Hand nimmt – ziemlich sicher wird es von Erfolg gekrönt sein. Eine Wesensnatur von Pitta-Kapha sitzt als natürliche Autoritätsperson häufig in Führungsetagen, falls sie nicht längst ihre eigene Firma auf die Beine gestellt hat.

Die Fußfallen im Arbeitsleben liegen – vor allem, wenn Pitta sehr hoch ist – in ihrem Hang zu Ungeduld und übertriebenem Ehrgeiz. Zum Erfolg gelangt sie auf Kosten anderer, die nicht ihr Durchhaltevermögen haben. Streßsymptome sind da geradezu vorprogrammiert. Weit gelassener kann sie mit etwas mehr Kapha-Anteilen sein. Dann ist der Teamgeist besser und die Atmosphäre entspannter.

Klassische und traditionelle Berufe liegen dieser Wesensnatur besonders. Vielleicht ist sie Architektin, Immobilienmaklerin, leitende Bankangestellte. Doch wäre sie in (fast) jeden anderen Beruf ebenso eifrig und erfolgreich eingestiegen. Mit einer Ausbildung zur Verkäuferin wäre sie Verkaufsleiterin geworden, als Profisportlerin wäre sie bei internationalen Wettkämpfen an den Start gegangen. Lediglich der künstlerische Touch fehlt in ihrem Naturell. Eine Arbeit im kreativen Bereich ist daher mit Vorsicht und einer realistischen Selbsteinschätzung anzugehen.

Partnerschaft und Familie

Die Wesensnatur von Pitta-Kapha hat durch ihren aktiven Lebensstil einen großen Bekanntenkreis. Doch sind ihre Freundschaften meist oberflächlich, denn in ihr sitzt ein tiefes Mißtrauen, das sie nur schwer Vertrauen zu Menschen fassen läßt. Bevor sie zu verbindlich wird, steht sie lieber in Gesellschaften im Mittelpunkt des Geschehens, was ihrem ohnehin ausgeprägten Selbstwertgefühl schmeichelt.

In ihrer Partnerschaft ist sie liebevoll, fürsorglich und geduldig. Sie hat einen starken Familiensinn sowie einen ausgesprochenen Beschützerinstinkt. Wie eine Löwin wird sie kämpfen, wenn Gefahr im Anzug ist. Als treue und standfeste Partnerin bietet sie ihrem Partner und ihren Kindern viel Geborgenheit und Zuverlässigkeit. Durch die Energie von Pitta-Kapha steht sie fest im Leben, so daß Partner und Kinder sich in ihrer Aura sicher fühlen.

Zugleich aber überrollt sie andere, die ihr kräftemäßig nicht das Wasser reichen können, mit ihrer Dominanz. Ihr Partner sollte daher ihre energische solide Lebensweise schätzen und bereit sein, sich unterzuordnen – oder ebenfalls genug Feuer in seinem Naturell haben. Ihrer Persönlichkeitsentwicklung förderlich ist ein Pendant mit ausreichend Vata. Durch ein Vata-Naturell wird sie auch nichtmaterielle Qualitäten schätzen lernen. Ferner wird sie Feinfühligkeit, Kreativität und jene Lebendigkeit erfahren, die sie inspirieren kann, falls sie das zuläßt. Andererseits darf der Vata-Anteil des Partners nicht zu hoch sein, weil ihm dann das Bodenständige fehlt, was die Pitta-Kapha-Natur nerven wird.

Kinder finden bei Eltern vom Typ Pitta-Kapha auf emotionaler und finanzieller Ebene viel Sicherheit. Diese Kombination vermittelt ihrem Kind Beständigkeit, was der kindlichen Entwicklung sehr förderlich ist. Allerdings hat sie vermutlich klare Vorstellungen davon, was aus ihm später einmal werden soll. Falls eine solche vorhanden ist, kann es zum Beispiel fest für die Übernahme der elterlichen Firma eingeplant sein.

Mit solchen starken Erwartungshaltungen werden die Individualität des Kindes mit seinen Bedürfnisse und Qualitäten häufig übersehen, künstlerische Ausdrucksformen wenig geschätzt und entsprechend wenig gefördert. Daher ist Achtsamkeit empfohlen, daß ein Pitta-Kapha-Typ die angeborene Individualität seines Kindes nicht als ein Zeichen von Ungehorsam betrachtet und unwillkürlich durch Liebesentzug bestraft.

Freizeit und Sport

Möglichst viel Spontaneität darf ein Pitta-Kapha-Typ in seiner Freizeit ausleben. Vielleicht will er als Ausgleich zum gefüllten Terminkalender einmal in den Sonntag hineinleben, im Bett frühstücken und sich bewußt nichts vornehmen, sich nur von Lust und Laune treiben lassen. Gewiß wird er nie zum Kunstfreak werden, da er von seinen Anlagen her dazu nicht kreativ genug. Trotzdem ist ein Besuch im Museum, in einer Ausstellung für moderne Kunst oder ein Konzert inspirierend. Nicht zu vergessen die Anschaffung guter Musik und zwischendurch eine Theateraufführung.

249

Der Pitta-Kapha-Typ bewegt sich ausgesprochen gerne. Regelmäßiger Sport ist optimal, um seine vorwärtstreibenden Energien zu harmonisieren. Er darf sich ruhig durch härteres Training fordern, Wettkämpfe liebt er ohnehin. Pitta-Kapha ist robust genug für ein schnelles Tennismatch und Wettrennen, aber auch verwegen, um riskantere Sportarten zu trainieren, etwa Drachenfliegen und Klettern. Doch sollte das Feuer möglichst unter Kontrolle bleiben. Sobald Kampfgeist innere Unruhe entfacht, ist es besser aufzuhören. Hat dieser Energietyp eine besondere Kapha-Betonung, bevorzugt er Sportarten, die noch mehr Ausdauer, aber weniger Kampfgeist verlangen, wie Langstreckenlauf und Rennradfahren. Im Sommer tut die Abkühlung durch Schwimmen wohl, im Winter ist eher Hallensport ratsam. Um Gruppengeist zu trainieren und auch einmal die Kontrolle abzugeben, empfehlen sich Sportarten im Team, etwa Handball oder Volleyball.

Pitta-Kapha im Urlaub

In seinem Urlaub sollte der Pitta-Kapha-Typ verreisen, denn Tapetenwechsel und Abstand vom Alltag befreien den Geist. Gerade jetzt darf nicht jede Minute durchorganisiert werden; ein fauler Tag mit einem guten Buch in der Hand ist Entspannung pur.

Was das Urlaubsziel angeht, ist diese Wesensnatur flexibel, denn sie kommt in fast allen Klimazonen gut zurecht. Den besten Erholungswert aber findet sie in gemäßigten Regionen rund um den Erdball, am besten noch im Gebirge. Auf einer zügigen Wanderung, bei klarer Luft und Fernsicht kann sie richtig aufatmen. Wo auch immer ihr Reiseziel liegt: Hauptsache, Pitta-Kapha übt alle Aktivitäten ohne Streß mit einem entspanntem Geist aus.

Das Zuhause

250 Die ideale Wohnung einer Pitta-Kapha-Natur liegt in den oberen Stockwerken. Sie hat hohe Wände und große Fenster, um Luft hereinzulassen. Allerdings sollten die Zimmer im Sommer nicht zu stark aufheizen. Die Einrichtung liebt dieser Typ traditionell

mit einem Schuß Gemütlichkeit, auch etwas Pomp als Statussymbol darf nicht fehlen. Gerade dann sollte aber darauf geachtet werden, daß die Räume nicht allzu überladen werden, sondern statt dessen nach dem Motto „Weniger ist mehr" zu verfahren. Ein paar Kunstobjekte aus dem Urlaub, die eventuell der Partner aussucht, bringen Offenheit mit etwas Exotik in die Räume.

Die Kleidung

Mit einer Konstitution von Pitta-Kapha kann man fast alles tragen. Im Sommer ist eher auf kühlende Farben in Baumwolle oder Seide zu achten. Die Kleidungsstücke sollten weit geschnitten sein und frische Farben, wie Blau, Grün und Weiß, haben. Von wärmenden Nuancen, wie Rot, Orange und Dunkelgelb, wird im Sommer abgeraten. Als Töne für die Winterkleidung sind genau diese warmen Farben aber optimal.

Vata-Kapha

Der Schmetterling läßt sich nieder am Rande des Sees. Somit verbindet die Wesensnatur vom Typ Vata-Kapha Luftigkeit und Beweglichkeit mit Struktur und Stabilität. Zu ihrer Vollkommenheit aber braucht sie das Feuer – jenes Verbindungsglied, das Veränderung erst möglich macht. Um ihre blühende Kreativität zu entfalten, ist Hitze erforderlich: Schließlich wartet Erde schon geduldig darauf, die reifen Samen aufzunehmen.

Vata-Kapha im Zustand der Harmonie

Die beiden Energien von Vata und Kapha sind extrem unterschiedlich. Wenn sie sich in Harmonie befinden, spielen die Kräfte des Schmetterlings und des Sees sich gegenseitig Inspirationen zu. Impulse aus der Beweglichkeit und Impulse des Beständigen balancieren einander aus und finden so zu einem friedvollen Mittelweg.

252   Die körperliche wie die geistige Ausprägung hängt bei dieser Konstitution davon ab, ob Vata oder Kapha in ihrer Prakriti überwiegen. Daher ist die Bandbreite an Möglichkeiten groß. Allgemein jedoch gilt: Die Schwere und Fülle von Kapha prägt die ganze Person stärker als die Leichtigkeit von Vata.

Die körperlichen Anlagen des Vata-Kapha-Typs

Die körperlichen Merkmale von Vata und Kapha sind so extrem unterschiedlich, daß für eine Wesensnatur, die beide Doshas in sich vereint, ein weites Spektrum an Erscheinungsformen vorstellbar ist. Sicher aber ist der Körperbau kraftvoll und beweglich, die Muskulatur relativ gut ausgebildet. Dadurch kann sie sogar athletisch gebaut sein, doch fehlt es ihr an Dynamik und Muskulatur.

Mit hohen Luftanteilen in ihrer Konstitution ist sie insgesamt schlank, hat aber füllige Hüften oder einem kräftigen Brustkorb. Die Bewegungen sind entspannt und geschmeidig. Überwiegt Kapha im Naturell, ist der Körperbau ziemlich kräftig und füllig, aber dennoch feingliedrig. Die Bewegungen zeigen die Flexibilität der Vata-Energie.

Das Gesicht dieser Mischkonstitution hat entweder einen edlen klassischen Ausdruck oder eine gleichmäßige Fülle mit besonders feingezeichneten einzelnen Partien. Häufig hat sie auffallend große Hände und Füße bei einem relativ zarten Körperbau.

Die einzige Gemeinsamkeit von Vata und Kapha ist die Qualität der Kälte. Daher hat ein Vata-Kapha-Typ ständig Probleme mit seiner Durchblutung, kalte Hände und Füße werden ihn immer begleiten.

Die geistigen Anlagen des Vata-Kapha-Typs

Der Energietyp Vata-Kapha hat die Wesensnatur der Genießerin. Sie entspricht einem Feingeist mit entspanntem Gemüt, der das Leben von der möglichst angenehmen Seite betrachtet. Sie hat ihre Welt innerhalb überschaubarer Grenzen abgesteckt, denn sie bewegt sich lieber auf der sicheren Seite, bevor sie irgendwelche Risiken eingeht. Von der Kühle und Trägheit des Sees geprägt, liegt in ihrem Naturell immer eine gewisse Gelassenheit. Unbeschwert flattert der Schmetterling durch die Türen zu diesem Refugium, um Kreativität und Phantasie hineinzutragen und jene Erdenschwere durch die Elemente Wind und Äther zu beleben.

Durch ihren Vata-Anteil entwickelt diese Wesensnatur eine Atmosphäre von Offenheit und Weitblick. Wenn Vata in der Veran-

253

lagung dominiert, kann sie sogar „abheben". Allerdings sind diese Ausflüge nur kurz, da ihre innere Schwere sie bald auf die Erde der Realität zurückholt. Wie auch immer: All diese Inspirationen werden nur Gäste der Phantasie bleiben, solange das Feuer fehlt, um sie wahr zu machen.

In aller Gelassenheit und Ruhe geht sie Dingen auf den Grund. Naturgemäß von kühlen Energien getragen, wird sie auch bei Entscheidungen allemal einen vernünftigen Kopf bewahren. Zwar zeigt sie genug Phantasie, um mit verschiedenen Ideen zu jonglieren – letztlich aber wägt sie besonnen alle Kriterien ab und überlegt gründlich, bis sie zu einem Ergebnis findet. Zu dieser Entscheidung steht sie dann durch ihre Erdverbundenheit unerschütterlich.

Aus eigener Initiative allerdings stellt eine Wesensnatur vom Typ Vata-Kapha wohl kaum ein Projekt auf die Beine. Lieber unterstützt sie andere, dann aber mit Tatkraft und großer Zuverlässigkeit. Besonders viel Engagement bringt ein Naturell ihres Typs für soziale Projekte ein, doch wird sie nicht wie Pitta fahnenschwingend durch die Straßen laufen. Lieber wirkt sie im stillen hinter den Kulissen. Ein Vata-Kapha-Typ könnte gut Schülerlotse vor der Schule seiner Kinder werden oder sich um ausgesetzte Hunde im Tierheim kümmern.

Als Gemütsnatur befindet sich Vata-Kapha gerne in gelöster Atmosphäre, die sie ihrerseits ebenfalls ausstrahlt. Diese Charaktermischung aus Lebendigkeit und erdiger Gelassenheit läßt andere in ihrer Umgebung entspannen und sich geborgen fühlen. Größere Gesellschaften liegen ihr überhaupt nicht, viel lieber pflegt sie einen kleinen erlesenen Freundeskreis. Menschen, mit denen sie bei einer guten Flasche Wein kultivierte Gespräche über Gott und die Welt führen kann, bedeuten ihr viel. Und die Lektüre eines guten Buches am Kaminfeuer ist für diese Wesensnatur der Inbegriff von Lebenskunst. Sie liebt die Muße und Betrachtung der schönen Künste, der Philosophie und guter Literatur. Durch ihre Bildung und ihren Feingeist inspiriert sie andere, und deshalb sind Gespräche mit ihr ein Genuß. So gelassen und zugleich beweglich, wie sie ist, kommt sie auch in wechselhaften Situationen gut zurecht und läßt sich ihr Wohlbehagen selbst durch unliebsame Lebenslagen nicht nehmen. Schließlich hat sie ihre kleine intime Welt, wo sie in Momenten des Rückzugs Harmonie findet.

Tiefe Empfindsamkeit ist ein besonderes Merkmal dieser Persönlichkeit. Die Doshas von Vata wie von Kapha sind beide hochsensibel, und in der Verbindung ihrer Energien entwickelt diese Wesensnatur besonderes feine Antennen, um Situationen und Stimmungen präzise zu erspüren. Von einfühlsamem Gemüt, kann sie gut auf andere eingehen, respektiert aber zugleich deren Gefühle und Bedürfnisse. Sie ist rücksichtsvoll genug, um auch höfliche Distanziertheit zu bewahren und unterhält sich lieber auf einer sachlichen Ebene. Emotionaler Überschwang und Gefühlsausbrüche liegen ihr einfach nicht. Daher breitet sie auch eigene Gefühle und Probleme nicht ohne weiteres vor anderen aus. Wer ihre Wesensnatur nicht erkennt, könnte Vata-Kapha für kühl halten. Doch rührt diese scheinbare Kühle aus einer Angst vor Verletzungen, durch die sie intuitiv mögliche Angriffe abwehrt.

In ihrem Herzen ist die Wesensnatur vom Typ Vata-Kapha sogar ausgesprochen sanft, sie wird vom Prinzip der Liebe durchs Leben getragen. Sie ist zu großem Mitgefühl fähig und gibt ihre Herzenswärme in einer unaufdringlichen Haltung der Güte und Freundlichkeit an andere weiter. Vata-Kapha ist das Naturell, das keiner Fliege ein Leid zufügt und für (fast) alles Verständnis zeigt.

Der Haken dabei ist nur, daß diese friedfertige Haltung oft von Unschuld, ja Leichtgläubigkeit begleitet wird. Beharrlich hält sie an ihrem Glauben an das Gute selbst dann fest, wenn die Wirklichkeit sie eines Besseren belehren möchte. Mißgeschicke nimmt sie lieber auf die eigenen Schultern, als andere dafür verantwortlich zu machen. Viel zu leicht können andere sie um den Finger wickeln und als Helferin für ihre Ziele gewinnen.

Vata-Kapha erhöhende Faktoren

Kälte ist der offensichtlichste Faktor, der Vata ebenso wie Kapha aus dem Gleichgewicht bringen kann. Sowohl trockene als auch feuchte Kälte tun dieser Konstitution nicht gut, daher ist während der gesamten kalten Jahreszeit besondere Aufmerksamkeit geboten.

Abgesehen davon, sind es sehr unterschiedliche Situationen, die entweder Vata oder Kapha aus der Balance werfen. Ist der Mensch überwiegend von Vata geprägt, gerät er durch alle Faktoren, die sein Vata-Dosha erhöhen, aus dem Gleichgewicht: also zuviel Unruhe, Lärm, Arbeit und Streß, wechselnde Eindrücke und extreme Gefühle.

Bei einem starken Übergewicht von Kapha im Naturell erhöhen die entgegengesetzten Situationen sein Kapha-Dosha: Wenn er zu wenig Eindrücke sammelt, lethargisch wird, zuviel schläft und morgens nicht rechtzeitig aufsteht, vermehrt sich Kapha. Gerade wenn die Tage kurz sind, Kälte und Dunkelheit überwiegen, igelt ein Vata-Kapha-Typ sich viel zu gerne ein. Durch zunehmende Passivität sammelt das Kapha-Dosha sich weiter an.

In ihrer Unterschiedlichkeit regulieren sich beide Doshas bis zu einem bestimmten Punkt gegenseitig: Erhöhtes Vata wird durch den Kapha-Anteil wieder ausgeglichen, ähnlich wie ein aufgekratzter Mensch durch ein weiches Sofa Ruhe und Entspannung findet. Umgekehrt wird hohes Kapha durch den Vata-Anteil reguliert: Ein gelangweilter Mensch braucht Abwechslung und Bewegung, um seine Lebendigkeit zu spüren. Geraten ein Dosha oder alle beide aber zu weit aus der Balance, können sie sich gegenseitig nicht mehr ausgleichen, und das dann entstehende Ungleichgewicht zeigt sich in offensichtlichen Symptomen.

Daher sollte diese Mischkonstitution im Spätherbst und frühen Winter Vata regulierende Maßnahmen befolgen, während das Kapha-Dosha dann im Anschluß daran während des Frühjahrs besondere Aufmerksamkeit braucht. Oft überschneiden sich beide Doshas auch, wenn das Wetter zwischen trockener und feuchter Kälte umschwingt. Im Tagesverlauf ist Vata nachmittags zwischen 14 und 18 Uhr und entsprechend nachts von 2 bis 6 Uhr erhöht. Kapha verstärkt sich im Anschluß daran morgens zwischen 6 und 10 Uhr und am Abend von 18 bis 22 Uhr.

Die richtige Beurteilung der Symptome

256

Eine sorgfältige Beurteilung der möglichen Ursache für Beschwerden ist die Voraussetzung zu deren Behandlung. Da die Symptome von Vata und Kapha sehr unterschiedlich sind, kann die Konstitution vom Typ Vata-Kapha diese mit etwas Übung leicht erkennen.

Zunächst ist zu überlegen: Bestimmt die aktive unruhige Energie von Vata mich vorwiegend oder die träge Schwere von Kapha? Vata zeigt sich durch die Eigenschaften kalt, trocken, rauh, beweglich und auszehrend. Attribute von Kapha sind kalt, schwer, weich, träge, glatt, schleimig, süß und aufbauend.

Die auftretenden Störungen werden mit unterschiedlichen Maßnahmen behandelt, je nachdem, ob Vata bzw. Kapha die Beschwerden verursacht hat und reduziert werden muß. Erst wenn diese behoben sind, richtet sich dieser Energietyp wieder nach den seiner Konstitution entsprechenden Empfehlungen.

Vata-Kapha im Zustand der Verwirrung

Die Kluft zwischen den beiden unterschiedlichen Kräften öffnet sich weiter. Falls Vata überhand nimmt, wird der Schmetterling vom Sturm fortgeweht und kann keine Inspirationen mehr empfangen. Überwiegt Kapha, gefriert der See, und der Schmetterling findet kein Wasser, keinen fruchtbaren Boden für seine Ideen mehr. Wenn beide Doshas ansteigen, ist eine Harmonisierung überhaupt nicht mehr möglich, jeder Impuls kommt zum Erliegen. Im Extrem ist Vata-Kapha zu keiner Bewegung mehr fähig.

Körperliche Herausforderungen für den Vata-Kapha-Typ

Kälte als vorrangiges Merkmal der Konstitution von Vata-Kapha verursacht die meisten ihrer „kalten" Krankheiten. In Verbindung mit dem Trägheitsprinzip werden sie häufig chronisch.

Kälte bremst naturgemäß jede Bewegung, weshalb sie ständig unter Durchblutungsstörungen leidet. Kalt sind Hände und Füße selbst im Sommer, während des Winters ist das Problem noch schlimmer. Schlechte Durchblutung wirkt sich auf das gesamte Kreislaufsystem aus, das labil ist und schwach, der Blutdruck entsprechend niedrig. Auch der Stoffwechsel verlangsamt sich und fällt in Unterfunktion. Dadurch nimmt die Vata-Kapha-Natur an

257

Gewicht zu. Sie entwickelt Ödeme und Diabetes, die Augenlider sind angeschwollen.

Eine notorische Schwachstelle ihrer Konstitution ist der ganze Verdauungstrakt. Agni brennt schwach und unregelmäßig, deshalb funktioniert die Verdauung langsam und schwerfällig; in manchen Phasen kann die Nahrung nicht vollständig verarbeitet werden. Schweres Essen und Rohkost kann sie daher nicht vertragen, sondern reagiert darauf mit Magenbeschwerden, Übelkeit oder einem Völlegefühl. Es kommt zu Durchfall oder Verstopfung. Da eine gute Verdauungskraft aber ein Schlüssel zur Gesundheit ist, ist es wichtig, durch eine sorgfältige Auswahl der Nahrung die Harmonisierung von Agni zu unterstützen.

Ständig hat eine Konstitution vom Typ Vata-Kapha auch Probleme mit den Schleimhäuten. Im Winter und im Frühling entwickelt sich dann das gesamte Spektrum klassischer Kältekrankheiten: Husten, Schnupfen, Heiserkeit, verstopfte Nebenhöhlen.

Sehr anfällig ist jetzt auch der gesamte Urogenitaltrakt. Besonders die Nieren reagieren empfindlich auf Kälte; es entwickeln sich Steine, generelle Funktionsstörungen und Entzündungen des Nierenbeckens. Vor allem Frauen leiden unter Entzündungen der Harnwege und der Blase.

Je langsamer seine Körperfunktionen werden, um so müder wird der Mensch, bis er irgendwann überhaupt keine Lust mehr hat, das Bett zu verlassen. Diese Müdigkeit hat nichts mehr mit einem natürlichen Schlafbedürfnis zu tun, sondern ist ein Zeichen von krankhafter Antriebslosigkeit. Je mehr er schläft, desto erschöpfter und lethargischer wird er. Kopf und Gliedmaßen sind schwer wie Blei, und die Sinne nehmen die Welt wie durch einen Schleier wahr.

Vorschläge zur Selbstbehandlung

Beschwerden der Nebenhöhlen, Husten, Asthma: 1 Teelöffel Ingwersaft mit 1 Teelöffel Honig vermischt einnehmen

Grippe: Gelbwurzpulver in Honig auflösen und trinken. Viel Basilikum und langen Pfeffer essen

Zur Stärkung der Verdauung: Ein ideale Gewürzkombination zur regelmäßigen Anwendung ist *Trikatu*, eine ayurvedische Mischung

258

aus langem Pfeffer, schwarzem Pfeffer und getrocknetem Ingwer. Trikatu stärkt das Feuer und verbessert die Verdauungskraft (zur „Stärkung von Agni" siehe auch Seite 78 f.).

Brahmi (Bacopa monniera) ist ein pflanzliches ayurvedisches Heilmittel zur Stärkung des Intellekts und der Sinnesorgane. Es wirkt lindernd bei depressiven Verstimmungen und belebt die Gehirnfunktionen, besonders wenn Vata stark überhöht ist.

Ashvagandha (Withania somnifera) ist ebenfalls ein pflanzliches Allround-Mittel für die Vata-Kapha-Konstitution: Es stimuliert und steigert die Abwehrkräfte, wirkt gegen Depressionen und lindert Heuschnupfen, Allergien und Asthma. Insgesamt verjüngt und regeneriert es die Gewebe und Nerven.

Weitere wichtige Heilmittel aus der Hausapotheke zur Gesunderhaltung des Herzens sind Ingwer und Knoblauch. Etwas frischer Ingwer sollte bei Vata-Kapha-Naturen auf dem täglichen Speisezettel stehen. Er kann als Tee aufgebrüht werden. Dafür werden einige dünne Scheiben zehn Minuten lang in Wasser gekocht, und das Ganze wird dann morgens getrunken. Auch roh in das Essen gerieben, wirkt Ingwer kräftigend. Roher Knoblauch ist ein weiteres Hausmittel, um das Herz intakt zu halten. Da er regulierend auf den Cholesterinspiegel einwirkt, wird die Zirkulation des Blutes unterstützt und einer Verengung der Herzkranzgefäße vorgebeugt.

Geistige Herausforderungen für den Vata-Kapha-Typ

Wird Vata zu luftig und Kapha zu schwer, melden sich die Schattengeister. Nun hängt es davon ab, ob das Vata- oder das Kapha-Dosha in Unordnung geraten ist: Entsprechend unterschiedlich fühlt sich die betreffende Person dann.

Wenn das Vata-Dosha erhöht ist, breiten Ängstlichkeit, Unsicherheit und Nervosität sich aus. Sie fühlt sich leer, ausgelaugt, hohl und zutiefst erschöpft. Schlaflos liegt sie im Bett, mit bleierner Schwere in den Gliedern, aber endlos kreisenden Gedanken. Morgens wacht sie zu früh auf, um den Tag gereizt und rastlos zu beginnen. Sie verliert ihren Appetit und wird immer dünner. Typisch für Vata, fühlt sie sich wertlos und schuldig an allem.

Ist die Unordnung durch das Kapha-Dosha entstanden, fallen die Symptome fast entgegengesetzt aus. Die ganze Person befindet sich nun in einer Welt der geistigen Schwere und Trägheit. Dumpf und wattig ist der Kopf, der ganze Körper wie zerschlagen.

Der Grund für all diese Symptome ist ein irritiertes Nervensystem: Sobald überfließendes Vata und/oder Kapha in das Nervengewebe eintreten, können Eindrücke nicht ordentlich verarbeitet werden. Dadurch ist der Mensch zu angemessenen Reaktionen nicht mehr imstande. Die Wesensnatur vom Typ Vata-Kapha fällt daher in einen Zustand von Lethargie, was sich bis zur ausgewachsenen Depression ausdehnen kann. Am liebsten zieht sie die Bettdecke über ihren Kopf, will nichts mehr hören oder sehen. Von Wellen der Verzagtheit und Niedergeschlagenheit überrollt, erstarrt ihre Welt und ist von einem Tuch der Kälte überdeckt. Jede Aktivität ist ihr dann zuviel.

Feuer, das diese Wesensnatur aus ihrer Lethargie befreien könnte, fehlt jetzt besonders. Ohne Hitze aber gibt es weder Veränderung, Leidenschaft noch Motivation. So hangelt sie sich auf Sparflamme durch den Tag und erledigt, wenn überhaupt, nur das Nötigste. Übertrieben vorsichtig und zäh in allen Bewegungen, verliert sie allmählich jedes Selbstwertgefühl.

Selbst ihre Feinfühligkeit macht dieser Wesensnatur das Leben in der Verwirrung schwer. Völlig empfindlich reagiert sie auf Worte und Handlungen anderer, die sie einmal verletzt haben. Passiert diese Ungerechtigkeit gerade ihr, die doch das Gute im Menschen sucht! Tief graben sich diese Kerben in ihr Gemüt ein.

In Phasen der Depression und Passivität entwickelt sich dieser Energietyp zum Eremit. Soweit wie möglich vermeidet er soziale Kontakte und igelt sich daheim ein – die Lust an philosophischen Gesprächen ist ihm längst vergangen. In dieser Einsamkeit verharrt er wie betäubt. Kleinigkeiten wachsen zum unüberwindlichen Problem, und er grübelt zuviel. Eine unheilvolle Verbindung geht nun die lebhafte Phantasie mit dieser unscharfen Wahrnehmung ein, die den Blick auf die Wirklichkeit trübt und Hirngespinste entstehen läßt. Außerstande, eine Situation objektiv zu beurteilen, verliert er ganz den Boden der Wirklichkeit unter sich.

Auf seinen ohnehin nur vage formulierten Meinungen besteht ein derart verwirrter Mensch vom Vata-Kapha-Typ natürlich nicht, denn um einen klaren Standpunkt zu vertreten, fehlen ihm Energie und Mut. Deshalb paßt er sich widerstandslos allem an, was von ihm erwartet wird. Wie bei ungebranntem Lehm verwaschen sich Ecken und Kanten und damit alle individuellen Konturen. Derart in die Passivität gerutscht, ist der Abgrund zu Abhängigkeiten in jeder Form nah. Viele Vata-Kapha-Naturen leiden unter Suchtproblemen, verfallen religiösen oder emotionalen Abhängigkeiten vom Partner, von den Kindern oder ihrem Therapeuten, den sie wegen ihrer Depressionen zu Rate ziehen. Selbst die ewige Sehnsucht nach Einsamkeit kann zur Sucht werden.

Der Ruf der Seele

Die Wesensnatur von Vata-Kapha findet mühelos Zugang zu den Gefilden des Äthers. Sie fühlt sich eng verbunden mit den fünf Elementen des Kosmos, die ihr wahres Zuhause bedeuten. Vielleicht feiert sie Naturrituale für die Geister des Himmels und der Erde. Oder sie ist bewandert in indischer Mythologie, um daraus ihr eher philosophisches Weltbild zu schöpfen. Es ist auch möglich, daß sie tantrischen Buddhismus oder bekennendes Christentum praktiziert. Gewiß aber lebt sie ihre sehr individuelle Spiritualität jenseits religiöser Konventionen. Welche Geister sie auch führen, Vata-Kapha geht ihren Weg in Begleitung der immer gültigen Gesetze des Universums.

Doch rufen die Geister ihrer Wesensnatur zugleich nach Feuer, denn das Leben findet nicht nur im Geiste statt, sondern auf einer realen Bühne. Zahllose Stücke warten schon auf ihre Aufführung. Eine Rolle im Theater des wirklichen Lebens aber kann sie nur mit Hilfe von Feuer spielen – denn Feuer ist Leben! Auf geistiger Ebene steht die Feuerenergie für Klarheit, Scharfsinn und eine wache Intelligenz. Durch Hitze werden Eindrücke und Impulse verarbeitet und fließen in Entscheidungskraft und Selbstvertrauen ein.

Wenn aber Angst vor dem Unbekannten sich einschleicht, errichtet der Mensch unbewußt Sperren, die wie riesige Felsbrocken

261

den Fluß der Energien blockieren. Diese Barrieren sind nichts anderes als eine unbewußte Abwehrhaltung gegenüber den oft schwierigen Aufgaben, vor denen wir häufig stehen. Wenn Entscheidungen vermieden werden, werden die Blockaden aber weiter wachsen. Sobald die Wesensnatur von Vata-Kapha jedoch bereit dazu ist, den Fluß des ewigen Wandels zu akzeptieren, kann sie eine aktive Rolle einnehmen und so zur Harmonie finden.

Der Ruf nach der Hitze des Feuers allein genügt deshalb nicht. Ebenso wichtig ist ihre volle Bereitschaft, die Kraft des Feuers in ihr Leben eintreten zu lassen. Mit ihm als Verbündeten wird sie Entscheidungen treffen und Selbstvertrauen aufbauen, und ihr Leben wird eine Wendung nehmen. Daher kostet sie dieser Schritt eine Portion Mut. Mit dieser Courage und genug Feuer bleibt sie nicht mehr Zuschauerin, sondern schreibt ihre eigenen Stücke für die Hauptrolle ihres Lebens.

Die einzigartige Chance des Menschen ist sein freier Wille, durch den ein jeder zum Gestalter seiner eigenen Wirklichkeit werden kann. Dann wird auch die Wesensnatur vom Typ Vata-Kapha aufblühen und ihre aufrechte Gestalt einnehmen. Unermeßliche Chancen und Situationen können sich auftun, sobald sie in Kühnheit Großes von ihrem Leben erwartet.

Viele Menschen leben in der von Vata-Kapha geprägten Situation als einem Zustand der Abweichung. Eigentlich haben sie ihre Wurzeln in einer anderen Wesensnatur, doch im Laufe der Zeit hat sich die Energie von Vata-Kapha eingeschlichen. Diese Menschen kennen feurige Phantasien und hitzige Träume sehr gut, auch wenn diese lange zurückliegen. Hier können sich ihnen die folgenden Fragen stellen: Weshalb verstecke ich mich hinter dieser Passivität? Fehlt mir vielleicht der Mut zur Veränderung? Versperre ich mich gegen die mir innewohnende Kraft und Vitalität? Kann ich den immerwährenden Fluß der Elemente, der Bewegung bedeutet, nicht ertragen?

Wege zur Regulierung von Vata-Kapha

Allgemeine Empfehlungen

Der Einfluß von Kälte verlangsamt naturgemäß alle Bewegungen. Wärme und Stimulanz sind daher die wichtigsten Kriterien, um die Wesensnatur von Vata-Kapha zu regulieren.

Gerade im Winter, wenn das Energieniveau gegen Null tendiert, sollte sie der Regulierung ihrer Energien besondere Aufmerksamkeit schenken. Vata und Kapha steigen beide durch den Einfluß von Kälte an. Daher ist für diese Konstitution warme Kleidung ebenso wichtig wie warmes Essen und ein warmes geborgenes Familienleben. Im Winter empfiehlt es sich, daß sie möglichst oft in der Wärme bleibt. Mit dieser Konstitution sollte sie keinen Ehrgeiz entwickeln, gerade im Winter möglichst viel frische Luft zu tanken, denn übermäßige Kälte tut ihr tatsächlich nicht gut. Beim Hinausgehen empfiehlt sich immer ein guter Kälteschutz mit festen Schuhen, Schal und einer Mütze. Eine Kopfbedeckung ist besonders wichtig, denn der Kopf ist ein empfindlicher Bereich, über den viel Körperwärme verlorengeht.

Im Winter sind die unter „Körperpflege" (siehe Seite 271) beschriebenen Tips sehr angenehm, also Dampfbäder, Massagen, Sauna. Massagen mit warmem Sesamöl sind nun ein besonderer Genuß, außerdem unterstützen sie die Entschlackung der Gewebe. Massagen des Kopfes und der Fußsohlen beruhigen überhöhtes Vata. Bei einer ausgeprägten Kapha-Konstitution belebt eine kräftige Massage mit einem Handschuh aus Rohseide oder Sisal. Unterstützend wirken warme stimulierende Aromaöle, wie Zimt, Weihrauch und Rosmarin, in der Duftlampe.

Die beste Balance findet die Wesensnatur vom Typ Vata-Kapha durch ein angenehmes Mittelmaß ihrer Aktivitäten, denn dadurch kann sie ihre Kräfte konstant erhalten. Regelmäßige Anregungen und Impulse sind wertvoll, doch Übertreibungen schaden ihr eher. Da sie schnell in Niedergeschlagenheit verfällt, wenn die häusliche Routine oder Einsamkeit überhand nimmt, sind regelmäßige Kontakte zu anderen Menschen wertvoll. Vielleicht lädt sie hin und wieder Freunde zu einem schönen Abendessen ein oder verabredet

263

sich zu einem unterhaltsamen Kinofilm. Solche Auflockerungen erinnern Vata-Kapha daran, daß das Leben auch leichtfüßig und beschwingt sein kann.

In der Beziehung zu anderen gibt sich eine von Vata und Kapha geprägte Wesensnatur gerne distanziert und kühl. Dabei sind treue Freundschaften für sie eine Quelle, um Kraft, Lebensfreude und Wärme zu tanken. Wenn sie den Mut findet, ihre selbstgewählte Einsamkeit zu verlassen und ihre Gefühle offener zu zeigen, kann das eine Befreiung sein. Sowie ihre schützende Hülle transparenter wird, kann sich die Kommunikation mit anderen lebendiger und offener gestalten.

Inspiration und Selbstvertrauen findet diese Wesensnatur auch durch ihr Engagement in gemeinnützigen Projekten. Wenn sie sich sinnvollen Aufgaben widmet, werden schlummernde Energien geweckt. Vielleicht tritt sie einer Organisation für Menschenrechte bei oder beteiligt sich in einer Elterninitiative beim Aufbau des neuen Privatkindergartens. Möglicherweise wird sie aktiv in einem Verein zur Begrünung ihres Stadtteils oder bildet ihre beruflichen und privaten Interessen weiter aus. Wichtig ist, daß sie die Initiative ergreift und mit anderen Menschen zusammenkommt. Besondere Aufmerksamkeit sollte sie auch ihren kreativen Anteilen schenken. Viele Vata-Kapha-Naturen haben durch Kunst viel Selbstwert und auch die Anerkennung anderer gefunden.

Zwischenmenschliche Kontakte bieten immer wieder Reibungsflächen. Naturgemäß tendiert diese Wesensnatur bei Konflikten zum Rückzug. Im Sinne ihrer Persönlichkeitsentwicklung darf sie auch in solchen Situationen ihr Selbstbewußtsein trainieren und dem Problem offen entgegentreten. Vielleicht lädt sie den anderen zu einem Gespräch ein, um ihren Standpunkt klar zu formulieren und zu vermitteln.

Ein Hang zu Niedergeschlagenheit wird diesen Wesenstyp ein Leben lang begleiten. Um solchen Phasen geistig vorbereitet zu begegnen, hilft ein kreativer und strategischer Umgang mit der Krise. Kurzfristig mag es hilfreich sein, dieses Energietief durch erzwungene Ablenkungen etwas aufzufangen, doch auf lange Sicht verdeckt ständige Zerstreuung natürlich die tiefere Ursache des Problems. Heilung kann man finden, wenn man diese Situation zu einer ganz persönlichen Herausforderung werden läßt.

In solchen *Phasen depressiver Verstimmung* helfen klare Strukturen. Wichtig ist, morgens rechtzeitig aufzustehen. Ein rechtes Maß
an Aktivitäten verhilft zu einem ausgeglicheneren Energieniveau,
wobei dieses „rechte Maß" davon abhängt, ob die Niedergeschlagenheit durch ein Übergewicht von Vata oder von Kapha verursacht worden ist.

Ist der Vata-Anteil erhöht, muß diese Person langsamer treten
und auf viel Ruhe achten. Im Gegensatz dazu braucht ein erhöhter
Kapha-Anteil viel Inspiration und Bewegung zur Harmonisierung.
Die Wesensnatur vom Typ Vata-Kapha sollte versuchen, ihre endlosen Gedankenschleifen zumindest vorübergehend zu unterbre-
chen, ihre Schwermut nicht zum Mittelpunkt sämtlicher Gedanken werden lassen. Dabei helfen ihr belebende Eindrücke aus der
Natur, neue Kraft zu schöpfen. Der Flug eines Schmetterlings, das
Ziehen der Wolken, das Rauschen des Windes in den Bäumen –
einfach alles, was die Harmonie der kosmischen Gesetze nahebringt,
kann ihre Lebensgeister wieder zum Leben erwecken.

Anstatt zu sagen: „Ich bin depressiv" ist die Formulierung: „Mein
Vata/Kapha-Anteil ist gestört" treffender, denn die tiefere Ursache
liegt schließlich in einer Disharmonie der Doshas. Daher sollte
immer deren Regulierung angestrebt werden. Falls die Depression
auch längerfristig nicht besser wird, ist unbedingt ärztliche Be-
treuung erforderlich. Depressionen sind ein ernstes medizinisches
Krankheitsbild, das fachliche Unterstützung braucht.

Ernährung

Vata und Kapha brauchen zu ihrer Regulierung diametral entgegengesetzte Geschmacksrichtungen und Qualitäten. Daher gilt für
die Konstitution vom Typ Vata-Kapha als allgemeine Richtlinie:
eine Vata-Ernährung ohne Milchprodukte und mit weniger Fett.

Der Speiseplan sollte alle sechs Geschmacksrichtungen einbezie-
hen. Süß, sauer und salzig sind empfehlenswert; besondere Bevor-
zugung findet der saure Geschmack, da er erwärmende Qualität
hat. Bitter, herb und scharf sollten weniger verwendet werden.

Eine zusätzliche Orientierung sind die Tageszeiten und Jahreszeiten. Im Herbst richtet man sich nach einem Vata reduzieren-

265

den, anschließend im Winter nach einem Kapha ausgleichenden Ernährungsplan. Der einzige gemeinsame Faktor für die Essensplanung ist die Wärme, die beiden Doshas fehlt. Deshalb sollte das Essen immer warm sein. Gewürze haben eine stimulierende Wirkung und werden daher ebenfalls empfohlen.

Besondere Rücksicht sollte dieser Konstitutionstyp auf seine schwache Verdauung nehmen. Anstelle von drei großen Mahlzeiten werden besser mehrere kleinere Mahlzeiten über den Tag verteilt eingenommen. Das Frühstück ist leicht. Es könnte beispielsweise aus einem dünnen Reisbrei mit Zimt und Honig (nicht überhitzen!) oder etwas gemahlenem Pfeffer bestehen. Mittags dürfen schwerer verdauliche Nahrungsmittel genossen werden. Hülsenfrüchte sind eine ideale Proteinquelle, sollten aber mit Gewürzen wie Kümmel, Fenchel und Kreuzkümmel gekocht werden. Nachmittags paßt ein süßsaures Kompott, und abends könnte es eine leichte Suppe mit Reis- oder Nudeleinlage geben. Um das Verdauungsfeuer nicht unnötig zu belasten, sollen die Gerichte generell nicht zu schwer sein.

Was den Gebrauch von Öl angeht, darf dieser Konstitutionstyp es nach Belieben verwenden, wenn Vata durch eine Störung oder konstitutionsbedingt erhöht ist. Überwiegt jedoch der Kapha-Anteil, sollte die Zugabe von Öl weitgehend vermieden werden. Ansonsten gilt der goldene Mittelweg.

Was zu vermeiden ist:

Kaltes Essen und kalte Getränke sollte die Vata-Kapha-Konstitution während des ganzen Jahres strikt meiden; auch ein Speiseeis im Sommer sollte die Ausnahme bleiben. Schwere Gerichte und besonders fritierte und ölige Speisen belasten Agni stark. Der Genuß von Rohkost und Obst empfiehlt sich nur in geringen Mengen.

Empfohlene Getränke

Warmes abgekochtes Wasser und wärmende Tees sind die idealen Getränke für die Vata-Kapha-Konstitution. Besonders im Winter empfiehlt sich Ingwerwasser mit Zitrone.

Regulierend und belebend ist eine Teemischung aus Johanniskraut, Zimt, Koriander und Ingwer. Davon werden zwei Tassen am Tag getrunken.

Empfohlene Lebensmittel

Getreide und Hülsenfrüchte
- ideal: Gerste, Buchweizen, Mung-Dhal
- in Maßen: Reis, Hafer, Weizen, Bohnen, Kichererbsen, Linsen, Urid-Dhal
- vermeiden: Vollreis

Gemüse: verträgt Gemüse gut, mit wenig Öl anbraten
- ideal: Zwiebeln, Knoblauch, Lauch, Karotten, Fenchel
- in Maßen: Artischocken, Tomaten, Rote Bete, Süßkartoffeln, Brokkoli, Blumenkohl, Rosenkohl
- vermeiden: Pilze, Gurken, Kohlrabi

Früchte
- ideal: saure Früchte, wie Rhabarber, Sauerkirschen, Aprikosen, Zitrusfrüchte
- in Maßen: Granatapfel, Äpfel, Feigen, Datteln, Melonen, Birnen
- vermeiden: Bananen

Milchprodukte: generell nur in geringen Mengen genießen
- ideal: Buttermilch, Molke
- in Maßen: warme Milch, saure Sahne, Sahne, Butter
- vermeiden: Speiseeis, Hartkäse

Öle und Fette: generell nur in Maßen, zur „Vata-Zeit" ist etwas mehr erlaubt
- ideal: Sesamöl, Olivenöl, Sonnenblumenöl
- in Maßen: Senföl
- vermeiden: Kokosöl, Maisöl

Gewürze und Kräuter:
- ideal: Ajowan, Anis, Ingwer, Kardamom, Dill, Basilikum, Muskat, Salbei, Kreuzkümmel, Majoran, Bockshornklee, Asafoetida, Zimt, Koriander, Süßholz
- in Maßen: Meerrettich, schwarzer Pfeffer, Oregano, Rosmarin, Wacholder, Salz, Peperoni

267

Fasten für Vata-Kapha

Eine aufmerksame Pflege ihres Verdauungsfeuers ist für die Vata-Kapha-Konstitution sehr wichtig. Wenn Vata überwiegt, ist strenges Fasten allerdings nicht zu empfehlen. Besser legt sie einmal wöchentlich einen Entlastungstag ein mit einem leicht verdaulichen Gericht aus Reis und Mung-Bohnen. Ist sie körperlich kräftiger und mehr durch Kapha-Energien geprägt, empfiehlt sich ein Fastentag pro Woche. An diesem Tag werden ausschließlich warme Getränke, wie Kräutertees, Ingwerwasser oder warmes Quellwasser, getrunken. Die Flüssigkeitsmenge richtet sich nach dem individuellen Bedürfnis.

Zusätzlich ist eine drei- bis viertägige Fastenkur im Frühling ratsam. Gerade bei typischen, durch erhöhtes Kapha verursachten Symptomen, wie Schweregefühl, Lethargie und allgemeiner Interesselosigkeit, wirkt eine mehrtägige Fastenperiode vitalisierend und seelisch harmonisierend. Als Getränk empfiehlt sich Ingwertee.

Während der Entschlackungskur sollte sich dieser Konstitutionstyp besonders viel bewegen, um die Entgiftung zu unterstützen. Optimal sind lange Spaziergänge, auf denen zugleich Lebensenergie getankt wird. (Näheres im Kapitel „Kapha-Fasten", siehe Seite 191.)

Meditation

Aufbruch

Stille Minuten geben der Wesensnatur von Vata-Kapha Gelegenheit, sich auf die Suche nach Visionen zu begeben. Dies kann zugleich eine Suche nach längst vergessenen Leidenschaften, vielleicht auch Träumen sein, die nie an die Oberfläche kommen durften. Eine solche Wesensnatur weiß genau, daß ihre Visionen die magischen Schlüssel zu einem lebendigen erfüllten Leben sind – und diese zu entdecken ihre große Inspiration.

Machen Sie es sich bequem. Schließen Sie die Augen und kommen ganz bei sich an. Gedanken an den Alltag dürfen jetzt völlig draußen bleiben.

Lassen Sie nun ihre Phantasie wandern, in den Bereich des Äthers. Reisen Sie zurück in die Vergangenheit. Vielleicht erinnern Sie sich an Momente, in denen eine große Sehnsucht nach etwas Bestimmten in Ihnen hochstieg. Wo sind diese verborgenen Träume und Sehnsüchte heute? Überlegen Sie ganz ehrlich, wieviel es Ihnen bedeuten würde, sie jetzt zu verwirklichen. Schrecken Sie nicht davor zurück, wenn Ihnen Ihre aufkommenden Gedanken verrückt erscheinen oder wenn vielleicht auch weit entfernte Ziele auftauchen.

Nähren Sie diese Visionen eine Weile mit der Kraft Ihrer Gedanken und Phantasien. Werden Sie mit ihnen vertraut, bevor Sie sich auf den Weg dorthin begeben.

Feueratem Bhastrika-Pranayama

Diese Übung hat eine mehrfach positive Wirkung auf den Organismus: Sie erhöht die Vitalkapazität der Lunge, versorgt den Körper mit frischer Energie und Wärme und erfüllt den Geist mit Ruhe.

Führen Sie die Übung morgens vor dem Frühstück aus, wenn die Luft noch frisch und voller harmonischer Energie ist.

Stellen Sie sich mit etwas mehr als hüftbreit gespreizten und ausgestreckten Beinen hin. Beugen Sie Ihren Oberkörper nach vorne. Wichtig ist, daß der Rücken gestreckt ist und vom Po zum Nakken in einer geraden Linie verläuft. Nun winkeln Sie Ihre Arme ganz leicht an und lassen die Handflächen auf den Oberschenkeln ruhen.

Einatmen: Atmen Sie wirklich zwanglos, aber tief ein. Öffnen Sie Ihren Brustkorb und den Bauch, und ziehen Sie den Atem weit hinunter bis in den Bauchraum.

Ausatmen ist ein aktiver Vorgang, den Sie mit geringer Kraftanstrengung ausüben: Atmen Sie durch die Nase kurz und stoßweise ein und aus. Stellen Sie sich vor, eine Lokomotive setzt sich langsam in Bewegung und kommt allmählich in Fahrt.

Man beginnt langsam, allmählich werden die Atemstöße immer heftiger, Das Atmen ist eigentlich ein Hecheln, wobei das Zwerchfell wie eine Membran wirkt, die den Atem hochzieht und hinabsaugt. Die Luftmenge in den Lungen wird allmählich weniger. Nach 25-35 Stößen atmen Sie einige Male normal und beginnen dann von vorne.

269

Sie können die Übung des Feueratems fünfmal nacheinander wiederholen.

Die Behandlung der Marma-Punkte

Richtige Entscheidungen zwischen Himmel und Erde

Der Energietyp von Vata-Kapha ist mit vier wichtigen Marma-Punkten verbunden, die seine tägliche Aufmerksamkeit beanspruchen. Durch die Verbindung mit ihnen kann der Mensch Willensstärke entwickeln und die Kraft für richtige Entscheidungen finden. Für geistige Weite und Entschlossenheit stehen die beiden „ätherischen" Marmas auf dem Kopf, *Adipathi*, der „Götterkönig" auf dem Scheitelpunkt, sowie *Stapani*, das Dritte Auge auf der Stirn. *Vasti* und *Guda* im Unterbauch symbolisieren die erdverbundenen Aspekte: In Vasti, zwischen Nabel und Schambein, liegen Ehre und Scham; Guda, um den Afterbereich gelegen, verkörpert die Kraft der Schöpfung. Im freien Energiefluß zwischen dem Ätherischen und dem Substantiellen können richtige Entscheidungen zwischen Himmel und Erde gefällt werden.

Um Aktivierung zu finden, machen Sie die Übung vormittags. Wollen Sie entspannen, ist sie am Nachmittag hilfreich.

Die Übung ist in zwei Stellungen möglich:

• In der ersten Position können Sie viel Hitze und Kraft aufladen: Gehen Sie in die Hocke und kommen mit dem Gesäß auf den Fersen zu sitzen. Wenn das unbequem ist, schieben Sie ein Kissen zwischen Ihre Oberschenkel und Waden. Bei dieser Position berühren Sie *Indravasti,* einen anderen Marma-Punkt, der eng mit unserem inneren Feuer in Verbindung steht.

• In der anderen möglichen Ausgangsposition treten Sie über Guda mit dem ersten Chakra in Verbindung und aktivieren die Kraft der Erde. Sie sitzen auf dem Boden, ziehen ein Bein an den Körper und schieben den Fuß unter Ihr Gesäß. Mit Ihrer Ferse stimulieren Sie automatisch Guda. Legen Sie zunächst beide Hände auf Ihr Basis-Marma Vasti im Unterbauch. Öffnen Sie sich für diese

Kraft und verbleiben Sie fünf ruhige gleichmäßige Atemzüge in dieser Haltung. Vielleicht verspüren Sie nach einer Weile ein angenehmes Prickeln.

Lassen Sie nun eine Hand wandern: zunächst hoch zu Adipathi, wo sie wiederum fünf Atemzüge lang verweilen. Dann gehen Sie zu Stapani weiter und lassen diesen Punkt zu Ihnen sprechen. Bleiben Sie mit der anderen Hand ständig in Verbindung zu Vasti. Nun kehren Sie mit der zweiten Hand dorthin zurück und halten diese frische kraftvolle Schwingung noch eine Weile.

Körperpflege

Um ein Gefühl für ihren Körper und seine Grenzen zu entwickeln, genießt die Konstitution vom Typ Vata-Kapha einen eher festen Massagegriff. Eine Fußmassage mit Senföl unterstützt einen erholsamen Schlaf. Anschließend werden die Füße in einem heißen Fußbad mit Ingwer gebadet.

Besonders im Winter und Frühjahr, wenn gesundheitliche Probleme vorprogrammiert sind, sollte der Körperpflege besondere Aufmerksamkeit gelten. Die tägliche Nasenreinigung mit warmem Wasser und Salz hilft die empfindlichen Atemwege und Nebenhöhlen frei zu halten (siehe Kapitel „Anleitungen zur Selbstbehandlung", Seite 107). Sauna und Dampfbäder sind ebenso hilfreich. Zu Hause empfehlen sich Dampfbäder unter dem Handtuch. Dem Wasser kann man ätherische Essenzen, wie Zimt, Moschus, Eukalyptus und Zedernholz, beigeben.

Vata-Kapha im Beruf

Mit einem guten Teamgeist, genügend Flexibilität und Zuverlässigkeit in ihrem Naturell ist eine Person vom Typ Vata-Kapha eine sympathische und kollegiale Mitarbeiterin. Ihre spezielle Kreativität und Feinfühligkeit legen soziale Berufe aller Sparten nahe. Auch in einer Bank oder Versicherung wird sie sich wohl fühlen. Ihr Sinn für Zahlen, ihre Sachlichkeit und eine vertrauenswürdige Ausstrahlung helfen ihr dabei. Optimal ist auch ein Beruf, der im

271

weitesten Sinne mit Kunst, Literatur, Musik und Architektur zusammenhängt.

Eine Fußfalle im Berufsleben kann ihre Gutgläubigkeit werden: Diese Wesensnatur ist ein leichtes Ziel für solche Kollegen, die sich mit dem Einsatz ihrer Ellbogen zielstrebig den Weg nach oben bahnen. Dem Zeitgeist gemäß heißt das Stichwort „Mobbing". Ihrer Wesensnatur entsprechend, würde sie auf ihrer Position zwar ausharren, seelisch aber zermürbt sie das und macht sie zutiefst unglücklich. In dieser Situation hilft nur eine offene Aussprache, wenngleich ihr das schwerfallen wird. Wunderbar, wenn sie Sicherheit und Anerkennung findet, ohne dafür kämpfen zu müssen.

Zu bequem soll eine Wesensnatur vom Vata-Kapha-Typ ihren Arbeitsplatz allerdings nicht polstern. Zur Nährung ihrer Lebendigkeit sollte sie immer wieder Herausforderungen suchen. Hin und wieder dürfen die Aufgaben ruhig kniffelig sein, sie werden ihren Ehrgeiz und Mut zu Veränderungen nähren.

Partnerschaft und Familie

Vata-Kapha ist die Wesensnatur des ausgeprägten Familienmenschen. Vermutlich widmet sie ihre ganze Zeit und Aufmerksamkeit der Familie, für deren Wohl sie selbstverständlich eigene Interessen und Bedürfnisse hintanstellt. Eine Frau vom Vata-Kapha-Typ geht in ihrer Aufgabe als Mutter wahrscheinlich ganz auf. Hier ist Achtsamkeit nötig, damit sie hinter ihrer Rolle der immer Gebenden nicht unbewußt eigene Antriebslosigkeit verbirgt und dadurch ihre eigenen Herausforderungen verschleiert. Oft kommt die Ernüchterung, wenn die Kinder erwachsen sind und im Haus die gefürchtete Leere zurückbleibt, die sie nicht aus eigener Kraft füllen kann.

Für sie in all ihrer Unbeweglichkeit kann ein Partner, der selbst aktiver lebt, sehr unterstützend wirken. Ein solcher Mensch mit hohen Pitta-Anteilen wird ihr Inspiration geben und sie zu eigenen Unternehmungen motivieren. An seiner Seite wird sie aufblühen. Allerdings besteht bei einem Pitta-Partner leicht die Gefahr, daß er sie völlig vereinnahmt und mit seiner Dominanz überrollt. Wenn sie seine Vorstellungen übernimmt, verliert sie schnell ihren eigenen Weg aus den Augen. Deshalb sollte dem Pendant von Vata-

Kapha außer Pitta-Anteilen genügend Feinfühligkeit zu eigen sein, um ihrer Sensibilität mit Verständnis und Einfühlsamkeit zu begegnen. In der Beziehung mit einem Partner vom Typ Vata-Pitta oder Kapha-Pitta wird sie mit seiner liebevollen und kraftvollen Unterstützung Entfaltungsmöglichkeiten finden und ihren eigenen Weg gehen können.

Ein Kind mit Eltern von dieser Wesensnatur wächst in einer spirituellen Atmosphäre und der Ganzheit von Familie und Glauben auf. Darin ist es in Sicherheit gebettet und kann Urvertrauen entwickeln – das wichtigste Fundament für sein Selbstwertgefühl im späteren Leben. Schöngeistige Gespräche im Elternhaus fördern die Entwicklung seiner Persönlichkeit. Zugleich aber braucht ein Kind auch Bewegung, denn es wächst und verändert sich mit jedem Tag. Es will für die Welt freigegeben werden. Deshalb sollten Vata-Kapha-Eltern beizeiten lernen, es seinen eigenen Weg finden zu lassen.

Freizeit und Sport

Mäßige, aber regelmäßige Bewegung ist der Schlüssel für den Energietyp mit der Konstitution von Vata-Kapha, damit er in Schwung bleibt. Sport fördert die Durchblutung, kurbelt Kreislauf und Stoffwechsel an, entschlackt und reguliert die Verdauung. Gründe genug also für ihn, mit Disziplin am besten täglich zu festen Zeiten in die Sportschuhe steigen.

Übermäßige Anstrengung erhöht allerdings Vata und sollte daher vermieden werden. Am wohlsten fühlt sich diese Konstitution an einem warmen Sommertag in der Natur bei einem zügigen Spaziergang oder leichtem Jogging. Vielleicht schließt sie sich einem Wanderverein an, spielt Golf oder Minigolf.

Im Winter ist Sport in der Kälte eher schädlich. Skilaufen oder Schlittschuhfahren sind daher nichts für sie. Ihre Schleimhäute sind nun besonders empfindlich, und selbst wenn sie sich dick einpackt, friert sie schnell. Besser ist in diesen Monaten Hallensport für sie. Mit ihrem Teamgeist ist ein Gruppensport, wie Handball, Bowling oder Volleyball, ideal. Tanzen und Aerobic werden die Geschmeidigkeit ihres Körpers unterstützen.

Eine wunderbare Möglichkeit, ihre künstlerischen Qualitäten zu entfalten und ihre Gefühle auszudrücken, finden Vata-Kapha-Wesensnaturen auf der Theaterbühne. Viele Menschen dieses Energietyps bringen hier ihre Einfühlsamkeit ein und zeigen ein ausgesprochenes Talent für ihre Rollen. Vielleicht gibt es eine Laiengruppe in der Nähe, besser noch, man stellt selbst eine Spieltruppe auf die Beine.

Vata-Kapha im Urlaub

Möglichst warm ist der ideale Urlaubsort für die Konstitution vom Vata-Kapha-Typ. Je mehr die Temperatur klettert, um so wohler fühlt sie sich. Doch darf ihr sonniges Domizil nicht zu einsam sein – immer sollte es auch Möglichkeiten zur Abwechslung geben. Der klassische Strandurlaub macht sie eher lethargisch; geeigneter ist eine gute Mischung aus Entspannung in Verbindung mit kultureller Inspiration. Vielleicht unternimmt sie zuerst eine längere Gebirgstour und anschließend eine Rundreise.

Ideale Reiseländer liegen in Südeuropa, auch eine Studienreise in den Himalaya ermöglicht jene Mischung aus Anregung und Bewegung. Da die Winterkälte diesem Konstitutionstyp ohnehin Probleme bereitet, könnte er generell den Jahresurlaub auf den Winter legen. Um Wärme zu tanken, liegen die Reiseziele jetzt etwas ferner – die nächsten Orte sind nun die Kanarischen Inseln und Nordafrika. Optimal wäre natürlich eine Reise nach Indien, um vor Ort eine traditionelle Panchakarma-Kur zu genießen.

Das Zuhause

Wie immer hat für Vata-Kapha auch beim Wohnen die richtige Temperatur oberste Priorität. Warm muß die Wohnung sein und ein gutes Heizsystem haben. Die Fenster sind am besten groß und lassen viel Sonne und Lebenskraft herein. Wunderbar für kalte Abende und die geliebte Lektüre ist für diese Wesensnatur ein offener Kamin.

Sonnig dürfen auch die Wände sein: Gelbliche, orangefarbene bis bräunliche Töne vermitteln ihr zugleich Geborgenheit. Um

Verbindung mit der Natur zu halten, liegt die ideale Wohnung am Stadtrand, wo sie Ruhe findet, zugleich aber kulturelles Leben in erreichbarer Nähe ist. Die Wohnung sollte weder im Erdgeschoß liegen, das zu kühl ist, noch ganz oben in luftiger Höhe. Besser ist eine mittlere Etage.

Die Kleidung

Die richtige Kleidung trägt viel dazu bei, daß eine Konstitution vom Typ Vata-Kapha immer gut gewärmt ist. Kuschelige Pullover aus Angora oder Pashmina-Wolle sind im Winter die besten Materialien für sie. Besonders auf wärmende Unterwäsche ist jetzt zu achten, denn die empfindlichen Nieren wollen – beispielsweise durch Nierenschoner aus Angora – gut geschützt sein. Im Sommer empfehlen sich Blusen und Hemden aus Baumwolle. Wegen ihrer ständig kalten Füße sind warme Socken und gutes Schuhwerk ein Muß.

Was die Mode angeht, tendiert Vata-Kapha eher zum Schlichten und Klassischen. Accessoires in der richtigen Farbe geben der Kleidung Pfiff. Vorzüglich geeignet sind warme Töne in Rot, Orange und Gelb.

Vata-Pitta-Kapha: der Tridosha-Typ

Alle fünf kosmischen Energien verschmelzen bei dem Tridosha-Typ harmonisch zu den drei Elementen Vata, Pitta und Kapha. Wohlbalanciert im Gleichgewicht, sind hier die Voraussetzungen ideal für ein erfülltes Leben in Glück und Gesundheit.

Tridosha im Zustand der Harmonie

Die Elemente wirken an ihrem vorgesehenen Ort und ermöglichen so einen konstanten Fluß der Wandlung. Impulse von Vata werden durch Hitze verwandelt und fallen auf fruchtbaren Boden, wo sie wachsen und sich zu Neuem entwickeln können. So gedeiht jedes Ergebnis durch das harmonische Spiel der Elemente kraftvoll und überzeugend.

Nur wenige Menschen genießen eine gleichmäßige Verteilung aller drei kosmischen Kräfte in ihrer Wesensnatur. Gerade bei der Beurteilung der Tridosha-Konstitution kommen häufig Mißverständnisse vor. Manche Menschen sind sich ihrer besonderen Prakriti überhaupt nicht bewußt. Andere füllen den Fragebogen womöglich falsch aus und haben in Wirklichkeit eine andere Prakriti. Überprüfen Sie daher noch einmal sorgfältig, ob bei Ihnen tatsächlich jedes Dosha in gleichem Maße vorhanden ist. Besonders

276

die körperlichen Merkmale sollten nochmals genau betrachtet werden.

Die körperlichen Anlagen des Tridosha-Typs

Bei der Konstitution von Vata-Pitta-Kapha sind viele Varianten in Körperbau und Aussehen möglich, da sich alle drei Energien in verschiedenen Körperbereichen zeigen: feine Strukturen des Vata-Dosha, markante Partien von Pitta und die Geschmeidigkeit von Kapha.

Meistens ist der Tridosha-Typ von mittelgroßer Statur. Der Knochenbau ist gut entwickelt und die Muskulatur kräftig. Glänzende Augen und ein auffallend klarer Blick drücken die innere Festigkeit seiner Persönlichkeit aus. Zugleich verleiht Vata dem Körper Beweglichkeit und eine lebendige Ausstrahlung. Pitta zeigt sich in seiner Dynamik, die zugleich innere Charakterstärke ausdrückt. Kapha vermittelt einen Eindruck von Stabilität und Erdverbundenheit.

Das Verdauungsfeuer brennt gut und gleichmäßig. Dadurch wird Nahrung vollständig umgewandelt, die sieben Gewebe werden optimal aufgebaut und Ojas erzeugt, jene feine Essenz, die dem Tridosha-Typ beste Gesundheit und strahlende Lebenskraft verleiht.

Die geistigen Anlagen des Tridosha-Typs

Mit einer gleichmäßigen Verteilung der fünf kosmischen Elemente bedacht, ist die Tridosha-Wesensnatur der Glückspilz unter den Doshas. Alle Energien sind in ausreichendem Maße vorhanden, daher hat sie optimale Voraussetzungen für ein glückliches erfülltes Leben. Mit wachem Geist, einem feinen Gespür und guter Entscheidungskraft erkennt sie, worauf es ankommt. Ihre Sinnesorgane funktionieren einwandfrei, und durch achtsame Beobachtung wird jeder Moment umgewandelt in eine Erfahrung, die im positiven Sinne Wachstum bringt.

Ausgestattet mit genügend Mut und Elan, geht sie Herausforderungen optimistisch und tatkräftig an. Sie weiß genau, was sie will, und verfolgt ihre Ziele mit Freude und Leidenschaft. Zugleich ist sie belastbar genug, auch schwierige Lagen souverän zu meistern. Die Vielseitigkeit ihrer Qualitäten ermöglicht ein weites Spektrum für angemessenes Handeln.

Mit der Energie des Schmetterlings setzt sie Eindrücke leicht und spielerisch um und nimmt die Dinge nicht allzu kompliziert. Doch erkennt sie mittels der Kraft des Vulkans, wann die Zeit kommt, um aktiv zu werden: Pitta gibt ihr Dynamik und Intelligenz zum Handeln. Der See wiederum verleiht ihr Besonnenheit, Geduld und Ausdauer, so daß alles Handeln in einer freudvollen entspannten Atmosphäre geschieht.

So viele Spielvarianten machen einer Tridosha-Natur das Leben relativ einfach und anderen den Umgang mit ihr so rundum angenehm. Eine harmonische Tridosha-Natur gestaltet ihr Leben zu einem vielfarbigen Kunstwerk.

Zugleich erkennt sie durch stete Achtsamkeit klar ihre persönlichen Grenzen, die zugleich einen gesunden Impuls ihrer Selbstachtung ausdrücken. Sie spürt ganz genau, daß Kreativität und Aktivität ihr nur mit einem ausgewogenen Energiepegel Genuß verschaffen. Auch anderen Menschen kann sie Inspiration und Unterstützung nur dann geben, wenn ihre eigenen Bedürfnisse sorgfältig genährt werden.

Eine Tridosha-Wesensnatur ist von geselligem Naturell. Sie schätzt gute Freunde als wichtigen Teil ihres Lebens. Zum geistigen Ausgleich sucht sie zwischendurch intuitiv den Rückzug, um in der Einsamkeit neue Kraft und Vertrauen zu schöpfen. In kontinuierlicher Verbindung mit den Kräften der Natur findet sie zu sich selbst.

Manche Menschen beklagen sich, daß eine Person vom Tridosha-Typ überheblich wirke. Gerade diese Geisteshaltung aber liegt einer harmonischen Tridosha-Natur ganz fern. Wahrscheinlicher ist, daß sie in einem gesunden Selbstwertgefühl lebt und sich so natürlich bewegt, daß andere sich ihr unbewußt (natürlich grundlos!) unterlegen fühlen.

Tridosha erhöhende Faktoren

In sanften Wellenbewegungen regulieren die Kräfte der Tridosha-Konstitution sich gegenseitig. Senkt sich die Waagschale des einen Dosha, sind die beiden anderen kräftig genug, sie wieder in das Gleichgewicht zu holen. Als rundum robuste Natur verfügt sie über gute körperliche und seelische Abwehrkräfte. Daher verträgt sie einiges, verzeihen Körper und Geist ihr auch so manchen Ausrutscher.

Eine Tridosha-Konstitution kennt keine spezielle Problemstelle und kein ewiges „Sorgenkind", das frühzeitig Warnsignale sendet und ihre besondere Aufmerksamkeit sucht. Daher gibt es auch keine bestimmten Faktoren, die generell zu vermeiden sind. Immer aber sind es Extreme, die ihre Energien tiefgreifend aus dem Gleichgewicht bringen. Gerade wenn sie zum leichtfertigen Umgang mit ihren Kräften neigt, sollte sie besonders achtsam sein.

Außergewöhnliche Situationen, denen sie zu lange ausgesetzt ist, tun ihr allgemein nicht gut: Das kann ein überlanger Aufenthalt in extremer Kälte oder in der Hitze sein. Langfristig falsche Ernährung zeigt bestimmt irgendwann ihre negativen Auswirkungen. Extreme körperliche Belastungen oder übermäßige Trägheit hinterlassen ihre Spuren, wie natürlich auch Dauerstreß im Beruf oder Privatleben.

Vielleicht ist die Tridosha-Konstitution gewohnt, ihren extremen Lebensstil scheinbar problemlos zu verkraften, hat jahrelang mit zu wenig Schlaf, zu viel Arbeit und Zigaretten gut gelebt. Irgendwann aber kann selbst die stabilste Konstitution solche starken Belastungen nicht mehr auffangen, werden „Sünden" sich organisch und nervlich auswirken.

Körperliche Symptome und ihre Beurteilung

Zur Beurteilung der Beschwerden empfiehlt sich deshalb eine Reihe von genauen Überlegungen: Welche Situation hat mich übermäßig belastet, bedrückt, erschreckt? Welche Situation hat mir offensichtlich nicht gut getan? Hat es eine klimatische Veränderung oder ungewohntes Essen gegeben? Wie fühlen sich die Beschwerden an?

Das Vata-Dosha als instabilste Energie verliert als erstes sein Gleichgewicht. Etwas langsamer kommt Pitta aus dem Lot. Durch Kapha ausgelöste Probleme sind aufgrund ihrer Trägheit am unwahrscheinlichsten.

Nun werden die Beschwerden nach ihren Eigenschaften beurteilt. Die offensichtlichsten Unterschiede bestehen zwischen dem Eindruck von Kälte und Hitze. Kälte hat immer mit Vata und Kapha zu tun, Hitze ist eine Eigenschaft von Pitta. Nachdem Vata und Kapha sich diametral entgegengesetzt ausdrücken, fällt auch die Unterscheidung ihrer jeweiligen Symptome leicht. Entsprechend ist auf die Regulierung des betroffenen Dosha zu achten. Die Behandlung bei Beschwerden einer Tridosha-Konstitution erfolgt immer nach den jeweiligen Symptomen.

Geistige Herausforderungen für den Tridosha-Typ

Natürlich fällt auch ein Mensch des Tridosha-Naturells in seine Schattenseiten. Jeder kennt Neid, Wut, Zorn und Eifersucht. Negative Gefühle sind menschliche Aspekte, die auftreten, wenn die Elemente außer Balance geraten sind und eine angemessene Reaktion nicht mehr möglich ist. Ebenso wie die Voraussetzungen für einen befreiten und glücklichen Geist liegt auch das Potential seiner Schattenseiten in uns.

Eine Tridosha-Wesensnatur ist ausgeglichen genug, um emotional relativ schnell wieder ins Lot zu kommen. Keine der drei Kräfte wirkt extrem; somit ist auch keines der Geistesgifte vorherrschend, um ständig Probleme zu schaffen. Ihr Zorn wird daher nicht lange anhalten, denn sie kennt die Qualität des Vergebens. Ungeduld gleicht sie durch Gelassenheit aus, und Phasen von zu langer Trägheit kann sie Beweglichkeit entgegensetzen.

Die einzige, allerdings ganz bedeutsame Schwierigkeit für eine Tridosha-Wesensnatur liegt darin, daß sie ihre Prakriti überhaupt nicht ausleben kann. Gerade weil alle Chancen in ihrem Potential liegen und sie jeden möglichen Weg bewältigen kann, verliert sie leicht ihren persönlichen Pfad.

Der Haken dabei ist nämlich, daß ein Mensch vom Tridosha-Typ nicht übermäßig ehrgeizig ist und sich deshalb durch äußere Einflüsse und Erwartungen anderer leicht ablenken läßt. Mit seinem übergroßen Verständnis ist er allzu bereit zur Anpassung. Allerdings entsteht diese Gutmütigkeit nicht aus einer Schwäche, sondern aus seiner Stärke der Hilfsbereitschaft. Trotzdem läßt er es auf diese Weise zu, daß andere ihn auf ihre Seite ziehen.

Meistens führt diese Ablenkung von seinem ureigenen Wesen nicht zur Entstehung von Krankheiten. Doch sie greift tief genug in sein Energiemuster ein, um eine andere Persönlichkeit als die angeborene zu entwickeln.

Der Ruf der Seele

Die Seele einer Tridosha-Wesensnatur ruft nach ihrer wahren Berufung: dem Weg, der sie ihr umfassendes Potential ausleben läßt. Die Crux dabei ist, daß viele Menschen von diesem Typ ihr einzigartiges Potential überhaupt nicht erfassen und sich dieses Schatzes in ihren Händen nicht bewußt sind. Solange andere über sie und ihr Leben bestimmen, driften Tridosha-Menschen von ihrem eigenen Weg ab.

Was diese Wesensnatur zu sich selbst zurückbringen kann, ist allein ihre Sehnsucht, die womöglich in der Meditation Signale sendet und den Weg zu ihren Wurzeln weist. So wird sie unabhängig von Status und Konventionen, die nicht in ihr Leben gehören. Die Tridosha-Natur hat in ihrem Dasein eine Mission zu erfüllen, über die sie Klarheit braucht. Deshalb lautet der Ruf ihrer Seele, ihr Leben bewußt und selbständig in die Hand zu nehmen. Entwickelt sie jetzt noch eine Extraportion Ehrgeiz dazu, werden ihre Visionen schnell zum Selbstläufer in Richtung Realität.

Sie bewegt sich intuitiv auf einem breiten Fundament der Ausgewogenheit, das andere Energietypen nur durch ausdauernde geistige Praxis erreichen. Zwar haben wir alle das Potential, Liebe und Mitgefühl zu entwickeln. Die Weisen bezeichnen eine solche Haltung als *Sattva*, den makellosen und reinen Geist. Der Tridosha-Natur fällt die Entwicklung einer solchen Geisteshaltung jedoch leichter, da sie weniger Hindernisse überwinden muß. Somit hat sie ein großes Geschenk erhalten, das sie in Freude und Dankbarkeit annehmen darf.

Zugleich ist mit dieser Gabe aber auch eine Pflicht verbunden: Menschen vom Tridosha-Typ erwarten große und wichtige Aufgaben. Viele widmen sich ausschließlich ihrer spirituellen Entwicklung in einem Leben der Einsamkeit. Andere wiederum bringen ihre Fähigkeiten ein, um Suchende auf ihrem Weg zur Selbstfindung zu begleiten. Was auch immer eine Tridosha-Natur anstrebt, sie darf ruhig Vertrauen in ihre Fähigkeiten setzen. Solange sie mit ihrem Herzen in Verbindung bleibt, wird sie alle hohen Ziele erreichen.

Allgemeine Empfehlungen

Ernährung

Ihre Verdauung bereitet der Tridosha-Konstitution keine Probleme, denn Agni ist kräftig genug, um Nahrung vollständig umzuwandeln. Daher sollte der Speiseplan vielseitig und möglichst abwechslungsreich sein. Die Mahlzeiten können alle sechs Geschmacksrichtungen beinhalten.

Das spezielle Augenmerk liegt auf einer Ernährung nach sattvischen Prinzipien. Die Basis von sattvischer Nahrung sind Lebensmittel von süßem Geschmack, frisches Obst und Gemüse, die mit viel Lebenskraft angereichert sind, sowie viele Milchprodukte. Sattvische Nahrung erhöht das Bewußtsein, klärt den Geist und erhält den Körper in einem Gefühl der Leichtigkeit.

282 Ergänzend dazu sollten die Lebensumstände und die jeweilige Jahreszeit bei der Aufstellung des Speiseplans berücksichtigt werden. Im Sommer, wenn Pitta hoch und das Verdauungsfeuer entsprechend schwach ist, wirkt leichtes Essen regulierend. Hin und

wieder kann auch Rohkost wegen ihrer kühlenden Wirkung gegessen werden. Im Winter werden eher süße, saure und salzige sowie wärmende und aufbauende Nahrungsmittel bevorzugt. Im Frühjahr empfehlen sich mehr Speisen von scharfem, bitterem und herbem Geschmack. Wenn die Tridosha-Konstitution auf ihre innere Stimme hört, wird ihr Körper seine gesunden Bedürfnisse signalisieren. Über ihren Appetit nach bestimmten Speisen erkennt sie, welche Elemente aufgebaut werden wollen.

Ayurvedische Ärzte empfehlen hin und wieder einen Fastentag mit viel warmem Wasser, Ingwertee und Fruchtsäften. Optimal ist einmal im Jahr eine Panchakarma-Kur. Eine Alternative für zu Hause stellt eine drei- bis viertägige Diät im Frühjahr dar.

Meditation

Das leere Gefäß

Sitzen Sie in einer für Sie bequemen Körperhaltung. Das kann auf dem Boden im Lotossitz sein oder auf einem Stuhl, wobei der Oberkörper gerade gehalten wird und die Füße gut mit der Erde verbunden sind.

Atmen Sie normal. Beim Einatmen richten Sie Ihre Aufmerksamkeit auf Ihre Nasenlöcher und verspüren ein Gefühl der Kühle, während die frische Luft einströmt. Nehmen Sie diese Kühle in Ihren Körper hinein und verteilen sie in jede einzelne Zelle. Beim Ausatmen spüren Sie, wie durch den Nasenausgang Wärme ausströmt. Atmen Sie entspannt und gleichmäßig, während Ihre Achtsamkeit bei den Nasenlöchern verweilt und abwechselnd die Gefühle von Kühle und Wärme wahrnimmt.

Wenn Sie mit Ihrer Achtsamkeit beim Atem verweilen, vermeiden Sie das Abschweifen Ihrer Gedanken. Wandern die Gedanken trotzdem umher und treten möglicherweise auch Emotionen dabei auf, lassen Sie sie wieder gehen. Verabschieden Sie freundlich und sanft auftauchende Erscheinungen, geben Sie ihnen keinen Namen. Kehren Sie mit Ihrer Achtsamkeit zurück zu Ihrem Atem, wie er durch die Nase ein- und ausströmt, und betrachten Sie diese Wahrnehmung als die wichtigste und einzig bedeutsame.

283

Machen Sie diese Übung zweimal täglich, solange Sie möchten. Das erste Mal empfiehlt sie sich direkt nach dem Aufwachen noch im Bett. Auf diese Weise nehmen Sie die Frische und Leerheit des Geistes am frühen Morgen mit. Abends hilft sie Ihnen dabei, die Probleme des Tages abzulegen.

Der sanfte Fluß

Für relativ ausgeglichene Menschen wie den Tridosha-Typ ist die folgende Atemübung aus dem taoistischem *Wai Tankong* gut geeignet. Die Energien werden auf sanfte Weise in einen harmonischen Fluß gebracht.

Stellen Sie Ihre Füße parallel in Schulterbreite zueinander. Richten Sie Ihren Blick in die Ferne. Heben Sie Ihre Fersen, so daß Sie lediglich auf beiden Fußballen stehen. Knicken Sie die Knie leicht ein und straffen Ihren Oberkörper, so daß Sie insgesamt balanciert zu stehen kommen.

Nun winkeln Sie Ihre Ellbogen an und halten zunächst beide Hände in Nabelhöhe. Die Handflächen zeigen nach oben, die Finger beider Hände weisen aufeinander zu, berühren sich aber nicht. Stellen Sie sich dabei vor, daß Sie mit beiden Handflächen einen unsichtbaren Gegenstand hochheben.

Einatmen: Atmen Sie durch die Nase mit leichter Reibung im Kehlkopf ein. Während Sie einatmen, heben Sie Ihre Handflächen vom Schambein bis hoch zur Achselhöhle. Ziehen Sie so die Energie aus dem Wurzelchakra bewußt nach oben.

Ausatmen: Sie atmen nun durch den Mund leicht pfeifend aus. Dabei drehen Sie die Handflächen, so daß Sie nach unten in Richtung Erde zeigen. Während Sie ausatmen, führen Sie die Hände gleichmäßig und bewußt hinab zum Wurzelchakra und gedanklich weiter bis zur Erde, um die Energie wieder zur Erde zurückzulenken.

Führen Sie in dieser Weise insgesamt neun Atemzüge aus.

Die Behandlung der Marma-Punkte

Der Weg zur Quelle

Die Berührung ihrer besonderen Marma-Punkte kann für die Tridosha-Wesensnatur eine Reise zu ihrer wahren Berufung bedeuten. Für sie stehen alle sechs Mahamarmas zu ihrer Unterstützung bereit. Mit einer Besonderheit: Diese Punkte wollen nicht direkt mit den Händen berührt werden, sondern nur durch die geistige Kontaktaufnahme.

Machen Sie diese Übung regelmäßig bei Sonnenaufgang oder Sonnenuntergang. Besonders immer dann, wenn Sie eine große Sehnsucht danach in Ihrem Herzen verspüren, folgen Sie dieser.

Sie können die Übung in jeder Ihnen angenehmen Position im Sitzen oder Liegen durchführen. Bringen Sie als erstes beide Hände auf das Brustbein zu Ihrem Herz-Marma, *Hridaya,* und legen sie nebeneinander dorthin. Kommen Sie durch diese Berührung zur Ruhe und atmen fünfmal ruhig und gleichmäßig. Beide Hände verbleiben entspannt im Kontakt mit Hridaya, während Sie nun – im Geiste! – die anderen fünf Marma-Punkte mit Ihrer Aufmerksamkeit berühren.

Der Ablauf folgt dem natürlichen Weg der Chakren: Wandern Sie gedanklich zunächst zu *Stapani,* dem Dritten Auge, und dann hinab bis zu *Guda,* dem Punkt der Schöpfung. Nun führen Sie die Gedanken hoch zu *Vasti* im Unterbauch, weiter zu *Nabhi,* dann folgen *Hridaya* und *Adipathi,* bis Sie schließlich mit Ihrem Geiste zum Herzen zurückkehren.

Verweilen Sie bei jedem Marma in Gedanken drei Atemzüge lang, und geben Sie Raum für die Bilder, die hier entstehen mögen. Mit der Stimme Ihres Herzens erkennen Sie Ihren Weg. In der Verbindung mit den Großen Geheimnissen finden Sie alles Potential, um ihn gehen zu können.

Freizeit, Sport und Urlaub

Die Tridosha-Natur ist robust genug, um alle Klimazonen und alle Jahreszeiten gut zu vertragen. Auch was sportliche Aktivitäten angeht, hat sie selbst für extreme Situationen genügend Power. Daher kann es keine speziellen Empfehlungen für die Gestaltung von Urlaub und Freizeit geben. Mit dem richtigen Gespür erkennt sie, wann es Zeit ist für Aktivitäten und wann sie sich in eine Ruhephase zurückziehen sollte.

Tridosha ist die Wesensnatur, die ihre Grenzen herausfordern oder überhaupt nichts tun kann – beides ist in Ordnung. Sie sollte aber darauf achten, durch ihre Aktivitäten in der Freizeit die Energien der Arbeit auszugleichen. Wenn der Beruf sehr anstrengend und sie viel unterwegs ist, wird sie abends ein Buch und Ruhe schätzen. Besteht die Tätigkeit allerdings mehr im Sitzen, empfiehlt sich in den freien Stunden genügend Bewegung.

Körperpflege

Besondere Aufmerksamkeit sollte die Tridosha-Konstitution auf die Reinigung und Pflege ihrer Sinnesorgane legen. Tägliche Reinigung von Nase, Augen, Ohren und Zunge sowie regelmäßige Ölmassagen schärfen die Wahrnehmung und unterstützen die Intelligenz. Ohnehin wird sie intuitiv entspannende Behandlungen schätzen, die Körper und Seele zu ihrer Harmonisierung wohltun.

V.
Die innere Weisheit
der Doshas

Die Welt mit den Augen der Weisen sehen

Solange unser Geist nicht vollständig von Sattva-Bewußtsein durchdrungen ist, unterscheidet und urteilt er ständig. Weil wir die wahre Natur der Dinge nicht erkennen können, unterteilen wir in Kategorien nach dem, was uns „angenehm" und was uns „unangenehm" ist. Von dem, was für uns angenehm ist, suchen wir immer mehr, während wir das, was uns unangenehm erscheint, möglichst umgehen wollen. Dieses unaufhörliche Urteilen ist sehr tief in uns verwurzelt und löst ständig wechselnde Gefühle aus: Glücksgefühle in Verbindung mit angenehmen Erfahrungen oder – wenn das Urteil negativ ausfällt – Sorgen, Ärger und Ablehnung. Da wir unaufhörlich zwischen diesen Extremen hin und her pendeln, ist es unwahrscheinlich, daß wir in unserer Mitte bleiben.

Wenn wir uns darum bemühen, die Dinge durch die Brille der Doshas zu betrachten, fallen solche bewertenden Kategorien weg. Wir beziehen nicht alle Eindrücke ungefiltert auf uns, sondern sehen die dahinter liegenden Kräfte. Wir erkennen in allen Erscheinungen die geistigen Energien und Ausdrucksformen des Schmetterlings, des Vulkans und des Sees – und dies sowohl im Zustand ihrer Harmonie als auch in ihren verwirrten Äußerungen. Wenn wir mit diesem Blick auf die Dinge schauen, liegt darin eine ungeheure Befreiung von tiefsitzenden Konzepten: Wir dürfen uns und andere annehmen, so wie wir sind – mit allen Qualitäten und mit allen Fehlern. Wir dürfen die ewige Suche nach positiven Anteilen aufgeben und auch Schattenseiten akzeptieren lernen.

Der Blick auf uns selbst

Damit wir anderen vergeben können, schließen wir zunächst Frieden mit uns selbst. Die meisten Menschen haben Probleme mit den Anteilen ihrer Persönlichkeit, die wir Schwächen, Marotten oder Schattenseiten nennen. Dabei handelt es sich um diejenigen Anteile, die uns selbst schaden oder durch die anderen Schaden zugefügt wird. Das kann die ganze Tafel Schokolade sein, die wir trotz Diätplan verschlungen haben, der lange Fernsehabend mit schlechten Träumen in der Nacht, ein Wutausbruch, weil der Kleine ein Glas zerbrochen hat. Jeder hat seine Gruben, in die er immer wieder hineinfällt. Wenn wir geistige Veränderung anstreben, ist das ein Prozeß, bei dem wir uns genau beobachten. Was ist emotional in uns vorgegangen, daß wir die ganze Schokolade gebraucht haben? Was hat uns davon abgehalten, den Fernseher rechtzeitig abzuschalten? Warum kann uns ein zerbrochenes Glas derart aus der Fassung bringen?

Jede Veränderung beginnt im Geist – doch soll der Geist nicht als Feind gesehen werden, der nun mit kritisch erhobenem und moralisierendem Finger auf solche Schwachstellen weist. Es ist besser, wenn wir ihn zu unserem Verbündeten und Freund machen: Wir wollen unsere Schattenseiten auf sanfte Weise verändern, und zwar zu dem Zeitpunkt, an dem wirkliche Bereitschaft da ist.

Vergessen wir also das Wort „Muß". Es setzt uns unnötig unter Druck und macht auf andere Weise wieder unfrei. Es gibt weder „gut" noch „schlecht", denn all unsere Aspekte – auch die von Rajas und Tamas geprägten – sind Teile unserer Geschichte. Vielleicht brauchen wir sie als Schutz, Ablenkung, Ermutigung, Verteidigung oder was auch immer. Mit einer Haltung der Aufmerksamkeit und Wachheit bemerken wir vielleicht allmählich, daß wir manche Marotten nicht mehr benötigen und trotzdem bestehen können.

Schattenseiten entwickeln sich, wenn ein Dosha sein Gleichgewicht verloren hat und in einen Zustand der Verwirrung gerutscht ist. Dieses Potential wollen wir in ein Gleichgewicht zurückversetzen, und dafür müssen wir seine harmonischen Anteile vermehren.

Doch halten wir einmal bewußt inne. Lassen Sie in diesem Augenblick ein Gefühl der Zufriedenheit zu für alle Stärken, die Sie bereits leben, und für alles, was Sie schon erreicht haben. Eine innere Haltung der Zufriedenheit verschafft uns die Gelassenheit, um unsere „Problemzonen" einmal genauer zu betrachten.

Was also sind diese Schattenseiten? Sämtliche Vorgänge entströmen den fünf kosmischen Elementen. Wie magische Verwandlungskünstler können sie verschiedene Formen annehmen. So kann Wind sich als wilder Orkan, aber auch als sanfte belebende Brise manifestieren. Erde kann solide und zuverlässig, aber auch stur, verbohrt und hart sein. Wasser ist ebenso der wirbelnde Strudel wie die kühlende Glätte. Feuer wärmt und zerstört gleichermaßen.

289

In dieser vitalen Kraft steckt das gesamte Potential von dem, was es im Leben zu erschaffen gibt. Es liegt an uns, in welcher Richtung wir ihr Raum geben – ob sie eine Quelle des Schöpferischen und Belebenden ist oder ein Abgrund von Verzweiflung und Zerstörung. Es ist also gleichgültig, welche Zusammensetzung der Elemente uns das Schicksal mit auf den Weg gegeben hat, was für körperliche Probleme oder welchen Grad an Attraktivität, welchen Wohlstand oder Mangelzustand. In allem sind jene fünf Elemente und damit das gesamte Potential enthalten. Es liegt in unseren Händen, ob wir Glück oder Leid daraus schmieden.

So sind Licht- und Schattenseiten die beiden Seiten derselben Münze, sie nähren sich aus derselben Energie. Ein feuriger Mensch schöpft seine unglaubliche Tatkraft und Intelligenz aus dem Potential des Vulkans, aus dem sich aber auch sein hitziges Temperament und seine Wutausbrüche speisen. Würde er diese hitzige Seite nicht anerkennen, bedeutet dies, daß er seine gesamte Persönlichkeit nicht wahrhaben will, die sich gewiß an anderer Stelle ein Ventil schaffen und „explodieren" würde. Doch heißt das nicht, diesen Kräften ungehindert freien Lauf zu lassen. Wenn wir Freundschaft schließen mit unserer Wut, Angst, Depression oder Arroganz, gibt uns dies den Mut, die Wirkung dieser starken Emotionen auf uns selbst wie auf andere einmal zu betrachten. Bei diesem Prozeß hat die Meditation eine unterstützende Wirkung. Dadurch können wir verstehen lernen und zu gegebener Zeit ohne Widerstand loslassen.

In der Regel fällt ein Mensch, sobald er unter Druck gerät, schnell in sein überhöhtes Dosha. In diesen vertrauten Verhaltensmustern findet er Schutz, Halt und Sicherheit. Eine Vata-Natur reagiert in einer solchen Situation spontan ängstlich, nervös und zieht sich zurück. Ein Pitta-Energietyp wird aggressiv und zum sofortigen Frontalangriff übergehen, während eine Kapha-Natur äußerlich überhaupt nicht reagiert. Lieber tut sie so, als habe sie mit allem nichts zu tun und wartet, bis der Sturm sich verzogen hat.

So tauchen unsere geistigen Herausforderungen immer wieder in verschiedenen Verkleidungen auf und bereiten uns Ärger. Dabei wollen sie uns nur wachrütteln, wenn wir unachtsam werden. Wenn wir wieder im Lot sind und die Übung verstanden haben, verwandeln sie sich zu freundlichen Wegbegleitern. Deshalb dürfen wir sie willkommen heißen und uns mit ihnen versöhnen.

Durch sie, und nur durch sie, können wir lernen. Da sie uns ein Leben lang begleiten, sollten wir sie zu unseren Verbündeten machen! Ähnlich wie Laternen zeigen sie an, wo wir gerade stehen, und bewahren uns vor Schlimmerem.

Wenn wir in aller Freundschaft, Sanftmut und Verständnis mit uns selbst umgehen, können wir zugleich Freundschaft mit anderen schließen. Was wir nämlich an anderen gerne kritisieren und verurteilen, finden wir ebenso in uns. Wenn wir uns selbst entdecken lernen, entdecken wir auch die Gesetze des Kosmos. In der Umarmung unserer Schattenseiten wird der Weg zurück zu den Wurzeln zu einer wunderbaren Entdeckung weiter Horizonte.

Der Blick auf andere

Um einen klaren Blick für andere zu entwickeln, schärfen Sie Ihre Wahrnehmung. Beobachten Sie die Art und Weise, wie Menschen Dinge tun, sich bewegen und sprechen. Sammeln Sie über Ihre Mitmenschen so viele Informationen wie nur möglich. Sie werden sich wundern, wieviel Sie mit wachen Sinnen über eine Person erfahren können. Gehen Sie mit klaren Augen, gespitzten Ohren, einer scharfen Nase und feinem Tastsinn auf Entdeckungsreise. Die Reinigung der Sinnesorgane ist daher besonders wichtig und von großem Wert, denn nur mit geschärften und bewußten Sinnen lernen wir durch die Brille der Doshas zu sehen.

Es gibt höchst unterschiedliche Reaktionen auf ein und dieselbe Situation, je nachdem, welche geistige Energie sich gerade durch die betreffende Person ausdrückt. Wirklich genaue Beobachtung macht uns die Vielfalt menschlichen Verhaltens bewußt. Durch die ayurvedische Brille der Doshas schauen wir sehr differenziert. Wenn wir eine Aktivität der Qualität von Vata, Pitta oder Kapha zuordnen, urteilen wir nicht mehr, und deshalb verurteilen wir auch nicht. Wir stellen lediglich Kategorien auf. Das ist ein großer Schritt in unserer persönlichen Weiterentwicklung: von der Bewertung zur reinen Wahrnehmung.

Durch diesen neuen Blick können wir Konfliktsituationen im praktischen Umgang erheblich besser bewältigen lernen, denn wir entwickeln eine gewisse Distanz zu den Dingen.

Beispielsweise reagieren wir spontan mit Wut auf den rücksichtslosen Autofahrer, der uns die Vorfahrt nimmt. Oder wir ärgern uns über den Postboten, weil ständig fremde Post in unserem Briefkasten landet.

Mit der Sichtweise der Doshas kann dem Autofahrer schlicht das Attribut „Pitta" zugeordnet werden. Das ist *sein* überhöhtes Dosha, und wir müssen den Funken seiner Aggression nicht auf uns überspringen lassen. Sobald wir sein Verhalten mit dem Etikett „Pitta" versehen, dürfen wir entspannen.

Der Postbote könnte eine Vata-Natur haben. Wenn nun die trockene Kälte eines Herbstmorgens hinzukommt, erhöht das sein Dosha, was ihn nervös und ungeduldig macht, weshalb er letzten Endes seine Arbeit unkonzentriert verrichtet. Anstatt daß wir uns nun darüber ärgern, ist es viel sinnvoller, einfach festzustellen: *Sein* Vata scheint im Moment im Übergewicht zu sein.

Ein rechtes Verständnis der Elemente bedeutet aber keinesfalls, sich nicht einzumischen und alles zu erdulden! Doch es verschafft uns eine neue Weise der Betrachtung und des Umgangs mit Problemen. Allerdings sollten aus solchen Betrachtungen keine übereilten Schlüsse auf die Wesensnatur eines anderen Menschen gezogen werden. Zu dieser Bestimmung braucht es – wie der ausführliche Fragebogen in diesem Buch zeigt – erheblich mehr Kriterien. Wir können lediglich ein Fragment einer vielschichtigen Persönlichkeit erfassen, das sich in diesem bestimmten Augenblick öffnet.

Diese neue Betrachtungsweise ist eine Chance und zugleich Voraussetzung, den eigenen Geist zu verändern. Über die Sinnesorgane nehmen wir die Welt wahr. Indem wir anders mit ihnen umgehen, können wir auch die Welt anders betrachten. Die Wahrnehmung des Sehens und die Ausrichtung des Geistes gehören zusammen. Ein geistiges Grundgesetz lautet:

Wie du siehst – so fühlst du. Wie du fühlst – so denkst du. Wie du denkst – so willst du. Wie du willst – so handelst du.

292 Mit einer geschärften Wahrnehmung und offener Geisteshaltung geschieht ein interessanter Prozeß: Von der Ebene des Verstandes geht ein Funke über auf die Herzensebene. Tief darin keimt wirkliches Mitgefühl für die Natur des Menschen. Somit ist der Blick

durch die Doshas eine Brücke zu einem Raum neuer Wahrnehmung, in dem wir zu Mitgefühl finden und Verzeihen möglich
wird.

Unser Beitrag für das Gemeinwohl

Die alten Texte bezeichnen ein harmonisches Miteinander in einer
Gesellschaft als Voraussetzung für ein glückliches Leben. Diese Aus-
sage entspricht im Grunde einem ethischen Gesellschaftsvertrag,
denn wir sind eng verbunden mit der Familie, mit Freunden, Kollegen und allen Personen, die uns im Alltag begegnen.

Gerade in einer komplizierten Zeit wie heute ist es wichtiger
denn je, positive Kräfte in die Welt zu tragen, entstehen doch alle
Konflikte, jeder Kampf und Krieg durch eine Haltung der Intoleranz. Denn was alle Menschen auf der Erde miteinander verbindet, ist ihre Sehnsucht nach Liebe und Glück. Daher sitzen wir
alle im selben Boot.

Selten hat die gesamte Menschheit in solch immensen Problemen gesteckt wie in unserer Generation. Die alten indischen Seher haben die heutige Zeit in weiser Voraussicht *Kali-Yuga* genannt
– eine Periode, in der es in jeder Hinsicht bergab geht und Intelligenz und Gedächtnis der Menschen sinken. Dürren, Überschwem-
mungen, Hungersnöte und Kriege hat es immer gegeben, aber heute
haben sich die Gefahren durch moderne Waffensysteme potenziert. Wenn wir keine der technischen Entwicklung entsprechende geistige Entwicklung folgen lassen, besteht Gefahr für die ganze
Erde. Letztlich kann diplomatisches Geschick von Politikern nur
Brandherde löschen; Frieden aber ist nur möglich durch eine Haltung von Toleranz und Respekt für andere.

Um die Welt zu verändern, müssen wir bei uns selbst beginnen. Frieden finden wir durch Selbstachtung und die Verwirklichung unserer Wesensnatur. Ein glücklicher Mensch wird zur
Quelle, die ihr Umfeld nährt und dessen Gedeihen unterstützt.
Damit ist unsere harmonische Geisteshaltung Basis für ein friedvolles Umfeld, sie dehnt sich gleich einem Lichtstrahl in alle Richtungen aus. Innen und Außen stehen in einer Wechselbeziehung

293

miteinander: Wir reflektieren auf unser Umfeld und dieses wiederum auf uns zurück. Gerade weil Menschen heute so eng beisammen leben, ist ein friedvoller Geist immens wichtig – je mehr Menschen in dieser Haltung leben, um so besser! Bereits in den Veden, den ältesten indischen Schriften, raten die Weisen den Menschen, sich zusammenzutun, damit sie gemeinsam Positives bewirken können. Durch unsere innere geistige Entfaltung leisten wir also zugleich einen sozialen Beitrag. Mit der Kenntnis unsere Qualitäten erkennen wir, wie dieser Beitrag zur Unterstützung des Gemeinwohls konkret aussehen kann.

Die harmonische Ergänzung in der Partnerschaft

Die Partnerschaft, in der wir leben, stellt eine ganz besondere Beziehung dar. Zwei Menschen begegnen sich hier auf einer körperlich und seelisch sehr intimen Ebene. Gleich einem Spiegel zeigt der Partner unsere Stärken und Schwächen auf, und wir können uns dadurch selbst besser kennenlernen. Wenngleich es manchmal Mut kostet und Kraft, eine intensive Beziehung zu leben, ist sie zugleich eine wundervolle Chance und birgt ein großes Potential für persönliches Wachstum.

Wertvoll für eine konstruktive Beziehung ist das Verständnis der Wesensnatur unseres Partners. Dadurch werden wir ihn in einem neuen Licht sehen und in seiner Einzigartigkeit noch mehr schätzen können. Mit dem Bewußtsein um ihre Wesensnatur können zwei Menschen sich neu begegnen und ein tieferes Verständnis füreinander entwickeln. Im Licht seiner Prakriti können wir den Partner noch klarer begreifen, seine besonderen Qualitäten, aber auch seine Schwachstellen besser verstehen lernen und vermeiden, unrealistische Erwartungen an ihn zu stellen.

294

Die Entscheidung für einen Menschen, an dessen Seite wir leben möchten, ist daher von großer Tragweite. Ein Partner mit einer Pitta-Natur bringt feurige Energie in die Beziehung. Er wird

Sie nach der Arbeit vielleicht zu einer Runde Joggen ermuntern und abends in ein neueröffnetes mondänes Restaurant ausführen. Dagegen wird ein Vata-Partner Karten für eine Vernissage mitbringen und danach vielleicht noch auf einer Party vorbeischauen wollen. Ein Partner mit einer Kapha-Konstitution hat vermutlich schon gekocht, wenn Sie nach Hause kommen, und freut sich nun darauf, den Abend mit Ihnen bei einer Flasche Wein und einem guten Gespräch zu verbringen.

Menschen von derselben Wesensnatur ziehen sich leicht an, denn schließlich erblickt man im Spiegel gerne sein Ebenbild. Nach einiger Zeit verstärken sich durch gegenseitiges Nähren jedoch die Übergewichte dieser Doshas. Deshalb werden zwei Kapha-Naturen zwanzig Jahre lang in derselben Ferienpension ihren Urlaub verbringen, dabei harmonisch und friedvoll, möglicherweise auch irgendwann gelangweilt und schweigsam miteinander leben. Ziemlich hektisch ist das Leben eines Paares mit dominanter Vata-Energie. Beide schweben in geistigen Höhen, sind ständig unterwegs und schmieden zahllose Pläne, von denen sie letzten Endes aber keinen realisieren werden. Sind die Partner vom Pitta-Typus (vielleicht hat man sich auf einer Geschäftsreise kennengelernt), werden diese beiden ihre Pläne mit viel Tatkraft verwirklichen. Doch treiben sie sich gegenseitig an und werden noch abends über die Arbeit sprechen oder im Streit ihre Machtkämpfe austragen.

Ohnehin kommt es häufiger vor, daß sich zwei Menschen von verschiedener Wesensnatur zusammenfinden. Vom Blickwinkel des Ayurveda ist das gut, denn so finden beide ihre Ergänzung ineinander. Der eine hat Qualitäten, die beim anderen nicht ausgeprägt sind, und sie können damit einander Inspiration und Regulativ sein. So entsteht letztlich ein harmonisches Gleichgewicht zwischen Vata, Pitta und Kapha in dieser Zweierzelle Partnerschaft.

In dieser Ergänzung liegt eine Chance, allerdings auch eine große Herausforderung. Zwei Menschen von unterschiedlicher Wesensnatur oder gegensätzlichem Energietyp brauchen ein gutes Maß an Toleranz, um den anderen trotz – oder gerade *wegen* – seines Anders-Seins zu schätzen und zu respektieren. Wenn wir uns erinnern, daß wir selbst das ganze Potential aller Elemente in uns tragen, wird es uns leichter fallen, die Schwachpunkte, Bedürfnisse und Eigenheiten unseres Partners akzeptieren zu lernen. Umgekehrt sind auch wir selbst nicht frei von Marotten, die unserem Partner ebenso Toleranz abverlangen.

Zwei reife Menschen erkennen gerade in ihrer Verschiedenheit ein fruchtbares Potential, das sich sowohl auf die Organisation des Alltags als auch auf ihr spirituelles Wachstum auswirken wird. Schwierig kann eine Partnerschaft allerdings sein, in der beide Partner völlig verschieden sind. Wenn in den Wesensnaturen kaum Berührungspunkte vorhanden sind, gestaltet sich die Verständigung mühsam. Nur in der idealen Verbindung findet jeder von beiden einen Teil seiner Wesensnatur im anderen wieder.

Auch ist, unabhängig von ihren Wesensnaturen, stets der „gewisse Unterschied" zwischen Männern und Frauen vorhanden. In einem Mann drückt sich im allgemeinen etwas mehr Pitta aus, welche Prakriti auch immer er haben mag. Eine Frau mit der gleichen Prakriti besitzt dagegen einen etwas höheren Kapha-Anteil. Diesen weiblichen Anteil trägt jede Frau in sich. Er hängt auch nicht davon ab, ob sie tatsächlich Mutter wird, sondern der Kapha-Aspekt entspricht dem Prinzip des Weiblichen in ihr, der Urmutter, der Verbindung von Erde und Wasser. In vielen Kulturen wird der mütterliche Aspekt – die „Mama" als Symbol für Fürsorge und Geborgenheit – hochgeschätzt. Für jede Frau ist es daher wichtig, ihre Kapha-Anteile bewußt zu leben und somit im ursprünglichen Sinne wieder zur nährenden Mutter und dem ruhenden Pol zu werden. Kapha ist das schöpferische Element, das nicht nur Kinder, sondern auch die eigene Person nährt. Dazu gehört es auch, sich im Alltag einen Ort zu schaffen, der Ruhe und Geborgenheit ausstrahlt.

Dieser besondere Unterschied zwischen Mann und Frau begründet sich zum einen natürlich durch die Geschlechtshormone. Anderseits liegt die traditionelle Geschlechterrolle, in welcher der Mann seit Urzeiten als Jäger und Sammler die Familie versorgte, während die Frau sich um die Kinder kümmerte, als subtile Information in der Zellintelligenz. Deshalb steckt in jedem Mann eine Portion Kampfgeist und Stolz, in jeder Frau ein Hang zu materieller Sicherheit und Fürsorge. Wenn beide Partner diese Anteile im Umgang miteinander berücksichtigen, tragen sie zu einer Atmosphäre von Harmonie bei. Die Partnerschaft kann so ein wundervolles, auf tiefer Liebe begründetes Abenteuer der Entdeckung von sich selbst wie des anderen sein.

Anhang

Glossar der Sanskrit-Begriffe

Agni – Körperfeuer, reguliert besonders Körperhitze und Verdauung

Ama – unverdaute Nahrungsreste; lagert sich als toxische Substanz in den Körperkanälen ab und ist die Ursache für die meisten Krankheiten

Basti – ayurvedische Einlauftherapie, eine von fünf Reinigungsmethoden des Panchakarma. Wird als Einzelbehandlung vorwiegend bei Vata-Beschwerden angewendet: als nährende Therapie mit Ölen und Fetten *(Anuvasana Basti)* oder als reinigende Therapie mit Abkochungen *(Niruha Basti)*

Charaka – einer der wichtigsten frühen Ayurveda-Gelehrten (1. Jh. v. Chr.), Überlieferer des ayurvedischen Grundlagenwerks *Charaka Samhita*

Dhatu – Gewebe-Element des Körpers

Dosha – Sammelbegriff für die drei Energieprinzipien Vata, Pitta und Kapha; auch als „Bioenergie" bezeichnet. Die Doshas bestimmen die körperlichen und geistigen Reaktionen eines Menschen

Ghee – zerlassenes Butterfett, zählt zu den natürlichen Rasayanas

Gunas – die drei universellen Qualitäten, die jegliche Aktivitäten des Kosmos prägen: Sattva, Rajas und Tamas

Kapha – Dosha der Struktur und Stabilität; Bioenergie, in der sich Erde und Wasser verbinden

Malas – Ausscheidungen des Körpers

Marmas – Energiepunkte auf der Haut; Verbindungsstellen zwischen Körper und subtilem Bewußtsein

Nadis – feinstoffliche Energiekanäle

Ojas – reine Essenz aller Körpergewebe (Dhatus). Ojas entsteht bei vollständiger Verdauung und steht für Glückseligkeit und Gesundheit

Panchakarma – traditionelle Reinigungskur des Ayurveda, die aus fünf Methoden besteht: Erbrechen, Abführen, Einläufe mit Abkochungen, Einläufe mit Ölen, Einnahme von Medikamenten über die Nase

Pitta – Dosha des Feuer-Aspekts: Bioenergie, in der Feuer und Wasser sich verbinden; ist zuständig für Verdauung und Stoffwechsel

Prakriti – individuelle Grundkonstitution; entspricht dem Verhältnis der drei Doshas zur Zeit der Geburt

Pranayama – Atemübungen zur Kontrolle der feinstofflichen Lebensenergien, des Geistes sowie der Wahrnehmung

Rajas – eines der drei Gunas; kosmische Kraft der Aktivität und Aggressivität

Rasayana – ayurvedisches Präparat aus Kräutern oder Mineralien zur Verbesserung des körperlichen Allgemeinzustands

Sattva – eines der drei Gunas; Aspekt des Lichts und des klaren Wissens; der Impuls, sich zu entwickeln

Shrota – Energiekanäle des physischen Körpers

Tamas – eines der drei Gunas; Aspekt der Trägheit und Unwissenheit

Tridosha – Zustand des Gleichgewichts der drei Doshas Vata, Pitta und Kapha

Trikatu – pflanzliche ayurvedische Arznei aus schwarzem Pfeffer, langem Pfeffer (Pippali) und Ingwer. Wird angewendet zur Entgiftung und zur Stärkung von Agni. Senkt Vata und Kapha

Triphala – ayurvedisches Kräuterpräparat aus Amalaki, Bibhitaki und Haritaki (Heilfrüchte der Myrobalanen-Bäume). Wirkt regulierend auf die Verdauung und als Verjüngungsmittel für alle Doshas

Vata – Dosha des Luft-Aspekts; Bioenergie, die sich aus Luft und Äther manifestiert; steht für die Bewegung von Körper und Geist

Veden – ältestes, schriftlich überliefertes Wissensgut der Menschheit. Die in Sanskrit verfaßten Texte datieren ab dem 3. Jahrtausend v. Chr.

Vikriti – momentanes Verhältnis der Doshas, im Gegensatz zur angeborenen Konstitution (Prakriti). Der Begriff wird auch zur Bezeichnung eines Krankheitszustandes verwendet

Empfohlene Literatur

Chopra, Deepak: *Die Körperseele.* Lübbe, Bergisch Gladbach 1991 (Knaur-TB, München 1999). – Anschaulich und ausführlich beschreibt der ehemalige Maharishi-Arzt Dr. Chopra mit vielen Beispielen komplexe Zusammenhänge des ayurvedischen Systems

Frawley, David: *Vom Geist des Ayurveda.* Windpferd, Aitrang 1999. – Beleuchtet speziell psychologische und yogische Aspekte des Ayurveda; die Funktionen des Geistes in diesem System werden ausführlich dargestellt

Lad, Vasant: *Selbstheilung mit Ayurveda.* O. W. Barth, Bern-München 1998. – Ein praktischer Ratgeber zur Selbstbehandlung mit vielen Rezepten. Die ausführliche Einführung ist leicht und gut verständlich geschrieben

Nyanaponika: *Geistestraining durch Achtsamkeit.* Verlag Christiani, Konstanz 1970/1984. – Einblick in das Wesen des Geistes aus buddhistischer Sichtweise. Mit Anleitungen zur Meditation und zum achtsamen Atmen

Rhyner, Hans-Heinrich: *Ayurveda – das Praxis-Handbuch.* Urania, Neuhausen (CH) 1997. – Detailliertes Grundlagenwerk auf wissenschaftlicher Basis. Verständlich dargestellt und auch für interessierte Laien geeignet

Sharma, R.K. & Bhagwan Dash (Hrsg. u. Übers.): *Charaka Samhita.* Chowkhamba Sanskrit Series, Varanasi (Indien) 1977/1997. – Ältester Grundlagentext des Ayurveda und bis heute das Standardwerk für Studenten. In englischer Sprache erhältlich

Tiwari, Maya: *Das große Ayurveda-Handbuch.* Windpferd, Aitrang 1996/2001. – Umfassendes Paxisbuch mit einer Fülle traditioneller Rezepturen für alle Bereiche der Selbstbehandlung. Einfühlsame Beschreibung des spirituellen Hintergrunds von Ayurveda

Über die Autorin

Jutta Mattausch, Jahrgang 1961, ist Heilpraktikerin, Ayurveda-Therapeutin, Buchautorin und Mutter von zwei Kindern. Sie studierte und arbeitete etwa fünf Jahre in Indien, vorwiegend in der vom Buddhismus geprägten nördlichen Himalayaregion. Spezielles Augenmerk in ihrem gesamten Tätigkeitsfeld liegt auf der Einbettung alter östlicher Weisheit in unseren modernen westlichen Geist. Heute lebt sie in Nürnberg und begleitet Menschen auf deren Weg zu ihrer ursprünglichen Wesensnatur.

Versandadressen
für ayurvedische Produkte und Öle

Adressen und Bezugsquellen

Der Leserservice des Windpferd-Verlages hält eine aktuelle Liste mit vielen Adressen von ayurvedischen Zentren, Ausbildungsstätten, Seminarhäusern, Kurkliniken sowie Bezugsquellen von ayurvedischen Produkten für Sie bereit. Diese Liste finden Sie unter folgender Internet-Adresse: **www.windpferd.com** Dort finden Sie unter dem Menüpunkt Service-Adressen den Titel dieses Buches und darunter alle weiteren Informationen.

Maya Tiwari

Das große Ayurweda Handbuch

Das umfassende Praxisbuch über alle Wirkungsweisen und Anwendungsbereiche von Ayurveda

Mit 528 Seiten eines der umfassendsten Praxisbücher der ayurvedischen Naturmedizin. Das Wissen um die Kunst des Heilens ist in der spirituellen Weisheit des Ayurveda tief verwurzelt. Maya Tiwari hat Ayurveda jahrzehntelang studiert und praktiziert. In ihrem großen Handbuch erfahren wir alles über die ursprüngliche Kraft menschlicher Heilung. Sie führt uns in die uralten Geheimnisse spiritueller Praktiken, Therapien und Heilmittel, Ernährungssysteme und natürlicher Körperrythmen ein, die – richtig angewandt – die notwendigen Erkenntnisprozesse für eine tiefgehende Heilung wachrufen. Dieses Buch ist in seiner Art die wohl umfassendste Darstellung der ursprünglichen Reinigungs- und Verjüngungstherapien, Pancha Karma.

528 Seiten, 3-89385-370-7
www.windpferd.com

Nischala Joy Devi

Der heilende Weg des Yoga

Zeitlose Weisheit und medizinisch bestätigte Behandlungen, die Streß lindern, das Herz öffnen und unser Leben bereichern

Dieses Buch läßt uns an Nischala Joy Devis jahrelanger Erfahrung teilhaben. Sie erklärt, wie Yoga, Visualisierung, Atemübungen und Meditation die Gesundheit stärken, und beschreibt die wichtigsten Yogastellungen. Nischala Joy Devi verbindet zeitlose indische Yogatechniken mit ihren eigenen Erkenntnissen über eine gesunde Lebensweise, um Menschen zu heilen und zu verjüngen – zeigt wie Yogapraxis den täglichen Streß in tägliche Freude transformieren kann: Stress abbauen, Rekonvaleszenz nach Krebs, Herzinfarkt und anderen Krankheiten, Gewichtsabnahme, Tiefenentspannung, verbesserter Allgemeinzustand von Körper, Seele und Geist. Ein Buch, dessen große Kraft uns berühren wird.

248 Seiten · 3-89385-368-5
www.windpferd.com

David Frawley

Das große Handbuch des Yoga und Ayurveda

Das Buch des vedischen Wissens. Der Weg der Selbstverwirklichung und der Yoga der Selbstheilung

Yoga und Ayurveda bilden gemeinsam eine starke Kraft, die zu optimaler Gesundheit und höherem Bewußtsein führt. Das große Handbuch des Yoga und Ayurveda enthüllt die geheimnisvollen Kräfte des Körpers, des Atems, der Sinne, des Geistes und der Chakras. Es zeigt, wie man mit richtiger Ernährung, Kräutern, Asanas, Pranayama und Meditation heilen kann. Dies ist das erste umfassende im Westen veröffentlichte Buch über das Zusammenspiel dieser außergewöhnlichen Energien. Yoga wie Ayurveda sind heute die im Westen am häufigsten praktizierten Erkenntnis- und Gesundheitswege. David Frawley genießt sowohl in Indien als auch im Westen ein hohes Ansehen als Kenner der Veden, des Ayurveda, der vedischen Astrologie und des Yoga.

320 Seiten, 3-89385-363-4
www.windpferd.com

Dr. Dennis Thompson

Das Ayurveda-Ernährungsprogramm für mehr Lebensenergie

Mit einer auf den Typ abgestimmten Ernährung optimal verdauen, Fett abbauen und Energie gewinnen

Dieses Ernährungsprogramm verbindet die uralte Weisheit des Ayurveda mit den modernen Erkenntnissen der „Leistungs- und Verjüngungsdiät" nach Dr. Barry Sears. Grundlegend sind dabei die Körpertypen (Doshas) und ihre optimalen Leistungszonen. Mit dem Ayurveda-Ernährungsplan wird dem Körper seine Verdauungskraft zurückgegeben. Denn ohne Verdauungskraft nutzt das beste Essen nichts. Dann erst kann sich der Körper notwendige Energie wieder aus der Nahrung holen. Das zum Körperbau passende Idealgewicht pendelt sich ein und die Lebensenergie wird einen gewaltigen Schub nach vorne erhalten.

160 Seiten · 3-89385-364-2
www.windpferd.com